LA RIVIÈRE ROUGE

www.editions-jclattes.fr

John Hart

LA RIVIÈRE ROUGE

Roman

Traduit de l'anglais (États-Unis)
par Hélène Hiessler

JC Lattès

17, rue Jacob 75006 Paris

Titre de l'édition originale
DOWN RIVER
publiée par Thomas Dunne Books,
un département de St. Martin's Press

ISBN : 978-2-7096-2989-8

À Katie, comme toujours

1.

La rivière est mon plus ancien souvenir. Elle passe au pied de la colline où est bâtie la maison de mon père et je l'ai souvent contemplée depuis la véranda. J'ai des photos jaunies de mes premiers jours sous cette véranda, endormi dans les bras de ma mère alors qu'elle se balance sur un fauteuil à bascule, ou en train de jouer pendant que mon père pêche. Et je la revois encore aujourd'hui, cette rivière : le lent bouillonnement de l'argile rouge, les remous des contre-courants sous les berges creusées, les secrets murmurés au granit rose du comté de Rowan. Tout ce qui m'a forgé est arrivé près de cette rivière. J'ai perdu ma mère non loin d'elle, je suis tombé amoureux sur ses berges et j'ai respiré son odeur le jour où mon père m'a chassé de la maison. C'était un morceau de mon âme et j'ai cru l'avoir perdu à jamais.

Mais les choses peuvent changer – c'est ce que je m'étais dit. On peut corriger les erreurs, réparer les injustices. C'est ce qui m'a ramené chez moi.

L'espoir. Et la colère.

J'avais passé trente-six heures éveillé, dont dix à conduire. Des semaines sans repos, des nuits sans sommeil, et la décision s'était imposée à moi sans prévenir. Je n'avais jamais pensé revenir en Caroline du Nord – j'avais enterré cette idée – mais, en un clin d'œil, je m'étais retrouvé les mains sur le volant, et Manhattan en train de disparaître dans mon rétroviseur. Je portais une barbe d'une semaine, le même

jean depuis trois jours, je me sentais tiraillé par une inquiétude qui frisait la douleur physique, mais ici, il était impossible que personne ne me reconnaisse. C'était ça, rentrer
chez soi, pour le pire et pour le meilleur.

Je levai le pied en atteignant la rivière. Le soleil était
encore bas sous les arbres mais je sentais déjà les premières
morsures, annonçant son ascension dure et brûlante. J'arrêtai la voiture tout au bout du pont, fis quelques pas sur le
gravier et me penchai au-dessus de la rivière Yadkin. Elle
prenait sa source dans les montagnes et traversait les deux
États de Caroline. À treize kilomètres de là, elle longeait la
bordure nord de la ferme Red Water, des terres qui appar-
tenaient à ma famille depuis 1789. Moins de deux kilomètres
plus loin, elle passait devant la maison de mon père.

Nous ne nous étions plus adressé la parole depuis cinq
ans, mon père et moi.

Mais ce n'était pas ma faute.

Je pris une bière et descendis sur la berge. Des ordures
et une couche de boue s'étalaient sous le pont en ruine. Des
saules se penchaient au-dessus de l'eau et j'aperçus des
bouteilles, attachées aux branches les plus basses, qui oscil-
laient dans le courant. Il devait y avoir des crochets près
de la rive boueuse et l'une d'elles flottait plus bas. Je décap-
sulai ma bière tout en guettant ses mouvements. La bouteille s'enfonça un peu plus et partit à contre-courant. Elle
remonta un instant, dessinant un V dans son sillage. La
branche remua et la bouteille se figea, plastique blanc taché
de terre ocre.

Je fermai les yeux et songeai aux personnes que j'avais
dû quitter. Après tant d'années, j'avais cru voir leurs traits
s'estomper, leurs voix se taire mais je m'étais trompé. Les
souvenirs me revenaient, plus nets que jamais, et je ne
pouvais plus les ignorer.

Plus maintenant.

En remontant sur le pont, je trouvai un jeune garçon perché sur un vélo poussiéreux. Il avait un pied à terre et un
sourire hésitant. Âgé d'une dizaine d'années, il portait un
jean usé jusqu'à la corde et des baskets montantes en toile.
Un seau pendait au bout d'une corde jetée sur son épaule.

À côté de lui, ma grosse voiture allemande ressemblait à un vaisseau spatial venu d'un autre monde.

— Bonjour ! lançai-je.

— Bonjour, monsieur.

Il me fit un signe de tête mais ne descendit pas de son vélo.

— Tu pêches à la bouteille ? lui demandai-je en désignant les saules.

— J'ai en attrapé deux hier.

— Il y a trois bouteilles là-dessous.

— Il y en a une qui est à papa. Ça compte pas, fit-il en secouant la tête.

— Il y a un truc assez gros dans celle du milieu.

Son visage s'éclaira et je sus que c'était la sienne.

— Tu as besoin d'aide ?

— Non, monsieur.

Enfant, je pêchais des poissons-chats dans la rivière et, à voir la forte tension de la corde qui retenait la bouteille du milieu, je jugeai qu'il avait dû attraper un monstre, une bête des profondeurs à la peau noire qui devait bien peser une dizaine de kilos.

— Ce seau ne sera pas assez grand, insistai-je.

— Je le nettoierai ici.

Ses doigts effleurèrent fièrement un couteau à fine lame accroché à sa ceinture. Le manche en bois teinté était incrusté de rivets en métal brossé. L'étui en cuir noir laissait paraître des fissures blanches là où il n'avait pas été huilé correctement. Il toucha la crosse et je perçus son impatience.

— Très bien. Bonne chance alors !

Je le contournai à bonne distance et il resta perché sur son vélo jusqu'à ce que je remonte dans ma voiture. Il regarda vers la rivière et son sourire s'élargit tandis qu'il se débarrassait du seau d'un coup d'épaule et que, lançant une jambe maigre par-dessus la selle, il abandonnait son vélo. En reprenant la route, je l'observai dans mon rétroviseur : un garçon poussiéreux dans un monde jaune tendre.

Je parvins presque à retrouver cette sensation.

Je parcourus près de deux kilomètres avant que le soleil ne soit au plus haut. La lumière devint trop forte pour mes yeux endoloris et je dus mettre des lunettes noires. New York m'avait habitué à la pierre dure, à l'exiguïté et aux ombres grises. Cet espace était si vaste, si luxuriant. Un mot me vint à l'esprit.

Verdoyant. Tout était si verdoyant… Je ne sais pourquoi mais je l'avais oublié, et je comprenais maintenant à quel point j'avais eu tort.

J'enchaînai les virages et les routes se firent plus étroites. Mon pied écrasa l'accélérateur. Je faisais du cent dix lorsque j'atteignis la limite nord de la ferme de mon père. La terre portait les stigmates d'émotions anciennes – l'amour, la perte et une angoisse silencieuse et corrosive. Je franchis l'entrée en trombe, un portail ouvert et une longue route à travers champs. L'aiguille frisa les cent trente et tout le poids des mauvais souvenirs s'abattit sur moi, si bien que je ne parvins plus à distinguer le reste – les bons souvenirs, les années avant que tout ne s'écroule.

J'entrai dans Salisbury quinze minutes plus tard et ralentis jusqu'à rouler au pas, tout en dissimulant mon visage sous une casquette de base-ball. J'étais conscient que ce lieu exerçait sur moi une fascination morbide mais il avait aussi été mon foyer, et je l'avais aimé. Je décidai donc de faire un tour en ville pour y jeter un œil. C'était une petite ville typique du Sud, au passé riche, et je me demandai si elle conservait encore aujourd'hui, tant d'années après m'avoir rejeté, un petit goût de moi.

Je passai devant la gare rénovée et les vieilles demeures qui respiraient l'argent, détournai le visage en croisant des hommes assis sur ces bancs que je connaissais bien et des femmes aux vêtements colorés. Je m'arrêtai à un feu, observai des avocats en train de monter les marches de larges escaliers, leur attaché-case à la main. Puis je tournai à gauche et m'attardai devant le palais de justice. Le regard de chaque membre du jury me revint en mémoire, en même temps que la sensation sous mes doigts du bois rugueux de la table à laquelle j'étais resté assis pendant trois longues semaines. Si je fermais les yeux, je revoyais les corps se presser sur les marches du palais de justice, la gifle presque physique des mots assassins et l'éclat de dents étincelantes.

Non coupable.

Ces mots avaient déclenché la fureur du public. Je jetai un dernier coup d'œil. Tout était là et je ne pouvais ignorer la rancune qui me consumait. Mes doigts se crispèrent sur le volant, le jour vacilla et la colère enfla dans ma poitrine jusqu'à m'étouffer.

Je poursuivis sur Main Street, puis vers l'ouest. Dix kilomètres plus loin, j'arrivai au Faithfull Motel. Pendant mon absence, celui-ci était progressivement tombé en décrépitude. Vingt ans plus tôt, l'affaire était florissante. Mais la fréquentation avait commencé à diminuer le jour où les mères de la paroisse accompagnées de prêtres avaient planté un pieu dans le drive-in marqué d'un triple X de l'autre côté de la rue. Aujourd'hui le motel n'était plus qu'un bouge, une longue suite de portes usées par le temps, avec des tarifs à l'heure, des locataires à la semaine et des travailleurs immigrés qui s'entassaient à quatre dans une chambre.

Le fils du gérant, Danny Faith, avait été mon ami. Nous avions grandi ensemble, partagé quelques fous rires. Il buvait et se battait souvent ; il travaillait à mi-temps à la ferme où il donnait un coup de main quand il y avait beaucoup de travail. Il m'avait appelé trois semaines auparavant – c'était la première personne à tenter de me retrouver après qu'on m'eut chassé de la ville. Je n'avais aucune idée de la manière dont il s'y était pris mais ça n'avait pas dû être trop difficile. Danny était un type bien, sur qui on pouvait compter, mais il n'était pas du genre à trop réfléchir. Lorsqu'il m'avait appelé au secours et demandé de rentrer à la maison, je lui avais répondu que je n'avais plus de maison. Que tout ça était perdu pour moi. Définitivement perdu.

Mais ce coup de fil n'était qu'un début. Il ne pouvait pas imaginer l'effet que celui-ci aurait sur moi.

Le parking était en terre battue, le bâtiment long et bas. Je coupai le moteur et poussai une porte vitrée crasseuse. Mes mains trouvèrent le comptoir et j'étudiai l'unique décoration au mur : un clou et une douzaine de petits sapins désodorisants décolorés. J'inspirai. Rien qui rappelât l'odeur du pin. Un vieil homme au type hispanique sortit d'une pièce sombre à l'arrière. Peigné avec soin, il portait un gilet et, autour du cou, un lacet de cuir fermé par un gros morceau de turquoise. Ses yeux glissèrent sur moi avec l'aisance de l'habitude et je compris ce qu'il voyait – un homme proche de la trentaine, grand et fort. Pas rasé mais une bonne coupe et une montre de prix. Pas d'alliance. Phalanges marquées de cicatrices.

Il jeta un coup d'œil à ma voiture. Je l'observai pendant qu'il tirait ses conclusions.

— Monsieur ? demanda-t-il sur un ton respectueux peu courant dans ces lieux.

Il baissa les yeux mais son dos resta droit et ses mains parcheminées immobiles.

— Je cherche Danny Faith. Dites-lui que c'est Adam Chase.

— Danny est parti.

— Quand rentre-t-il ? repris-je en masquant ma déception.

— Ça fait trois semaines qu'il est parti, monsieur. Je ne pense pas qu'il reviendra. Mais son père est toujours le patron. Je peux aller le chercher si vous voulez.

Je tentai d'analyser cette information. Le comté de Rowan produisait deux sortes de gens : ceux qui étaient nés pour rester et ceux qui aspiraient à partir. Danny faisait partie des premiers.

— Parti où ? demandai-je.

L'homme haussa les épaules avec lassitude et ses mains mimèrent l'impuissance.

— Il a frappé sa petite amie. Elle est passée à travers cette fenêtre.

Nous regardâmes tous deux la vitre derrière moi et il eut un nouveau haussement d'épaules typiquement latin.

— Elle a eu des coupures au visage. Elle a porté plainte et il est parti. Plus personne ne l'a vu ici depuis. Vous voulez que j'aille chercher M. Faith ?

— Non, répondis-je, trop fatigué pour reprendre la route et pas encore prêt à affronter mon père. Vous avez une chambre ?

— *Sí*.

— Une chambre, alors.

Il regarda à nouveau par-dessus mon épaule.

— Vous êtes sûr ? Vous voulez une chambre ici ?

— *Sí*, lui répondis-je en sortant mon portefeuille et posai un billet de cent dollars sur le comptoir. Une chambre.

— Pour combien de temps ?

Ses yeux étaient fixés non pas sur moi ni sur les cent dollars mais sur mon portefeuille, dont une épaisse liasse de billets menaçait de faire exploser les coutures. Je le remis dans ma poche.

— Je repartirai dès ce soir.

Il ramassa les cent dollars, m'en rendit soixante-dix-sept et m'informa que la chambre treize était libre si le numéro ne me dérangeait pas. Je lui répondis que ça m'était égal. Il me tendit la clé et me suivit des yeux lorsque je partis garer ma voiture tout au bout de la rangée.

J'entrai et poussai le verrou.

La chambre sentait le moisi et la douche du client précédent mais elle était sombre et calme, et après des jours sans sommeil, cela suffisait. Je soulevai le dessus-de-lit, me débarrassai de mes chaussures d'un coup de pied et me laissai choir sur les draps froissés. Je songeai brièvement à l'espoir et à la colère, me demandant lequel de ces deux sentiments était le plus fort en moi. N'ayant aucune certitude, j'optai néanmoins pour l'espoir. Je me réveillerais donc avec un sentiment d'espoir.

Je fermai les yeux et la chambre chavira. J'eus l'impression de décoller, de flotter. Puis tout s'effondra et je fus soudain loin de tout, comme exilé à jamais.

Je me réveillai avec un cri coincé au fond de la gorge et la vision d'un mur taché de sang – un arc de cercle sombre qui plongeait jusqu'au sol. J'entendais un martèlement et, ne sachant où je me trouvais, j'écarquillais les yeux dans la pénombre. Je distinguai de vagues plis de moquette aux pieds d'une chaise délabrée. Une faible lumière dessinait de fines raies sous le bord du rideau. Puis le martèlement cessa.

Quelqu'un frappait à la porte.

— Qui est-ce ? demandai-je, la gorge desséchée.

— Zebulon Faith.

Le père de Danny. Un homme colérique qui en savait long sur un paquet de choses, comme par exemple la vie en prison, ou l'étroitesse d'esprit, ou la meilleure façon de tabasser son fils encore enfant.

— Une seconde, fis-je.

— Je voudrais te parler.

— Un instant.

J'allai m'asperger le visage pour chasser mon cauchemar. Je contemplai mon reflet dans le miroir : ma mine épuisée me faisait paraître plus âgé que mes vingt-huit ans. Tandis que je me dirigeais vers l'entrée, je sentis mon sang refluer. En ouvrant la porte, je découvris, sous le soleil de fin d'après-midi, un vieil homme au visage en feu et aux traits crispés.

— Bonjour, monsieur Faith. Ça fait longtemps.

Globalement, il n'avait pas changé : un peu diminué, sans doute, mais toujours aussi déplaisant. Ses yeux fatigués détaillèrent mon visage et il grimaça sous sa moustache terne. Ce rictus me fit frissonner.

— Tu n'as pas changé, dit-il. Je pensais que le temps aurait un peu amoché ton visage de joli garçon.

— J'étais venu pour Danny, rétorquai-je en ravalant mon dégoût.

Il prononça la suite lentement et durement.

— Quand Manny m'a annoncé que c'était Adam Chase, je ne l'ai pas cru. Je lui ai dit que jamais Adam Chase ne s'installerait ici. Jamais avec toute sa famille juste là-bas, dans la grande maison près de la rivière. Et surtout pas avec tout l'argent qu'ils ont, les Chase. Mais c'est vrai que les choses changent. Et, te voilà.

Il baissa la tête et je reçus une bouffée de mauvaise haleine.

— Je n'aurais jamais cru que tu aurais le cran de revenir, ajouta-t-il.

— À propos de Danny..., repris-je en contenant ma colère.

Faith balaya ma remarque d'un geste de la main, comme si elle l'agaçait.

— Danny va bien. Ce petit merdeux se dore le cul sur une plage quelque part en Floride.

Il se tut, clôturant le sujet de son fils d'un ton sec et sans réplique. Pendant un long moment il se contenta de m'examiner.

— Bon Dieu..., fit-il en secouant la tête. Adam Chase, chez moi !

— C'est un endroit comme un autre, répliquai-je, haussant les épaules.

Le vieil homme éclata d'un rire cruel.

— Un vrai trou à rats, oui ! Ce motel me pourrit la vie.

— Si vous le dites.

— Tu es venu parler à ton père ? demanda-t-il, une soudaine étincelle dans le regard.

— J'ai prévu d'aller le voir.

— Ce n'est pas ce que je voulais dire. Est-ce que tu es venu lui *parler* ? Parce qu'il y a cinq ans tu étais le prince du comté de Rowan. Ensuite, tu as quelques ennuis et tu disparais aussi sec. Et pour autant que je sache, tu n'es jamais revenu. Il doit bien y avoir une raison, après tout ce temps, et convaincre ce fils de pute têtu et arrogant est la meilleure que je puisse trouver.

— Si vous avez quelque chose à dire, monsieur Faith, pourquoi ne pas y aller franchement ?

Il se rapprocha de moi. Il empestait la sueur. Ses yeux gris acier surmontaient un nez de buveur. Il haussa légèrement le ton.

— Ne fais pas le malin avec moi, Adam. Je te vois encore gamin, un petit con comme mon fils Danny, même pas foutu de creuser un trou avec une pelle. Je t'ai déjà vu bourré, par terre avec la gueule en sang, dans un bar.

Il me toisa de haut en bas.

— T'as une belle voiture et une bonne odeur de gars de la ville mais tu vaux pas mieux que n'importe qui d'autre. Pas pour moi. Et tu peux aller raconter à ton vieux que je t'ai dit ça. Préviens-le qu'il n'aura bientôt plus d'amis.

— Je n'apprécie pas beaucoup votre ton.

— J'essayais d'être poli. Vous, les Chase, vous changerez jamais. Vous vous croyez meilleurs que tout le monde juste parce que vous possédez beaucoup de terres et que vous habitez ce comté depuis qu'il existe. Mais rien de tout ça ne vous rend meilleurs que moi ou que mon gamin.

— Je n'ai jamais prétendu une chose pareille.

Le vieux Faith hocha la tête et sa voix se mit à trembler sous l'effet de la frustration.

— Dis à ton père d'arrêter d'être aussi égoïste et de se préoccuper un peu des gens du comté. Je suis pas le seul à le penser. Il y en a beaucoup qui en ont marre, ici.

— Ça suffit, l'interrompis-je.

— N'essaie pas de me prendre de haut, petit.

Un éclair fiévreux passa dans ses yeux et, tandis que mes souvenirs affluaient de nouveau, la colère me submergea. Je vis sa mesquinerie et son indifférence, sa main leste dès que son fils commettait la moindre erreur.

— Je vais vous dire, repris-je. Pourquoi vous n'allez pas vous faire foutre ?

J'avançai d'un pas. Aussi grand que fût l'homme, je l'étais plus que lui. Percevant ma colère, il jeta des regards nerveux à gauche et à droite. Son fils et moi avions écumé tout le comté et, en dépit de ce qu'il affirmait, je m'étais rarement retrouvé par terre dans un bar, le visage en sang.

— Les affaires de mon père ne vous regardent pas. Si vous avez quelque chose à lui reprocher, je suggère que vous le lui disiez en personne.

Il recula et je le suivis dans l'air suffocant. Les mains en l'air et les yeux fixés sur moi, il ajouta d'une voix dure et menaçante :

— Les choses changent, petit. Ça se tasse et puis ça meurt. Même dans le comté de Rowan. Même pour les foutus Chase !

Puis il tourna les talons. D'un pas rapide, il franchit les portes écaillées de son misérable empire. Il se retourna deux fois et, sur son visage en lame de couteau, je lus un mélange de fourberie et de crainte. Tandis qu'il m'adressait un doigt d'honneur, je me demandai, une fois de plus, si revenir ici n'avait pas été une erreur.

Je l'observai jusqu'à ce qu'il disparaisse dans son bureau, puis retournai à l'intérieur me laver de la puanteur.

Il me fallut dix minutes pour me doucher, me raser et enfiler des vêtements propres. Quand je sortis, un air brûlant m'enveloppa. Le soleil déclinant écrasait les arbres de l'autre côté de la route et se couchait mollement sur le monde. Une brume de pollen restait en suspens dans la lumière jaune et des cigales lançaient leur appel depuis les arbres clairsemés. Je refermai la porte derrière moi et, en me retournant, je remarquai simultanément deux choses. Zebulon Faith, appuyé, les bras croisés, contre la porte du bureau, était entouré de deux imposants gaillards en train de ricaner. Ce fut la première chose. La seconde fut les grandes lettres rouges gravées sur le capot poussiéreux de ma voiture.

Assassin.

Cinquante centimètres de long au jugé.

Voilà pour l'espoir.

Le visage du vieil homme se fendit d'un sourire auquel il accrocha quelques mots :

— Deux gosses. Des punks. Ils ont décampé par là-bas.

Son doigt indiqua, de l'autre côté de la route déserte, le vieux parking du drive-in qui n'était plus désormais qu'un océan de bitume infesté de mauvaises herbes.

— Vraiment pas de bol ! conclut-il.

L'un des types donna un coup de coude à l'autre. Je savais ce qu'ils voyaient : la voiture d'un riche avec des plaques new-yorkaises, un gars de la ville aux chaussures cirées.

Ils n'avaient pas idée.

Je déposai mon sac dans le coffre et en sortis un cric. Cinquante centimètres de métal dur terminé par une clé en croix. Je traversai le parking, la lourde barre contre ma jambe.

— Tu n'aurais pas dû faire ça, dis-je.

— Va te faire foutre, Chase.

Ils s'avancèrent d'un pas lourd, Zeb Faith entre les deux autres. Ils se déployèrent en éventail ; leurs pieds raclaient la terre dure et sèche. Le type à droite de Faith était le plus grand des deux et il paraissait effrayé ; je me concentrai donc sur celui de gauche. Une erreur. Le coup partit de la droite, et le type était rapide. Ce fut comme de prendre un coup de batte. L'autre gars l'imita presque aussitôt. Il me vit fléchir et m'assena un uppercut qui m'aurait brisé la mâchoire, mais je fis tournoyer le cric, qui heurta le bras de l'homme en plein vol, vite et fort. J'entendis les os céder et le type s'effondra en hurlant.

L'autre gaillard frappa à nouveau, sur la tempe cette fois, et je fis un autre moulinet dans sa direction. Le métal atteignit la partie charnue de son épaule. Zebulon Faith s'avança pour cogner mais je ripostai, frappant court en visant le menton, et il s'écroula. Puis ce fut le noir. Je me retrouvai à genoux, la vision brouillée, en train de me faire passer à tabac.

Faith était au sol, le bras cassé aussi, mais l'autre s'en donnait à cœur joie. Sa botte dessina un arc de cercle et j'en profitai pour mouliner de toutes mes forces. Le cric le toucha au menton et il s'étala dans la poussière. Je ne savais pas si je l'avais cassé et je m'en fichais. Il était out.

Les jambes flageolantes, je tentai de me relever. Je plaquai mes mains au sol et sentis Zebulon Faith au-dessus de moi. Il avait la respiration sifflante mais sa voix était assez forte.

— Putain de Chase ! lâcha-t-il avant de m'assener une série de coups de pied.

Un coup, deux coups et ses chaussures reparurent couvertes de sang. J'étais à terre pour de bon. Je ne trouvais plus le cric et le vieux grognait comme un porc. Je me recroquevillai, rentrai la tête et aspirai une profonde bouffée de poussière de gravier.

Et c'est là que j'entendis les sirènes.

2.

Le trajet en ambulance se fit dans un brouillard confus. Vingt minutes de gants blancs et de compresses douloureuses en compagnie d'un gros infirmier qui avait une goutte de sueur suspendue au bout du nez. Les lumières virèrent au rouge et on me souleva. L'hôpital se matérialisa autour de moi : des sons familiers et des odeurs que j'avais senties bien trop souvent. Le même plafond depuis vingt ans. Un interne au visage juvénile émit un grognement en apercevant de vieilles cicatrices alors qu'il me raccommodait.

— C'est pas votre première bagarre, on dirait.

Comme il n'attendait pas vraiment de réponse, je restai muet. J'avais commencé à me battre dès l'âge de dix ans. Le suicide de ma mère y avait été pour beaucoup, Danny Faith aussi. Mais la dernière fois remontait à un bout de temps. Pendant cinq ans, j'avais vécu ma vie sans le moindre affrontement. Aucune dispute, aucun mot de travers. Cinq ans de torpeur et puis ça : trois contre un le premier jour. J'aurais dû monter dans ma voiture et repartir ; pourtant, l'idée ne m'avait absolument pas effleuré.

Je sortis trois heures plus tard, les côtes bandées, des dents déchaussées et dix-huit points de suture à la tête. Je souffrais comme jamais. J'en avais plein le dos.

Les portes se refermèrent derrière moi et je restai planté là, appuyé sur ma jambe gauche pour soulager mes côtes. La lumière du jour éclaboussa mes pieds et quelques voitures passèrent dans la rue. Je les observai quelques secondes, puis clopinai en direction du parking.

Dix mètres plus loin, une portière de voiture s'ouvrit et une femme en descendit. Elle fit trois pas et s'arrêta au niveau du capot. Je reconnus chaque partie de son corps, même à cette distance : un mètre soixante-quinze, élégante, cheveux auburn et un sourire capable d'illuminer une pièce entière. Une nouvelle douleur grandit en moi, plus profonde, plus tangible. J'avais cru avoir le temps de trouver la bonne approche, les bons mots. Mais j'étais vidé. Je m'avançai en tentant de dissimuler mon boitement. Elle vint à ma rencontre. Son visage creusé n'était qu'incertitudes. Tandis qu'elle m'étudiait de la tête aux pieds, ses sourcils froncés ne laissèrent pas de doute sur le spectacle que je lui offrais.

— Agent Alexander, la saluai-je, m'obligeant à un sourire qui sonnait faux.

— Inspecteur, corrigea-t-elle en promenant ses yeux sur mes blessures. Je suis montée en grade il y a deux ans.

— Félicitations.

Elle chercha quelque chose dans mon visage, s'attarda sur les points de suture à la naissance des cheveux et, l'espace d'un instant, son visage s'adoucit.

— Ce n'est pas comme ça que j'avais imaginé nos retrouvailles, dit-elle, ses yeux à nouveau plantés dans les miens.

— Comment, alors ?

— Au début, je rêvais d'une longue course et d'une violente étreinte, de baisers et d'excuses. Après quelques années de silence, j'ai songé à quelque chose de plus conflictuel : des cris, quelques coups de pied peut-être. Mais je n'aurais jamais cru que ça se passerait comme ça... Toi et moi seuls dans la nuit.

Elle désigna mon visage.

— Je ne peux même pas te gifler.

Elle ne parvint pas à sourire. Aucun de nous deux n'aurait pu l'envisager.

— Pourquoi n'es-tu pas entrée ?

— Je ne savais pas quoi dire. Je croyais que je trouverais les mots.

— Et puis ?

— Je me suis trompée.

Sur le coup, je ne sus que répliquer. L'amour est long à s'éteindre, s'il s'éteint jamais, et il n'y avait rien à dire qui ne l'ait déjà été de nombreuses fois dans le passé lointain de notre autre vie. Quand je réussis à parler, les mots ne vinrent pas facilement.

— Il fallait que j'oublie cet endroit, Robin. Il fallait que je l'enfouisse en moi.

— Je t'en prie, m'interrompit-elle, et je reconnus sa colère. J'en ai bavé moi aussi, suffisamment longtemps.

— Et maintenant, que faisons-nous ?

— Maintenant je te ramène à la maison.

— Pas chez mon père.

Elle se pencha vers moi et une lueur familière passa dans ses yeux, tandis qu'un sourire flirtait avec les lignes de sa bouche.

— Je ne te ferais jamais ça, rétorqua-t-elle en contournant sa voiture.

— Je ne compte pas rester ici, précisai-je.

— Non, fit-elle d'une voix triste. Bien sûr que non.

— Robin...

— Monte dans la voiture, Adam.

Je m'installai à l'intérieur. Il s'agissait d'une grosse Sedan, une voiture de flic. Je jetai un coup d'œil à la radio, à l'ordinateur portable et au fusil fixé au tableau de bord. Lessivé par les antidouleur et l'épuisement, je me sentais happé par le siège. J'examinai les rues sombres alentour.

— Pas terrible comme retour à la maison, constata-t-elle.

— Ça aurait pu être pire.

Elle acquiesça et je sentis son regard sur moi – des coups d'œil furtifs dès que la route se faisait plus droite.

— C'est bon de te revoir, Adam. C'est dur mais ça fait du bien, ajouta-t-elle en hochant la tête, comme si elle essayait encore de se convaincre. Je n'étais pas sûre que ça arriverait un jour.

— Moi non plus.

— Ce qui nous amène à la grande question.

— Laquelle ?

Je la connaissais, mais je n'aimais pas cette question.

— Pourquoi, Adam ? La voilà, la question. Ça fait cinq ans que personne n'a plus entendu parler de toi.

— Ai-je besoin d'une raison pour rentrer à la maison ?

— Rien n'arrive sans raison. Tu devrais le savoir mieux que personne.

— C'est une logique de flic. Parfois, il n'y a aucune raison.

— Je n'y crois pas.

La rancune voilait ses traits. Elle attendit mais je ne savais pas quoi répondre.

— Tu n'es pas obligé de me la donner, reprit-elle.

Le silence s'installa tandis que le vent s'enroulait autour de la voiture secouée par la chaussée accidentée.

— Est-ce que tu comptais m'appeler ?

— Robin…

— Peu importe. Oublie ça.

Un nouveau silence gêné nous découragea tous les deux.

— Que faisais-tu dans ce motel ?

Je me demandais ce que je devais lui dire et décidai qu'il valait mieux commencer par tirer les choses au clair avec mon père. Si j'échouais avec lui, j'échouerais avec elle.

— Tu as une idée de l'endroit où pourrait se trouver Danny Faith ? l'interrogeai-je.

Elle se rendit compte que je changeais de sujet mais elle ne releva pas.

— Tu es au courant pour sa petite amie ?

J'acquiesçai.

— Ce ne serait pas le premier pauvre type à se planquer pour échapper à un mandat d'arrêt. Il finira par se montrer. En général, c'est ce que font tous les gens comme lui.

Je scrutai son visage ; ses traits étaient durs.

— Tu n'as jamais aimé Danny, lui fis-je remarquer.

— C'est un loser, un joueur et un alcoolique avec un solide penchant pour la violence. Comment pourrais-je l'apprécier ? Il te tirait vers le bas, il alimentait ta part sombre. Les bagarres dans les bars, les querelles d'ivrognes… Il a fini par te faire oublier ce qu'il y avait de bien dans ta vie. Je pensais qu'avec le temps tu te le sortirais de la tête. Tu as toujours été trop bon avec lui.

— Il m'a toujours soutenu, Robin. Depuis le collège. On ne laisse pas tomber des amis comme ça.

— Pourtant, c'est ce que tu as fait.

Elle ne continua pas mais je devinai la suite. *Tout comme tu m'as laissée tomber.*

Je regardai par la fenêtre. Rien de ce que je pourrais dire ne la soulagerait. Elle savait que je n'avais pas eu le choix.

— Qu'est-ce que tu as fichu pendant tout ce temps, Adam ? Cinq ans ! Une éternité. Les gens racontent que tu étais à New York mais en dehors de ça, personne ne sait rien. Sérieusement, qu'est-ce que tu as fabriqué ?

— Est-ce vraiment important ? demandai-je, parce que ça ne l'était pas à mes yeux.

— Bien sûr que ça l'est.

Jamais elle ne comprendrait et je ne voulais pas de sa pitié. Je gardai le silence sur ma solitude et me contentai d'une histoire simple.

— J'ai été barman quelque temps, j'ai travaillé dans des clubs de gym, des parcs. Des petits boulots à droite à gauche ; jamais plus d'un mois ou deux.

Je sentis son incrédulité et sa déception.

— Pourquoi perdrais-tu ton temps à des boulots comme ça ? Tu es intelligent, tu as de l'argent... Tu aurais pu aller à l'université, devenir ce que tu voulais.

— Ça n'a jamais été une question d'argent ou d'ambition. Je me fichais de tout ça.

— C'était quoi, alors ?

J'étais incapable de la regarder. Ce que j'avais perdu ne serait jamais remplacé. Je n'aurais pas dû avoir à l'expliquer. Pas à elle.

— Les petits boulots empêchent de réfléchir, répondis-je avant de marquer une pause. Si tu fais ça assez longtemps, même les années finissent par s'estomper.

— Bon sang, Adam !

— Tu n'as pas le droit de me juger, Robin. Nous avons chacun fait des choix. J'ai vécu avec les tiens ; c'est injuste de condamner les miens.

— Tu as raison. Je suis désolée.

— Et Zebulon Faith ? finis-je par demander après un silence.

— C'est du ressort du comté.

— Et pourtant te voilà. Un inspecteur de la ville.

— Le bureau du shérif a pris l'appel. J'ai des amis là-bas. Ils m'ont appelée dès qu'on a su ton nom.

— Ils se souviennent si bien de moi ?

— Personne n'a oublié, Adam. Les services du shérif encore moins.

Je me mordis la lèvre pour contenir ma colère. Voilà comment étaient les gens : prompts à juger et lents à oublier.

— Ils ont trouvé Faith ? demandai-je.

— Il s'est enfui avant que les adjoints n'arrivent mais ils ont trouvé les deux autres. Je suis étonnée que tu ne les aies pas vus à l'hôpital.

— Et on les a arrêtés ?

— Tout ce que les adjoints ont trouvé, ce sont trois types étalés par terre sur le parking. Tu vas devoir porter plainte si tu veux que quelqu'un soit arrêté.

— Fantastique. Et les dégâts causés à ma voiture ?

— Même chose.

— Génial...

J'observai Robin. Elle avait vieilli mais elle était encore belle. Elle ne portait pas d'alliance, ce qui m'attrista. Si elle était seule dans ce monde, c'était en partie ma faute.

— De toute façon, ça rimait à quoi, tout ça ? Je me doutais que j'allais me balader avec une cible dans le dos en revenant en ville mais je ne m'attendais pas à ce qu'on me saute dessus dès le premier jour.

— Tu plaisantes, j'espère ?

— Non. Ce vieux salopard a toujours été mesquin mais on aurait dit qu'il cherchait un prétexte.

— C'était probablement le cas.

— Ça fait des années que je ne l'ai plus vu. Son fils est un ami.

Elle secoua la tête avec un rire amer.

— J'ai tendance à oublier qu'il y a un monde en dehors du comté de Rowan. Tu ne peux pas savoir, je suppose.

Mais c'est la grande affaire ici depuis plusieurs mois. La compagnie d'électricité. Ton père. Ça a divisé la ville.

— Je ne comprends pas.

— L'État grandit. La compagnie d'électricité projette de construire une nouvelle centrale nucléaire pour faire face à la croissance. Ils s'intéressent à de nombreux sites mais le comté de Rowan reste leur premier choix. Ils ont besoin de l'eau donc la centrale devra être construite sur la rivière. Elle devrait occuper cinq cents hectares et tous les autres ont accepté de vendre. Mais ils ont besoin d'un gros bout de terrain de la ferme Red Water pour la faire fonctionner. Deux ou trois cents hectares, je crois. Ils ont offert cinq fois le prix mais ton père ne veut pas vendre. La moitié de la ville l'aime beaucoup. L'autre moitié le déteste. S'il tient bon, la compagnie d'électricité jettera l'éponge et s'en ira ailleurs. Beaucoup de gens ont été licenciés, les usines ferment... C'est une installation à un milliard. Ton père est en travers du chemin.

— Tu parles comme si tu aimerais que l'usine s'installe.

— Je suis au service de la ville. Pas facile d'ignorer les bénéfices potentiels.

— Et Zebulon Faith ?

— Il est propriétaire de quinze hectares près de la rivière. Ça fera un nombre à sept chiffres si le marché est conclu. Il ne s'est pas privé d'en parler. Les choses se sont dégradées. Les gens sont en colère, et il ne s'agit pas que d'emplois ou d'impôts. C'est un projet considérable. Entreprises de béton, de terrassement, de construction... Il y a beaucoup d'argent à faire et les gens sont désespérés. Ton père est riche. La plupart des gens le trouvent égoïste.

Je pensai à mon père.

— Il ne vendra pas.

— Les enchères vont monter, la pression aussi. Beaucoup de gens comptent sur lui.

— Tu as dit que les choses s'étaient dégradées. À quel point ?

— Rien de grave dans l'ensemble. Des articles dans le journal, des mots durs. Mais il y a eu des menaces, du vandalisme. Quelqu'un a abattu du bétail une nuit ; des dépendances ont brûlé. Et tu es le premier blessé.

— Vaches mises à part.

— Ce n'est qu'un bruit de fond, Adam. Ça finira par s'arranger, d'une manière ou d'une autre.

— Quel genre de menaces ?

— Des coups de fil tard dans la nuit, quelques lettres.

— Tu les as vues ?

Elle acquiesça.

— Elles sont assez imagées.

— Est-ce que Zebulon Faith pourrait se trouver derrière tout ça ?

— Il s'est endetté pour acheter plus de terrain. Je me dis qu'il doit avoir vraiment besoin de cet argent. Je me suis souvent demandé si Danny n'était pas impliqué. Les retombées seraient énormes et on ne peut pas vraiment dire que son casier soit vierge.

— Impossible.

— Sept chiffres. C'est beaucoup d'argent, même pour ceux qui en ont.

Je regardai par la fenêtre.

— Danny Faith n'a pas d'argent, poursuivit-elle.

— Tu te trompes, répliquai-je.

Ce n'était pas possible autrement.

— À lui également tu as tourné le dos, Adam. Pas un mot depuis cinq ans. La loyauté ne va pas aussi loin quand il s'agit de ce genre de somme. Les gens changent. Si mauvaise qu'ait pu être son influence sur toi, tu t'es toujours montré indulgent avec lui. Je ne crois pas qu'il se soit si bien débrouillé depuis que tu es parti. Il est seul avec son père et on sait très bien ce que ça peut donner.

— Rien de plus précis ? insistai-je, refusant de la croire.

— Il a frappé sa petite amie, il l'a projetée à travers une baie vitrée d'un coup de poing. C'est comme ça que tu te souviens de lui ?

Nous restâmes silencieux un moment. Je tentai d'étouffer les doutes que ses paroles avaient fait naître dans mon esprit. Les propos de Robin sur Danny me contrariaient et l'idée de mon père recevant des menaces me contrariait encore plus. J'aurais dû être là.

— Si la ville est divisée, qui est du côté de mon père ?

— Les écolos, principalement, et ceux qui ne veulent pas que les choses changent. Beaucoup de vieilles fortunes de la ville, des agriculteurs qui n'ont pas de terrain à vendre, des défenseurs de l'environnement...

Je me passai les mains sur le visage et expirai lentement.

— Ne t'en fais pas, reprit Robin. Les choses se compliquent, ici, mais ce n'est pas ton problème.

Elle avait tort là-dessus. C'était bel et bien mon problème.

Robin Alexander vivait toujours dans le même immeuble, au deuxième étage d'un bâtiment du début du siècle, à une rue de la place principale de Salisbury. La fenêtre côté rue faisait face à un bureau d'avocats. À l'arrière, l'appartement donnait sur une allée étroite et sur les fenêtres à barreaux de l'armurerie locale.

Elle dut m'aider à sortir de la voiture.

Une fois chez elle, Robin débrancha l'alarme, alluma quelques lampes et me guida vers sa chambre. Impeccable. Le même lit. L'horloge sur la table indiquait 21 h 10.

— Ça paraît plus grand qu'avant, remarquai-je.

Robin s'arrêta et se retourna à demi.

— Ça l'est depuis que j'ai jeté tes affaires.

— Tu aurais pu venir avec moi, Robin. Ce n'est pas comme si je ne te l'avais pas proposé.

— Ne recommençons pas.

Je m'assis sur le lit et enlevai mes chaussures. Me pencher était douloureux mais elle ne m'aida pas. J'aperçus une photo de moi, souriant, dans un petit cadre en argent posé sur la table de nuit. Je tendis la main pour le prendre mais Robin traversa la pièce en deux enjambées. Sans un mot, elle attrapa le cadre et le plaça à l'envers dans le tiroir de la commode. Elle s'éloigna mais s'arrêta à la porte.

— Tu devrais dormir, dit-elle d'une voix tremblante.

Mon regard tomba sur les clés qu'elle tenait encore en main.

La rivière rouge

— Tu sors ?

— Je vais m'occuper de ta voiture. Il vaut mieux qu'elle ne passe pas la nuit là-bas.

— C'est Faith qui t'inquiète ?

Elle haussa les épaules.

— Tout est possible. Va te coucher.

Il y avait tant à dire, mais les mots ne nous venaient pas. J'ôtai donc mes vêtements et me glissai sous les draps. Je songeai à la vie que nous avions eue et à sa fin. Robin aurait pu partir avec moi, me répétai-je jusqu'à ce que le sommeil m'emportât.

Je m'endormis profondément et pourtant, au milieu de la nuit, je me réveillai. Robin se tenait debout près de moi. Elle avait les cheveux lâchés, les yeux brillants et les bras serrés autour de son corps, comme si elle craignait de voler en éclats d'un instant à l'autre.

— Tu rêves, murmura-t-elle, ce qui était sans doute le cas.

Je laissai l'obscurité m'emporter là où Robin m'appelait et cherchai ses yeux, aussi brillants et humides qu'une pièce de monnaie au fond d'une rivière.

Le lendemain, je m'éveillai seul, dans le froid et la grisaille. Je laissai de côté ma chemise tachée de sang mais remis mon pantalon resté présentable. Je trouvai Robin assise à la table de la cuisine, en train de contempler en contrebas les barreaux rouillés des fenêtres de l'armurerie. Elle venait de prendre une douche et portait un jean et une chemise bleu pâle dont elle avait retroussé les manches. Un café fumait devant elle.

— Bonjour ! lançai-je, cherchant ses yeux tout en me remémorant mon rêve.

Elle étudia mon visage, mon torse meurtri.

— Il y a du Percocet pour la douleur, si tu en as besoin, et du café et des petits pains si tu en as envie.

Son ton me restait hermétique, tout comme son regard.

Je m'assis en face d'elle et la lumière éclaira crûment ses traits. Elle n'avait pas encore vingt-neuf ans mais elle paraissait plus âgée. Elle ne possédait plus les rides de ceux qui sourient beaucoup et, dans son visage amaigri, ses lèvres autrefois charnues s'étaient fanées. Quelle part de ces changements relevait des cinq années de plus dans la police ? Quelle part était à mettre sur mon compte ?

— Bien dormi ? s'enquit-elle.

— J'ai fait des rêves bizarres.

Elle détourna les yeux et je compris que je n'avais pas rêvé. Elle m'avait regardé dormir en pleurant.

— Je me suis allongée sur le canapé, dit-elle. Je suis levée depuis plusieurs heures. Je n'ai pas l'habitude d'avoir du monde à la maison.

— Je suis heureux de l'apprendre.

— Ah oui ?

La brume dans son regard parut se dissiper subitement.

— Oui.

Elle m'observa par-dessus sa tasse, l'air dubitatif.

— Ta voiture est dehors, m'annonça-t-elle. Les clés sont sur la table. Tu peux rester ici aussi longtemps que tu le souhaites. Repose-toi. Il y a le câble, quelques bons livres.

— Tu pars ? demandai-je.

— Pas de repos pour les durs, fit-elle en demeurant assise.

Je me levai pour me verser une tasse de café.

— J'ai vu ton père hier soir.

Ses mots me transpercèrent. Je ne dis rien ; je ne voulais pas qu'elle voie mon visage, ni ce que ses paroles me faisaient.

— Après avoir récupéré ta voiture, je suis allée jusqu'à la ferme, je lui ai parlé devant la porte.

— Vraiment ?

Je tentai de masquer mon soudain désarroi. Elle n'aurait pas fait ça... Pourtant je pouvais les imaginer sous la véranda – un tourbillon d'eau sombre au loin et le pilier contre lequel mon père aimait s'appuyer quand il contemplait la rivière. Robin perçut mon mécontentement.

— Il aurait fini par en entendre parler, Adam. Autant que ce soit moi qui lui apprenne ton retour plutôt que le shérif ou n'importe quel imbécile du coin. Il fallait qu'il sache que tu es blessé pour ne pas s'étonner de ne pas te voir aujourd'hui. Je l'ai fait pour que tu prennes le temps de guérir, de reprendre des forces. J'ai cru que tu l'apprécierais.

— Et ma belle-mère ?

— Elle n'est pas sortie. Elle ne voulait pas avoir affaire à moi…

Elle s'interrompit.

— Ou à moi.

— Elle a témoigné contre toi. Laisse tomber, Adam.

Je lui tournais toujours le dos. Rien ne se passait comme je l'avais espéré. Mes mains agrippèrent le rebord du comptoir. Je songeai à mon père et au fossé qui nous séparait.

— Comment va-t-il ? demandai-je.

— Il a vieilli, répondit-elle après un silence.

— Il va bien ?

— Je ne sais pas.

— Quoi ? insistai-je, remarquant dans sa voix quelque chose qui me poussa à me retourner.

— Il était très calme, tu comprends, très digne. Mais quand je lui ai dit que tu étais rentré, il a pleuré.

Je tentai de dissimuler mon trouble.

— Il était contrarié ?

— Ce n'est pas ce que j'ai voulu dire, corrigea-t-elle. Je crois qu'il pleurait de joie.

Robin attendit que je réagisse mais j'étais incapable d'ajouter quoi que ce fût. Je me tournai vers la fenêtre avant qu'elle puisse voir les larmes qui me montaient aux yeux.

Robin partit quelques minutes plus tard pour le briefing de 7 heures au poste de police. J'avalai un Percocet et m'enveloppai dans ses draps. La douleur afflua dans mon crâne ; des coups de marteau sur les tempes, la morsure froide des clous à la naissance des cheveux… De toute ma vie, je n'avais vu mon père pleurer que deux fois. À la mort de ma mère, il avait sangloté des jours durant. Des larmes lentes et persistantes, qui semblaient se former dans les rides de son visage. Et une seule fois, des larmes de joie.

Car mon père avait sauvé une vie.

La petite s'appelait Grace Shepherd. C'était la petite-fille de Dolf Shepherd, le régisseur de la ferme et le plus vieil ami de mon père. Dolf et Grace vivaient dans une petite maison en bordure de la propriété. Je n'ai jamais su ce qui était arrivé aux parents, seulement qu'ils n'étaient plus là. Quoi qu'il en soit, Dolf se chargeait seul d'élever la petite. Ce n'était pas facile pour lui – tout le monde le savait – mais il se débrouillait bien.

Jusqu'au jour où elle s'était perdue.

C'était une froide journée du début de l'automne. Les feuilles mortes bruissaient sous un ciel plombé. Âgée d'à peine deux ans, elle était sortie par la porte de derrière alors que Dolf la croyait à l'étage en train de dormir. C'est mon père qui l'avait retrouvée. Il se tenait assez haut dans les pâturages lorsqu'il l'avait aperçue sur le ponton en contrebas en train d'observer des feuilles tournoyer dans le courant. Jamais je n'avais vu mon père courir aussi vite.

Elle était tombée sans une seule éclaboussure. Elle s'était penchée un peu trop et l'eau l'avait tout simplement happée. Mon père avait plongé avant de refaire surface, seul. J'atteignais tout juste le ponton quand il replongea.

Je le retrouvai quatre cents mètres plus bas, assis dans la boue, la fillette sur ses genoux. Sa peau luisante était aussi pâle que celle d'une morte mais elle écarquillait les yeux et hurlait ; sa bouche était la seule tache de couleur sur la berge blafarde. Mon père serrait l'enfant comme si rien d'autre ne comptait ; et il pleurait.

Je l'observai durant une longue seconde, sentant, même à l'époque, que l'instant était sacré. Pourtant, en me voyant, il sourit.

— Bon Dieu, fiston, dit-il. Il s'en est fallu de peu.

Puis il embrassa le front de l'enfant. Nous enveloppâmes Grace dans ma veste tandis que Dolf accourait. Le visage ruisselant de sueur, il s'arrêta, hésitant. Mon père me tendit l'enfant, s'avança vers son ami et lui assena un unique coup de poing. Il lui avait cassé le nez, sans aucun doute, et Dolf resta là à saigner sur la berge tandis que mon père repartait péniblement, trempé et fatigué, vers la maison en haut de la colline.

C'était ça, mon père. Un homme de fer.

3.

La douleur disparut en partie avec le sommeil. À mon réveil, un orage faisait trembler les vieilles fenêtres et les éclairs jetaient des ombres désordonnées sur le mur. L'orage balaya la ville, déversa des torrents de pluie et finit par diminuer d'intensité au sud, en direction de Charlotte. La chaussée fumait encore quand je sortis récupérer mon sac dans la voiture.

J'effleurai du bout des doigts les lettres gravées sur le capot.

Assassin.

De retour dans l'appartement, je me mis à aller et venir d'une pièce à l'autre, en proie à une grande agitation, sans parvenir à me décider : je voulais voir ma maison mais je savais combien cela me serait pénible. Je voulais parler à mon père mais je redoutais nos paroles. Ces paroles qu'on ne peut ni reprendre ni oublier, ces paroles qui laissent des plaies profondes longues à cicatriser.

Cinq ans. Cinq fichues années.

J'ouvris et refermai machinalement la porte d'un placard sans même y jeter un coup d'œil. Je bus de l'eau qui avait un goût de métal et promenai mon regard sur les livres sans les voir vraiment. Quelque chose, pourtant, dut retenir mon attention car tout en arpentant la pièce, je me mis à repenser à mon procès : la haine qui me submergeait chaque jour, les arguments de mes détracteurs pour me faire pendre, la confusion de mes proches et le doute lorsque ma belle-mère, appelée à la barre, prêta serment et essaya de m'enfoncer par son témoignage.

Du procès, il ne me restait qu'un brouillard confus d'accusations, de dénégations, de témoignages d'experts sur la blessure ou sur la brutalité du coup... Mais ce dont je me souvenais distinctement, c'étaient les visages dans la salle d'audience, le déchaînement des passions de ceux qui avaient un jour prétendu me connaître.

Le cauchemar de n'importe quel innocent accusé à tort.

Cinq ans plus tôt, Gray Wilson, dix-neuf ans, venait juste de sortir du lycée. Il était jeune, beau et fort. Une star du football, un des enfants chéris de Salisbury. Puis, quelqu'un lui avait défoncé le crâne avec une pierre. Il était mort sur les terres de Red Water et ma propre belle-mère avait soutenu que j'étais le coupable.

Je faisais les cent pas dans la pièce. J'entendais à nouveau ces mots – *non coupable* – et la même émotion me submergea : un soulagement mêlé de rancune, et la certitude néanmoins que tout pouvait rentrer dans l'ordre. J'aurais dû savoir que j'avais tort. J'aurais dû le sentir alors dans la touffeur de la salle d'audience bondée.

Impossible de revenir en arrière.

Le verdict aurait dû mettre un terme à tout cela mais ça n'avait pas été le cas. Puis il y eut la confrontation finale avec mon père et les adieux brefs et amers à la seule maison que j'avais jamais eue. Une séparation forcée. La ville ne voulait pas de moi. Très bien, aucun problème. Même si cela me faisait mal, je m'en remettrais. Seulement mon père fit un choix, lui aussi. Je lui avais dit que je n'étais pas coupable mais sa femme lui avait affirmé le contraire. Il avait choisi de la croire, elle.

Elle. Pas moi. Et il me demanda de partir.

Ma famille habitait Red Water depuis plus de deux cents ans et, dès l'enfance, j'avais été élevé en prévision du jour où j'en reprendrais la gestion. Peu à peu, mon père se retirait des affaires, ainsi que Dolf, mais l'entreprise valait plusieurs millions et j'étais bien loin de tout maîtriser quand le shérif vint pour m'enfermer. La ferme représentait bien plus qu'une partie de moi-même. Elle était ma substance même – ce que j'aimais et ce à quoi j'étais destiné. Je ne pouvais pas vivre dans le comté de Rowan si je devais exclure de ma vie la ferme et ma famille. Jamais je ne pourrais être Adam Chase le banquier ou Adam Chase le pharmacien – jamais dans ce lieu.

Je quittai donc les seules personnes que j'avais jamais aimées, la seule maison que je connaissais. Je tentai de me perdre dans une ville immense et grise, en perpétuel mouvement. Je me noyai dans le bruit, la circulation incessante et la pâle inconsistance des jours vides et interminables. Pendant cinq ans, je parvins à étouffer les souvenirs et le sentiment de perte.

Puis il y eut l'appel de Danny et tout s'effondra.

Il trônait sur l'étagère, blanc et massif. Je l'attrapai et en appréciai le papier lourd, la reliure en plastique.

État de Caroline du Nord contre Adam Chase. Les minutes du procès. Chaque parole prononcée, enregistrée pour toujours. Les pages étaient cornées et maculées. Combien de fois Robin les avait-elle relues ? Elle s'était tenue près de moi durant tout le procès, elle avait juré qu'elle me croyait. Et sa foi avait failli lui coûter le seul boulot qu'elle aimait. Tous les flics du comté me croyaient coupable... Tous sauf elle. Elle m'avait soutenu jusqu'à la fin, et je l'avais quittée.

Elle aurait pu partir avec moi.

C'était vrai mais quelle importance ? Son monde, mon monde... ça n'aurait pas marché. Et voilà que nous nous retrouvions, proches à nouveau.

Dans mes mains, le document s'ouvrit tout seul à la page où s'étalait le témoignage qui avait failli m'envoyer en enfer.

Un témoin cité par l'État de Caroline du Nord,
ayant dûment prêté serment,
a été interrogé comme suit :
Interrogatoire principal de Janice Chase
par le procureur général,
pour le comté de Rowan

Q : Veuillez donner votre nom au tribunal.

R : Janice Chase

Q : Quels sont vos liens avec l'accusé, madame Chase ?

R : C'est mon beau-fils. Je suis l'épouse de son père, Jacob Chase.

Q : Avez-vous d'autres enfants avec M. Chase ?

R : Des jumeaux. Miriam et James, que nous appelons Jamie. Ils ont dix-huit ans.

Q : Ce sont les demi-frère et demi-sœur de l'accusé ?

R : Ses frère et sœur adoptifs. Jacob n'est pas leur père biologique, il les a adoptés peu de temps après notre mariage.

Q : Et où se trouve leur père biologique ?

R : Est-ce important ?

Q : Nous essayons simplement de connaître la nature exacte de leurs relations, madame Chase, de façon à ce que le jury comprenne qui est qui.

R : Il est parti.

Q : Parti où ?

R : Parti, tout simplement.

Q : Très bien. Depuis combien de temps êtes-vous mariée avec M. Chase ?

R : Depuis treize ans.

Q : Donc vous connaissez l'accusé depuis longtemps.

R : Depuis treize ans.

Q : Quel âge avait l'accusé lorsque vous avez épousé son père ?

R : Dix ans.

Q : Et vos autres enfants ?

R : Cinq ans.

Q : Tous les deux ?

R : Ce sont des jumeaux.

Q : Ah oui. Bien, je sais qu'il est sans doute difficile pour vous de témoigner contre votre propre beau-fils...

R : C'est la chose la plus difficile qu'il m'ait été donné de faire.

Q : Vous étiez proches ?

R : Non, nous ne l'avons jamais été.

Q : Est-ce parce qu'il vous en voulait ? Parce que vous avez pris la place de sa mère ?

AVOCAT DE LA DÉFENSE : *Objection. Incitation à spéculer.*

Q : Je retire la question.

R : Elle s'est suicidée.

Q : Je vous demande pardon ?

R : Sa mère s'est suicidée.

Q : Hum...

R : Je ne suis pas une briseuse de ménages.

Q : Bien...

R : Je préfère être claire là-dessus avant que cet avocat n'essaie de faire paraître les choses autrement. Nous n'avons jamais été proches, c'est vrai, mais nous faisons quand même partie de la même famille. Je n'invente rien et je ne cherche pas à avoir la peau d'Adam. J'aime son père plus que tout et j'ai fait de mon mieux avec Adam mais nous ne sommes jamais devenus proches. C'est aussi simple que cela.

Q : Merci, madame Chase. Je sais que c'est difficile pour vous. Parlez-nous de la nuit où Gray Wilson a été assassiné.

R : J'ai vu ce que j'ai vu.

Q : Nous allons y venir. Parlez-nous de la fête.

Je refermai le document et le rangeai sur l'étagère. J'en connaissais chaque mot. La fête avait eu lieu au milieu de l'été, une idée de ma belle-mère : une fête pour les dix-huit ans des jumeaux. Elle avait accroché des lampions aux arbres, engagé le meilleur traiteur et fait venir un groupe de jazz de Charleston. La fête avait duré huit heures mais à minuit, quelques invités traînaient encore. À 2 heures du matin, jura-t-elle, Gray Wilson était descendu à la rivière. Aux environs de 3 heures, après le départ des derniers invités, j'étais remonté vers la maison couvert de son sang.

L'arme du crime était une pierre acérée de la taille d'un poing. Elle fut retrouvée sur la berge près d'une tache rouge sombre. Ils surent que c'était l'arme du crime parce qu'elle était couverte du sang de la victime et qu'elle correspondait parfaitement, en taille et en forme, au trou dans son crâne. Quelqu'un l'avait frappé derrière la tête, assez fort pour que des bouts d'os s'enfoncent profondément dans sa cervelle. Ma belle-mère affirma que c'était moi. Elle l'expliqua à la barre. L'homme qu'elle avait vu à 3 heures du matin portait une chemise rouge et une casquette noire.

Tout comme moi. Il marchait comme moi, il me ressemblait.

Elle n'avait pas appelé la police parce qu'elle n'avait pas réalisé tout de suite que le liquide sombre qui maculait mes mains et ma chemise était du sang. Ce n'est que le lendemain matin, lorsque mon père avait trouvé le corps gisant à moitié dans l'eau, qu'elle avait su qu'un crime avait été commis. Ce n'était que plus tard qu'elle avait assemblé les pièces du puzzle, avait-elle expliqué.

Le jury délibéra pendant quatre jours, puis le verdict tomba et je fus libéré. Absence de mobile : c'était ce qui avait fait basculer le vote du jury. L'accusation s'était donné beaucoup de mal mais tout reposait sur le témoignage de ma belle-mère. La nuit était sombre ; quelle que fût la personne qu'elle avait aperçue, elle ne l'avait vue que de loin et je n'avais absolument aucune raison de souhaiter la mort de Gray Wilson.

Nous nous connaissions à peine.

Je nettoyai la cuisine, pris une douche et laissai sur la table un mot pour Robin avec mon numéro de portable, lui demandant de m'appeler après son travail.

Il était un peu plus de 14 heures lorsque je m'engageai sur le chemin de gravier menant à la ferme de mon père. Je connaissais ce chemin par cœur. Pourtant, je me sentais tel un intrus, comme si la terre elle-même savait que j'avais renoncé à mes droits sur elle. Les champs luisaient encore de la dernière pluie et les fossés étaient remplis de boue. Je dépassai des pâturages où paissait du bétail, traversai une bande de forêt et débouchai sur les champs de soja. La route grimpait, longeant une clôture et, passé la colline, cent vingt hectares de soja s'étalaient devant moi. Des saisonniers y travaillaient sous le soleil de plomb. Je ne vis aucun superviseur, aucun véhicule de ferme, ce qui signifiait : pas d'eau pour les ouvriers.

Mon père possédait cinq cent cinquante hectares de terrain au nord, l'une des plus importantes fermes encore en activité au centre de la Caroline du Nord. La limite de ses terres n'avait pas bougé depuis leur acquisition en 1789. Je traversai des champs de soja, des pâturages vallonnés, des ruisseaux gonflés et dépassai les écuries avant d'atteindre le sommet de la dernière colline et de voir la maison. À une époque, elle avait été étonnamment petite, une vieille ferme exposée aux intempéries. Mais la maison de mon enfance avait disparu depuis longtemps. Quand mon père s'était remarié, sa nouvelle épouse avait apporté sa propre vision des choses et la maison occupait désormais une bonne partie du paysage. En revanche, comme je m'y attendais, la véranda était restée intacte. Pendant deux siècles, des générations de Chase avaient contemplé la rivière depuis cette véranda et je savais que mon père ne permettrait jamais qu'elle fût abattue ou remplacée. *Tout le monde a ses repères*, m'avait-il dit un jour. *Et pour moi, c'est cette véranda.*

Un pick-up se trouvait devant la maison. Je me garai à côté et aperçus à l'arrière des bonbonnes d'eau fraîche embuées de condensation. Je coupai le contact et descendis de voiture. Des milliers de lambeaux de mon passé m'assaillirent alors. Une enfance tranquille et tendre, le sourire de ma mère. Les choses que mon père aimait m'enseigner, les cals qui se formaient sur mes mains, les longues journées passées sous le soleil. Puis les choses avaient changé : le suicide de ma mère et les jours noirs qui, peu à peu, avaient viré au gris tandis que je luttais pour m'en remettre. Le second mariage de mon père, les nouveaux frère et sœur, les nouveaux défis. Grace dans la rivière. Puis l'âge adulte. Et enfin Robin… et nos projets volant en éclats.

J'avançai jusqu'à la véranda et contemplai la rivière en songeant à mon père. Je me demandai ce qu'il restait de nous deux et je partis à sa recherche. Son bureau était vide. Il n'avait pas changé : le plancher en pin, la table surchargée, la haute bibliothèque et les livres entassés à même le sol, des bottes boueuses traînant près de la porte de derrière, les photos des chiens de chasse morts depuis longtemps, des fusils posés près de la cheminée en pierre, des vestes pendues aux crochets, des chapeaux, et une photographie de nous deux prise dix-neuf ans plus tôt, six mois après la mort de ma mère.

Dans les mois qui avaient suivi son enterrement, j'avais perdu dix kilos. Je parlais à peine, ne dormais plus, et mon père avait décidé que c'en était assez, qu'il était temps d'aller de l'avant. Juste comme ça. *Il faut faire quelque chose. Sortons d'ici.* Je n'avais même pas levé les yeux. *Pour l'amour du ciel, Adam…*

Par un lumineux jour d'automne, il m'emmena à la chasse. Sous le ciel d'azur, les feuilles n'avaient pas encore changé de couleur. Le cerf se montra dès la première heure ; il ne ressemblait à aucun de ceux que j'avais vus auparavant. Son poil blanc brillait sous des bois assez larges pour supporter un homme adulte. Il était imposant et se tenait, tête haute, à une cinquantaine de mètres. Il regardait dans notre direction et piaffait, comme impatient.

Il était parfait.

Mais mon père refusa de tirer. Il abaissa son fusil et je vis qu'il avait les larmes aux yeux. Il me chuchota que quelque chose avait changé. Il ne pouvait pas le faire.

— Un cerf blanc, c'est un signe, expliqua-t-il, et je compris qu'il parlait de ma mère.

Mais l'animal était aussi dans ma ligne de mire. Je me mordis la lèvre, soufflai et échangeai un regard avec mon père. Il secoua la tête une fois.

— Non, dit-il.

Je tirai. Et manquai mon coup.

Mon père prit mon fusil et passa son bras autour de mes épaules. Il me serra fort et nous restâmes assis là un long moment. Il croyait que j'avais fait exprès de le rater, qu'au dernier moment j'avais fini par admettre moi aussi que la vie était plus précieuse, que la mort de ma mère avait eu cet effet-là sur nous.

Mais ce n'était pas ça du tout. J'avais voulu blesser ce cerf. Je l'avais voulu si fort que mes mains avaient tremblé. C'était pour cela que je l'avais manqué.

Je regardai à nouveau la photo. J'avais neuf ans et ma mère venait tout juste d'être enterrée. Mon père croyait que nous avions passé un cap, que ce jour-là dans la forêt avait marqué le premier pas vers la guérison. Mais j'ignorais tout du pardon et de ses présages. Je savais à peine qui j'étais.

Je replaçai le cadre sur l'étagère. Il pensait que ce jour témoignait de notre nouveau départ. Toutes ces années, il avait conservé la photo sans jamais se douter qu'il se trompait.

J'avais cru être prêt à rentrer chez moi mais à présent je n'en étais plus certain. Mon père n'était pas là. Il n'y avait rien pour moi, ici. Pourtant en me retournant, j'aperçus sur son bureau une feuille d'un élégant papier à lettres près d'un coûteux stylo de couleur bordeaux que ma mère lui avait offert. La lettre commençait par « Cher Adam », puis plus rien. Combien de temps avait-il contemplé cette page blanche ? Qu'aurait-il écrit s'il avait fini par trouver les mots ?

Je laissai la pièce telle que je l'avais trouvée et m'aventurai dans la partie principale de la maison. Des œuvres d'art contemporain ornaient les murs, parmi elles un portrait de ma sœur adoptive. Elle avait dix-huit ans la dernière fois que je l'avais vue. Une jeune femme fragile qui avait chaque jour assisté à l'audience sans avoir jamais été capable de soutenir mon regard. C'était ma sœur et nous ne nous étions plus parlé depuis le jour de mon départ mais je ne lui en voulais pas. Sans doute était-ce davantage ma faute que la sienne.

Elle devait avoir vingt-trois ans aujourd'hui, une vraie femme. J'observai à nouveau son portrait : le sourire facile, de l'assurance… Ça pouvait arriver, pensai-je.

Puis mes pensées allèrent à Jamie, son frère jumeau. Pendant mon absence, la responsabilité du personnel avait dû lui revenir. J'avançai jusqu'à l'escalier et l'appelai d'une voix forte. J'entendis des pas et des bruits de voix étouffés. Puis, des pieds en chaussettes apparurent en haut des escaliers, suivis d'un jean aux revers encrassés, d'un torse incroyablement musclé et de cheveux fins et clairs ébouriffés avec du gel. Le visage de Jamie avait perdu sa jeunesse mais ses yeux n'avaient pas changé. Il les plissa en m'apercevant.

— Nom de Dieu, ça je le crois pas ! s'exclama-t-il d'une voix aussi impressionnante que lui. Adam ! Depuis quand tu es là ?

Il descendit l'escalier et s'arrêta pour me regarder. Il mesurait un mètre quatre-vingt-quinze et, tout en muscles, il me battait d'une vingtaine de kilos. La dernière fois que je l'avais vu, nous faisions la même taille.

— Bon sang, Jamie ! Depuis quand es-tu devenu aussi baraqué ?

Il fit jouer ses muscles avec une fierté évidente.

— Faut ce qu'il faut, mec. Tu sais ce que c'est. Toi, tu n'as pas changé du tout ! Quelqu'un t'a tabassé, je vois, ajouta-t-il en désignant mon visage. Mais à part ça, c'est comme si tu étais parti hier.

J'effleurai mes points de suture.

— C'est quelqu'un du coin ?

— Zebulon Faith.

— Ce vieux salopard ?

— Et deux de ses gars.

— J'aurais aimé être là, fit-il en hochant la tête.

— La prochaine fois.

— Au fait, est-ce que papa sait que tu es rentré ?

— Il l'a entendu dire. Nous ne nous sommes pas encore parlé.

— C'est dingue.

— C'est bon de te revoir, Jamie, repris-je en lui tendant la main.

Sa main happa la mienne.

— Laisse tomber ça ! dit-il avant de me serrer dans ses bras tout en m'assenant une avalanche de vigoureuses tapes dans le dos. Tu veux une bière ?

— Tu as le temps ?

— Ça sert à quoi d'être le patron si on peut pas s'asseoir à l'ombre pour boire une bière avec son frangin, pas vrai ?

Je faillis me taire mais j'avais encore en tête l'image des saisonniers en sueur dans les champs, écrasés par la chaleur.

— Quelqu'un devrait être avec les équipes.

— Ça fait à peine une heure que je suis parti. Les équipes vont bien.

— Elles sont sous ta responsabilité...

Jamie posa la main sur mon épaule.

— Adam, je suis content de te voir, tu sais. Mais ça fait un bout de temps que je ne suis plus dans ton ombre. Tu faisais du bon boulot quand tu étais ici, personne ne prétendrait le contraire. Mais maintenant c'est mon affaire. Ne t'en mêle pas.

Sa main serra fort mon épaule et ses doigts s'enfoncèrent dans ma chair meurtrie.

— Sinon nous aurions un problème, Adam, et je ne veux pas de ça entre nous.

— OK, Jamie, je comprends.

— Parfait.

Il partit vers la cuisine et je lui emboîtai le pas.

— Qu'est-ce que tu veux, comme bière ? J'en ai des tas de différentes.

— N'importe... Tu choisis.

Il ouvrit le réfrigérateur.

— Où sont-ils tous passés ? repris-je.

— Papa est à Winston. Maman et Miriam sont parties dans le Colorado. Je crois qu'elles étaient censées rentrer hier et passer la nuit à Charlotte.

Il sourit et me donna un coup de coude.

— Une paire de squaws parties faire du shopping. Elles risquent de rentrer tard.

— Le Colorado, c'est ça ?

— Oui, pendant deux semaines. Maman a emmené Miriam dans un centre d'amaigrissement. Ça coûte une fortune mais bon, c'est pas moi qui décide.

Il se retourna avec deux bières en main.

— Miriam n'a jamais été en surpoids, fis-je remarquer.

— Une cure de remise en forme, alors, fit Jamie en haussant les épaules. Bains de boue, masques aux algues et compagnie. Je ne sais pas. Ça, c'est une bière belge, une blonde je crois, et celle-là, c'est une *stout* anglaise. Laquelle tu préfères ?

— La blonde.

Il la décapsula et me la tendit, puis il but une gorgée de la sienne.

— On va sous la véranda ? demanda-t-il.

— Oui, allons-y.

Il sortit le premier et, lorsque j'émergeai après lui dans la chaleur, il s'était adossé au pilier de mon père et arborait un air de propriétaire. Un éclair de satisfaction passa dans son regard.

— Santé ! lança-t-il.

— Santé, Jamie.

Les bouteilles s'entrechoquèrent et nous bûmes nos bières dans l'air lourd et immobile.

— Les flics savent que tu es rentré ? reprit-il.

— Oui.

— Nom de Dieu.

— Je les emmerde.

À un moment, Jamie leva le bras, fit jouer ses muscles et me montra ses biceps.

— Soixante centimètres.

— Pas mal, dis-je.

— Faut ce qu'il faut.

Les rivières cherchent à rejoindre les bas-fonds – c'est leur nature même – et, tout en contemplant celle qui délimitait nos terres, je crus qu'elle avait peut-être déteint sur mon frère. Il parla de l'argent qu'il avait dépensé, des filles avec lesquelles il avait couché. Il me les énuméra : il y en avait un paquet. Notre conversation n'alla pas au-delà jusqu'à ce qu'il me demande la raison de mon retour. La question tomba après la deuxième bière et il me la posa l'air de rien mais ses yeux le trahissaient. C'était tout ce qui l'intéressait.

Est-ce que j'étais revenu pour de bon ?

Je lui dis la vérité : je n'en étais pas sûr. Je dus reconnaître qu'il dissimula très bien son soulagement.

— Est-ce que tu restes dîner ? demanda-t-il en finissant sa bière.

— Tu crois que je devrais ?

— Ce serait plus facile s'il n'y avait que papa, observa-t-il en se grattant le crâne. Je pense qu'il te pardonnera ce qui s'est passé mais maman ne sera pas enchantée, ça c'est certain.

— Je ne suis pas venu demander pardon.

— Adam, ne recommençons pas. Papa a dû choisir son camp. Il devait te croire toi ou bien croire maman mais il ne pouvait pas vous croire tous les deux.

— Ça reste ma famille, Jamie, malgré tout ce qui s'est passé. Elle n'a pas le droit de m'empêcher d'être ici.

— Elle a peur de toi, Adam, ajouta-t-il, avec un regard soudain plus compréhensif.

— C'est ma maison, protestai-je, mais mes paroles sonnaient creux. J'ai été acquitté.

— C'est toi qui décides, mon frère, conclut-il en haussant ses épaules massives. Ce sera intéressant de toute façon et je serai content d'être aux premières loges.

Son sourire était faux mais il se donnait du mal.

— Tu ne manques pas d'air, Jamie.

— Non, mais je suis irrésistible.

— Demain soir, alors. Autant tout régler en une fois.

Sauf que ce n'était pas tout. La douleur profonde que je ressentais pouvait encore s'accentuer. Je songeai à la pénombre de la chambre de Robin, puis à mon père et à la lettre qu'il avait été incapable d'achever. Il était grand temps pour tout le monde.

— Comment va papa ? demandai-je.

— Il est solide comme un roc, tu le connais.

— Plus maintenant, répliquai-je, mais Jamie ignora ma remarque. Je vais faire un tour à la rivière puis je m'en vais. Dis à papa que je regrette de l'avoir raté.

— Salue Grace de ma part.

— Elle est là-bas ?

— Tous les jours à la même heure.

J'avais beaucoup pensé à Grace mais entre tous, c'était elle que je savais le moins comment approcher. Elle avait deux ans lorsque Dolf l'avait recueillie, et elle n'était encore qu'une enfant quand j'étais parti, trop jeune pour que je puisse lui expliquer. Pendant treize ans, j'avais occupé une place importante dans sa vie et mon départ avait eu un goût de trahison. Toutes mes lettres m'étaient revenues intactes. J'avais fini par cesser d'écrire.

— Comment va-t-elle ? m'enquis-je en tâchant de dissimuler à quel point la réponse comptait à mes yeux.

— C'est une vraie sauvage, pas de doute, mais elle l'a toujours été. Elle n'a pas l'intention d'aller à l'université, je crois. Elle fait des petits boulots, elle traîne à la ferme. Elle se débrouille.

— Elle est heureuse ?

— J'espère bien ! C'est la fille la plus sexy des trois comtés réunis.

— Vraiment ?

— Tu parles ! Je me la ferais bien, moi.

Il m'adressa un clin d'œil, sans se douter que j'étais à deux doigts de le frapper. Mais il voulait seulement faire le malin ; il avait oublié à quel point j'aimais Grace, que j'avais toujours protégée. Il n'essayait pas de me provoquer.

— Content de t'avoir revu, Jamie, conclus-je en posant une main sur son épaule musclée. Tu m'as manqué.

Il monta dans le pick-up.

— Demain soir ! répéta-t-il avant de démarrer en trombe en direction des champs de soja.

En s'éloignant, il passa le bras par la fenêtre et m'adressa un salut. Je compris qu'il était en train de m'observer dans son rétroviseur. Je fis un pas sur la pelouse et le regardai disparaître au loin, puis je descendis la colline.

Grace et moi avions été proches. Peut-être depuis ce fameux jour, sur la berge, où je l'avais tenue dans mes bras, en pleurs, pendant que mon père frappait Dolf pour l'avoir laissée s'éloigner. Ou bien depuis le long retour à pied jusqu'à la maison, durant lequel mes mots avaient fini par l'apaiser. Ou peut-être depuis qu'elle m'avait souri, ou qu'elle s'était si désespérément agrippée à mon cou quand j'avais voulu la poser à terre. Quoi qu'il en soit, un lien très fort s'était tissé entre nous, et j'avais été fier de la voir grandir, véritable tornade sur la ferme. C'était comme si ce plongeon dans la rivière l'avait endurcie : elle n'avait peur de rien. À cinq ans, elle nageait dans la rivière ; à sept elle montait les chevaux à cru. À dix, elle était capable de maîtriser le cheval de mon père, une grande brute vicieuse que tout le monde craignait, à part lui. Je lui avais appris à chasser, à pêcher et elle s'asseyait à côté de moi sur le tracteur. Elle me suppliait de la laisser conduire les véhicules de la ferme et hurlait de rire lorsque je l'y autorisais. C'était une petite sauvage et elle rentrait souvent de l'école avec des traces de sang sur les joues, racontant que tel ou tel garçon l'avait mise hors d'elle.

D'une certaine façon, c'était elle qui m'avait le plus manqué.

Je suivis l'étroit sentier jusqu'à la rivière et entendis la musique bien avant d'arriver sur la berge. Elle écoutait Elvis Costello.

À cet endroit, la Yadkin formait une longue courbe vers le sud et le ponton, mince langue de bois de dix mètres de long, s'avançait jusqu'au milieu de la rivière. Grace se tenait tout au bout, mince et hâlée, et portait le plus petit bikini blanc que j'avais jamais vu. Elle était assise au bord du ponton et retenait du pied un canoë bleu foncé tout en parlant avec la femme qui le dirigeait. Je m'arrêtai sous un arbre, hésitant à les interrompre.

La femme avait les cheveux blancs, un visage en forme de cœur et des bras minces. Elle paraissait très bronzée dans son tee-shirt jaune. Je l'observai tandis qu'elle tapotait la main de Grace en lui disant quelque chose que je ne pouvais entendre. Puis elle lui adressa un petit signe et Grace poussa le canoë du pied. La femme se mit à pagayer à contre-courant. Elle prononça encore quelques mots, puis elle leva les yeux et m'aperçut. Lorsqu'elle cessa de pagayer, la rivière l'emporta un peu plus bas. Elle me fixa avec intensité, me salua d'un signe de tête, et j'eus l'impression d'avoir vu un fantôme.

Elle continua de remonter le courant et Grace s'allongea sur le bois blanc. L'instant était lumineux ; j'observai la femme jusqu'à ce qu'elle disparaisse. Enfin, je m'engageai sur le ponton ; mes pas résonnèrent sur le bois. Grace parla sans se retourner.

— Va-t'en, Jamie. Je ne nagerai pas avec toi, je ne sortirai pas avec toi et en aucun cas je ne coucherai avec toi. Si tu as envie de mater, retourne à ton télescope.

— Ce n'est pas Jamie, dis-je.

Elle roula sur le côté et baissa ses lunettes de soleil, dévoilant ses yeux, bleus et perçants.

— Salut, Grace.

Elle ne daigna pas sourire et remonta les lunettes devant ses yeux. Elle se mit sur le ventre, tendit le bras vers la radio et baissa le volume. Elle cala son menton au creux de ses mains et tourna son regard vers la rivière.

— Je suis censée bondir pour te prendre dans mes bras ? demanda-t-elle.

— Tu serais la seule à l'avoir fait.

— Je ne vais pas te plaindre.

— Tu n'as jamais répondu à mes lettres.

— Va au diable avec tes lettres, Adam ! Tu étais tout ce que j'avais et tu es parti. Fin de l'histoire.

— Je suis désolé, Grace. Si ça peut t'aider, ça m'a brisé le cœur de te laisser derrière moi.

— Va-t'en, Adam.

— Je suis là, maintenant.

— Qui d'autre se souciait de moi ? s'emporta-t-elle d'une voix brisée. Pas ta belle-mère, ni Miriam ou Jamie – du moins pas jusqu'à ce que j'aie des seins. Les autres, c'étaient ton père et Dolf, deux vieux débordés de travail qui ne connaissaient rien aux petites filles. Tout mon univers a été anéanti après ton départ et tu m'as laissée me débrouiller toute seule dans toute cette merde. Tu peux te les garder, tes lettres.

Ses paroles me vrillaient le cœur.

— J'ai été accusé de meurtre. Mon propre père m'a mis à la porte. Je ne pouvais pas rester ici.

— Je m'en fiche.

— Grace...

— Mets-moi de la crème sur le dos, Adam.

— Je ne pense pas que...

— Fais-le, c'est tout.

Je m'agenouillai près d'elle. La crème sentait la banane et s'était réchauffée à force de rester au soleil. À côté de moi, le long corps bronzé de Grace me semblait inconnu. J'hésitai, tandis qu'elle dénouait dans son dos le haut de son bikini. L'espace d'un instant, juste avant qu'elle ne se rallonge, j'entrevis l'un de ses seins. Je restai pétrifié devant ce corps étendu devant moi. Je me sentis complètement décontenancé ; la femme qui venait de m'apparaître soudain me donna la certitude que la Grace que j'avais connue était perdue à jamais.

— N'y passe pas la journée, dit-elle.

J'étalai maladroitement un peu de crème sur son dos. J'avais du mal à regarder les jolies courbes de son corps, les longues jambes légèrement écartées, alors je détournai moi aussi le regard vers la rivière sans savoir si nous voyions les mêmes choses. Cet instant se passait de mots.

À peine avais-je terminé qu'elle annonça :

— Je vais nager !

Elle renoua son bikini et se leva. La peau veloutée de son ventre se retrouva à quelques centimètres de mon visage.

— Ne t'en va pas, ajouta-t-elle avant de s'élancer dans l'eau d'un mouvement fluide.

Sa peau captait la lumière du soleil à chaque brassée. Elle remonta le courant sur une quinzaine de mètres avant de faire demi-tour. Elle se déplaçait dans la rivière comme dans son élément. Je me remémorai son premier plongeon, la manière dont les eaux s'étaient ouvertes et l'avaient happée jusqu'au fond.

L'eau ruissela sur son corps lorsqu'elle se hissa sur l'échelle. Ses cheveux trempés étaient tirés en arrière et une ombre de sauvagerie passa furtivement sur son visage. Mais les lunettes retrouvèrent bien vite leur poste. Je demeurai debout sans rien dire alors qu'elle s'allongeait à nouveau et laissait le soleil sécher sa peau.

— Dois-je te demander combien de temps tu comptes rester ? ironisa-t-elle.

— Aussi longtemps qu'il le faudra. Quelques jours, répondis-je en m'asseyant près d'elle.

— Tu as des projets ?

— Une ou deux choses. Voir quelques amis. La famille.
Elle éclata d'un rire impitoyable.

— En ce qui me concerne, n'y compte pas trop. J'ai ma
vie, tu sais. Je ne vais pas tout laisser tomber juste parce que
tu décides de débarquer sans prévenir. Tu fumes ? ajouta-
t-elle sans transition.

Elle plongea la main dans la pile de vêtements à côté
d'elle – jean effrangé, tee-shirt rouge et tongs – et y attrapa
un petit sachet plastique. Elle en sortit un joint et un briquet.

— Plus depuis l'université, précisai-je.

Elle alluma le joint et en aspira une bouffée.

— Eh bien moi, oui.

Elle me tendit le joint mais je secouai la tête. Elle tira
une nouvelle bouffée et la fumée flotta au ras de l'eau.

— Tu es marié ? reprit-elle.

— Non.

— Une petite amie ?

— Non.

— Et Robin Alexander ?

— Plus depuis longtemps.

Elle aspira encore une bouffée, éteignit le joint et remit
le reste dans le sac plastique. Elle prononça la suite en
minaudant.

— Moi, j'ai des petits amis.

— Tant mieux.

— J'en ai des tas. Je sors avec l'un, puis avec l'autre.

Je ne savais pas quoi dire. Elle se redressa pour me faire
face.

— Ça t'est égal ?

— Pas du tout, mais ce ne sont pas mes affaires.

L'instant d'après elle était debout.

— Si, ce sont tes affaires ! s'emporta-t-elle à nouveau.
Celles de qui, autrement ?

Elle se rapprocha et s'arrêta à quelques centimètres de
moi. Elle semblait en proie à des émotions fortes et com-
plexes. Je prononçai alors les seules paroles qui me vinrent :

— Je suis désolé, Grace.

En un instant, elle fut contre moi, encore trempée. Ses bras se nouèrent autour de mon cou et elle me serra contre elle. Elle pressa ses mains sur mon visage et ses lèvres sur les miennes, puis elle m'embrassa avec fougue. Lorsque sa bouche trouva mon oreille, elle me serra encore plus fort, si bien qu'il m'était impossible de m'écarter d'elle sans user de force. J'entendis à peine ses mots mais ils me brisèrent le cœur :

— Je te hais, Adam. Je pourrais te tuer tellement je te hais.

Puis elle partit en courant le long de la berge.

4.

Quelque temps plus tard, je refermai la porte de ma voiture comme si elle allait me mettre à l'abri du monde. Il y faisait chaud et, sous les points de suture, je sentais mon sang cogner dans mes veines. Pendant cinq ans, j'avais vécu dans le néant, m'efforçant d'oublier la vie que j'avais perdue. Pourtant, même dans la plus extraordinaire ville du monde, les plus beaux jours m'avaient paru vides.

Aujourd'hui c'était différent. Tout ici me paraissait si réel.

De retour chez Robin, je retirai les bandages qui me serraient les côtes et restai sous la douche aussi longtemps que possible. Je pris deux comprimés de Percocet, hésitai, puis en avalai un troisième. Enfin, après avoir éteint toutes les lampes, je me couchai.

À mon réveil, il faisait nuit mais une lumière brillait dans le couloir. J'étais encore sous l'effet calmant des médicaments et le rêve que je venais de faire continuait de danser devant mes yeux : un arc de cercle rouge sombre sur un mur et une vieille brosse trop grande pour des petites mains.

Robin se tenait debout près du lit, sa silhouette sombre se découpait sur la lumière. Elle était immobile et je ne pouvais pas voir son visage.

— Ça ne veut rien dire, murmura-t-elle.

— Quoi donc ?

Elle ôta sa chemise. Elle ne portait rien d'autre. De la lumière filtra entre ses doigts, entre ses jambes. On aurait dit une poupée de papier. Je songeai à nos années passées ensemble. Nous avions été si près de l'être pour toujours. J'aurais aimé voir son visage. Je soulevai la couverture ; elle se glissa à mon côté et passa une jambe par-dessus mon corps.

— Tu es sûre ? lui demandai-je.

— Ne dis rien.

Elle m'embrassa dans le cou, sur le visage et sur les lèvres. Le goût était le même que dans mon souvenir, la sensation aussi : intense, brûlante et avide. Elle roula sur moi et je tressaillis en sentant son poids sur mes côtes.

— Excuse-moi..., murmura-t-elle avant de basculer sur mes hanches.

Un frisson la parcourut et je pus distinguer son profil dans la lumière du couloir, les creux sombres autour des yeux et l'éclat mat de ses cheveux. Elle prit mes mains et les posa sur ses seins.

— Ça ne veut rien dire, répéta-t-elle, mais elle mentait et nous le savions tous les deux.

La fusion fut immédiate et totale. Ce fut comme de basculer dans un gouffre.

À mon réveil, elle était en train de se rhabiller.

— Salut, fis-je.

— Salut toi-même.

— Tu n'as pas envie de parler ? demandai-je.

Elle enfila rapidement sa chemise et la boutonna. Elle ne parvenait pas à soutenir mon regard.

— Pas de ça.

— Pourquoi pas ?

— J'avais besoin de vérifier quelque chose.

— Tu veux dire nous ?

— Je ne peux pas te parler comme ça.

— Comme quoi ?

— Nu, empêtré dans mes draps. Enfile un pantalon et viens dans le salon.

J'enfilai un pantalon et un tee-shirt, et la retrouvai assise en tailleur dans un fauteuil en cuir.

— Quelle heure est-il ? demandai-je.

— Tard.

Une seule lampe était allumée, laissant la majeure partie de la pièce dans la pénombre. Son visage pâle trahissait le doute, et une ombre triste voilait son regard. Elle tortillait ses doigts. Je parcourus la pièce des yeux tandis que le silence s'installait entre nous.

— Alors. Comment tu te sens ?

— Je ne peux pas faire ça, dit-elle en se levant. Je ne peux pas parler de tout et de rien comme si on s'était quittés hier. Ça fait cinq ans, Adam. Je ne savais pas si tu étais vivant ou mort, marié ou célibataire. Rien. Et malgré tout ça, je n'ai toujours pas avancé. Me revoilà à coucher avec toi... Et tu sais pourquoi ? Parce que je sais que tu vas partir et que j'avais besoin de savoir si ce qu'il y avait entre nous existait toujours. Parce que si ce n'était pas le cas, alors je serais tranquille.

Elle détourna son visage et je compris. Elle avait baissé la garde et, à présent, elle en souffrait. Je me levai. Je voulais empêcher ce qui se préparait mais elle me devança.

— Ne me demande rien, Adam. Je vais te le dire.

Elle me fit face et mentit une seconde fois.

— C'est fini, Adam.

— Robin...

Elle enfila une paire de tennis et attrapa ses clés.

— Je vais faire un tour. Rassemble tes affaires. À mon retour, on te trouvera une chambre d'hôtel.

Elle claqua la porte derrière elle et je me rassis, effrayé une fois de plus par l'intensité des passions qui avaient germé dans le sillage de ma fuite vers le Nord.

À son retour vingt minutes plus tard, j'étais douché et rasé ; toutes mes affaires étaient soit sur mon dos soit dans ma voiture. J'allai à sa rencontre dans le hall, devant la porte. Elle avait les joues rouges.

— J'ai pris une chambre au Holiday Inn. Je ne voulais pas partir sans te dire au revoir.

— Attends une minute, dit-elle en refermant la porte et en s'y appuyant. Je te dois des excuses. Tu sais, Adam, je suis flic et tout, dans ce boulot, nous pousse à garder le contrôle, tu comprends ? C'est une question de logique, et c'est ce à quoi je me suis entraînée depuis que tu es parti. C'était tout ce qui me restait.

Elle soupira.

— Ce que je t'ai dit tout à l'heure, c'était le dérapage, en moins d'une minute, de ces cinq années de contrôle. Tu ne méritais pas ça, pas plus que tu ne mérites d'être mis à la porte en pleine nuit. Ça peut attendre demain.

Il n'y avait aucune trace d'ironie dans sa voix.

— D'accord, Robin. On va parler un peu. Je vais juste prendre mon sac. Tu as du vin ?

— Oui.

— J'en boirais bien un verre, fis-je avant d'aller chercher mes affaires.

Dans le parking, je contemplai le ciel bas et sombre au-dessus des lumières de la ville. Je tentai d'analyser mes sentiments pour Robin et ses derniers mots. Tout se passait si vite, et je n'avais pas progressé d'un pouce dans ce que j'étais venu faire.

Je laissai mon manteau dans le hall et me dirigeai vers le salon. Robin était au téléphone. Elle leva la main et je réalisai que quelque chose n'allait pas : son expression la trahissait.

— OK, aquiesça-t-elle. Je serai là dans un quart d'heure.

Elle raccrocha, attrapa son arme qu'elle rangea dans son étui.

— Que se passe-t-il ? l'interrogeai-je.

— Je dois sortir, fit-elle, le visage fermé.

— C'est sérieux ?

Elle se rapprocha de moi. Je perçus le changement en elle, la soudaine apparition d'une professionnelle inflexible.

— Je ne peux rien dire, Adam, mais je crois que oui.

Je voulus parler mais elle m'en empêcha.

— Je veux que tu restes ici. Près du téléphone.

— Il y a un problème ? insistai-je, soudain méfiant.

— Je veux pouvoir te joindre, c'est tout.

Je voulus la forcer à soutenir mon regard. En vain. J'ignorais ce qui se passait mais j'étais certain d'une chose :

c'était son troisième mensonge ce soir, et ça ne présageait rien de bon.

— Je reste ici, promis-je.

Puis elle partit, sans m'embrasser, ni me dire au revoir. Le travail avant tout.

5.

Je m'allongeai sur le canapé, incapable de trouver le sommeil. Je me levai quand Robin rentra. Elle avait les traits tirés et une expression qui ressemblait à de la colère.

— Quelle heure est-il ? demandai-je.

— Minuit passé.

Je remarquai aussitôt la boue sur ses chaussures, une feuille accrochée à ses cheveux. Son teint livide se colorait dans les creux de son visage et la lampe de la cuisine jetait des étincelles dans ses yeux.

Quelque chose de grave s'était produit.

— Je dois te poser une question, commença-t-elle.

— Vas-y.

Elle s'assit sur le bord de la table basse ; nos genoux se touchaient presque.

— Tu as vu Grace aujourd'hui ?

— Il lui est arrivé quelque chose ?

Une bouffée d'adrénaline m'envahit.

— Réponds-moi, Adam.

— Il lui est arrivé quelque chose ? répétai-je d'une voix anormalement forte.

Nous nous dévisagions. Elle ne cilla pas.

— Oui, finis-je par dire. Je l'ai vue à la ferme. À la rivière.

— À quelle heure ?

— 16 heures, peut-être 16 h 30. Qu'est-ce qui se passe, Robin ?

— Merci de ne pas m'avoir menti, soupira-t-elle.

— Pourquoi te mentirais-je ? Dis-moi ce qui se passe, nom de Dieu ! Il est arrivé quelque chose à Grace ?

— Elle a été agressée.

— Quoi ?

— Quelqu'un l'a agressée, peut-être violée. Ça s'est passé en fin d'après-midi. Près de la rivière. Apparemment, elle a été traînée sur le sentier. Ils venaient juste de la trouver quand ils m'ont appelée.

— Et tu ne m'as rien dit ? m'écriai-je.

— Je suis flic avant tout, Adam, lâcha-t-elle, résignée. Je ne pouvais rien te dire.

— Où est-elle maintenant ? demandai-je en enfilant mes chaussures.

— À l'hôpital. Ton père est avec elle, Dolf et Jamie aussi. Tu ne peux rien faire.

— Je m'en fous !

— Elle est sous sédatifs, Adam. Que tu sois là-bas ou pas ne changera rien. Par contre, tu l'as vue juste avant son agression. Tu as peut-être vu ou entendu quelque chose. Il faut que tu viennes avec moi.

— Grace d'abord, rétorquai-je en me dirigeant vers l'entrée, mais Robin me retint par le bras et me força à m'arrêter.

— Il y a des questions auxquelles tu dois répondre.

Je dégageai mon bras, ignorant sa colère, et sentis l'émotion me gagner.

— Quand tu as reçu ce coup de fil, tu savais qu'il s'agissait de Grace, n'est-ce pas ?

Elle n'eut pas besoin de répondre : c'était évident.

— Tu savais ce que cela signifiait pour moi et tu m'as menti. Pire : tu m'as testé... Pourquoi ? C'est Jamie qui t'a raconté que j'étais là-bas ?

— Je n'ai pas à m'excuser. Tu es le dernier à l'avoir vue. Je devais être sûre que tu ne me mentirais pas.

— Et il y a cinq ans, tu m'as cru ? lançai-je, fou de rage.

— Je ne serais pas là avec toi, si je pensais que tu as tué ce garçon, dit-elle en détournant les yeux.

— Et où est-elle, la confiance, aujourd'hui ? Tu ne me crois plus ?

Elle ne broncha pas.

— C'est mon métier, Adam.

— Foutaises, Robin.

— Adam...

— Comment as-tu pu penser une chose pareille ?

Je m'écartai brusquement. Elle tenta de me retenir. En vain. Je claquai la porte et me retrouvai dehors, dans la nuit d'encre, porteuse de tant de désolation.

6.

L'hôpital n'était pas loin en voiture. Après avoir dépassé l'église épiscopale et le vieux cimetière anglais, je pris à gauche au château d'eau, laissant derrière moi les imposantes maisons de plain-pied aujourd'hui reconverties en logements sociaux, et me retrouvai dans le quartier des médecins, au milieu des cabinets médicaux, des pharmacies et des vitrines de magasins spécialisés en déambulateurs et en chaussures orthopédiques. Je me garai sur le parking des urgences et me dirigeai vers les doubles portes. Seule l'entrée était éclairée. J'aperçus une silhouette appuyée contre le mur, la lueur d'une cigarette, et poursuivis mon chemin. La voix de Jamie me surprit.

— Salut, frangin.

Il tira une deuxième bouffée et jeta son mégot par terre.

— Salut, Jamie. Comment va-t-elle ?

Il enfonça ses mains dans les poches de son jean et haussa les épaules.

— On ne sait pas. Ils ne nous ont pas encore laissés la voir. Je crois qu'elle est consciente mais en état catatonique ou quelque chose comme ça.

— Est-ce que papa est là ?

— Oui, et Dolf aussi.

— Avec Miriam et ta mère ?

— Non. Elles étaient à Charlotte. Elles sont revenues du Colorado la nuit dernière et sont restées là-bas pour faire du shopping. Elles ne devraient pas tarder ; George est allé les chercher.

— George ?

— George Tallman.

— Je ne comprends pas.

— C'est une longue histoire, crois-moi.

J'acquiesçai.

— J'y vais. Il faut que je parle à papa. Et Dolf, il tient le coup ?

— Tout le monde est effondré.

— Tu viens ?

— Je ne tiendrai pas là-dedans.

— À tout à l'heure alors.

En me retournant, je sentis sa main sur mon épaule.

— Attends, Adam...

Je fis demi-tour et me rendis compte qu'il avait l'air terriblement embarrassé.

— Je ne suis pas sorti seulement pour fumer une cigarette.

— Je ne comprends pas...

— Ça va pas être très gai là-dedans, commença-t-il en évitant mon regard.

— Qu'est-ce que tu veux dire ?

— C'est Dolf qui l'a trouvée, tu sais. Comme elle ne rentrait pas, il est parti à sa recherche. Il l'a trouvée là où on l'avait traînée sur le sentier. Elle était couverte de sang, à peine consciente. Il l'a portée jusque chez lui, déposée dans la voiture et conduite jusqu'ici.

Il hésita.

— Et puis ?

— Elle a parlé. Elle n'a pas dit un mot depuis qu'elle est ici – du moins pas à nous – mais elle a parlé à Dolf. Et il a répété aux flics ce qu'elle lui avait raconté.

— Et qu'a-t-elle raconté ?

— Elle ne sait plus où elle en est, elle doit être perturbée. Elle n'a pratiquement aucun souvenir si ce n'est que tu l'as embrassée, qu'elle t'a dit qu'elle te détestait et qu'ensuite elle est partie en courant.

Ses paroles me firent l'effet d'un coup de poing.

— D'après les flics, elle a été agressée à environ huit cents mètres du ponton.

À son expression, je devinai la suite. Huit cents mètre. Facile de rattraper quelqu'un sur cette distance. Ça recommençait.

— Ils pensent que j'ai quelque chose à voir dans cette affaire ?

Manifestement, Jamie avait l'air d'un type qui souhaitait désespérément être ailleurs. Il semblait vouloir se recroqueviller à l'intérieur de son propre corps.

— Ça sent mauvais, hein ? Personne n'a oublié pourquoi tu es parti.

— Jamais je ne ferais de mal à Grace.

— Je dis seulement que…

— Je sais, Jamie. Qu'en pense papa ?

— Il n'a pas prononcé un mot. Il s'est enfermé dans le silence. Je ne l'ai jamais vu comme ça. Et Dolf, bon sang… on dirait qu'il s'est pris un coup de massue. C'est pas beau à voir.

Il marqua une pause. Nous savions tous les deux où tout cela allait mener.

— Ça fait une heure que je suis dehors. J'ai pensé qu'il valait mieux que tu saches… avant d'y aller.

— Merci, Jamie. Vraiment. Tu n'étais pas obligé.

— Tu es mon frère, non ?

— La police est encore là ?

— Ils sont restés un bon moment mais de toute façon, Grace ne parle pas. Je crois qu'ils sont partis pour la ferme. Robin et un type – Grantham. Il travaille pour le shérif. C'est lui qui pose les questions.

— Le shérif ? répétai-je en sentant renaître en moi une vieille rancœur.

C'était le shérif du comté de Rowan qui avait demandé ma mise en examen pour meurtre.

— Lui-même, acquiesça Jamie.

— Attends une seconde… Pourquoi est-ce que Robin est mêlée à ça ? Elle travaille pour la police municipale.

— Je crois qu'elle s'occupe de toutes les affaires d'agressions sexuelles. Une sorte d'arrangement avec les services du shérif quand il s'agit de cas en dehors de sa juridiction[1]. On la voit sans arrêt dans les journaux. Mais ce type-là, Grantham, ne t'y trompe pas. Ça ne fait qu'un an qu'il est là mais c'est un vrai renard.

— Robin m'a interrogé.

J'avais encore du mal à le croire.

— Elle n'avait pas le choix. Tu sais bien ce que ça lui a coûté de prendre ta défense alors que tout le monde, son frère y compris, voulait ta peau. Elle a failli se faire virer pour ça.

Jamie enfonça plus profondément ses mains dans ses poches.

— Tu veux que je t'accompagne ?

— Tu me le proposes ?

Il ne répondit pas – il avait l'air embarrassé.

— Pas de problème, marmonnai-je en m'éloignant.

— Hé ! fit Jamie.

Je m'arrêtai.

— Ce que j'ai dit tout à l'heure, que je serais content d'être aux premières loges… je ne le pensais pas. Ce n'est pas ce que je voulais.

— Pas de problème, Jamie.

À l'intérieur, les lumières grésillaient. Les gens levèrent les yeux, puis m'ignorèrent. Je tournai dans un couloir et aperçus mon père. Recroquevillé sur sa chaise, la tête pendante, c'était un homme brisé. Dolf se tenait près de lui, droit, immobile, le regard fixé sur le mur. La peau sous ses yeux formait deux cercles rose pâle. Lui aussi avait l'air anéanti. Il tressaillit en me voyant, comme si on l'avait surpris à faire quelque chose d'interdit.

Je m'avançai dans la salle d'attente.

— Dolf, fis-je avant de marquer une pause. Papa.

Dolf se leva avec peine et frotta ses mains sur ses cuisses. Lorsque mon père leva les yeux, je fus frappé par sa mine

---

1. Aux États-Unis, le shérif est responsable d'un comté mais les villes importantes possèdent leur propre service de police dont la juridiction s'étend uniquement au territoire de la ville. (*Toutes les notes sont de la traductrice.*)

dévastée. Il soutint mon regard et se redressa, comme si sa seule volonté pouvait suffire à lui redonner force. Je songeai à ce qu'avait dit Robin – que mon père avait pleuré en apprenant que j'étais de retour. Rien de cela à présent. Ses poings étaient blancs tellement ils étaient serrés ; des veines saillaient dans son cou.

— Qu'est-ce que tu as à voir avec ça, Adam ?

J'avais espéré que cela n'arriverait pas, que Jamie avait tort.

— Qu'est-ce que tu veux dire ?

— Ne fais pas le malin avec moi, nom de Dieu ! Qu'est-ce que tu sais à propos de Grace ? insista-t-il en élevant la voix.

Je me figeai l'espace d'une seconde, puis aussitôt mes mains se mirent à trembler. L'incrédulité me brûlait la peau. Dolf avait l'air bouleversé. Mon père s'approcha. Il était plus grand que moi, il avait gardé ses larges épaules. Je scrutai son visage à la recherche d'un signe susceptible de me redonner espoir. En vain.

— Je ne veux pas discuter de ça avec toi, déclarai-je.

— Oh que si, tu vas le faire. Tu vas nous raconter ce qui s'est passé.

— Cela ne te regarde pas.

— Tu étais avec elle. Tu l'as embrassée et elle s'est enfuie. Inutile de nier. Ils ont trouvé ses vêtements sur le ponton.

Il avait choisi son camp. Son calme n'était qu'une façade qui menaçait de s'effriter à tout moment.

— La vérité, Adam. Pour une fois.

Mais je ne pouvais rien lui dire. Alors, connaissant mon père et ce qui se préparait, je formulai la seule demande qui importait encore à mes yeux.

— Je veux la voir.

Il bondit sur moi, m'attrapa par le col et me plaqua contre le mur. Je connaissais chaque trait de son visage mais ce que je voyais à présent, c'était l'étranger en lui, la haine brute et destructrice, tandis que ce qui restait de sa confiance en moi s'évanouissait.

— Si c'est toi qui as fait ça, je te tue !

Je n'essayai même pas de me défendre. J'attendis que sa haine se transformât en un sentiment moins absolu, comme la douleur ou la perte. C'était comme si quelque chose en lui venait de mourir.

— Tu ne devrais pas avoir à me demander ça, rétorquai-je en écartant ses mains, et je ne devrais pas avoir à te répondre.

— Tu n'es pas mon fils ! lâcha-t-il en me tournant le dos.

Dolf ne parvenait pas à me regarder mais je refusai de me laisser humilier – ni maintenant ni plus jamais –, et luttai contre l'envie désespérée de me justifier. Je gardai la tête haute et quand mon père se retourna, je soutins son regard jusqu'à ce qu'il détourne les yeux. Je m'installai d'un côté de la salle d'attente ; mon père resta assis de l'autre. À un moment, Dolf fit mine de s'approcher de moi.

— Assieds-toi, Dolf ! ordonna mon père, et Dolf s'exécuta.

Mon père finit par se lever.

— Je vais faire un tour, annonça-t-il. J'ai besoin d'air. Ça sent mauvais ici.

Dès que le bruit de ses pas s'atténua, Dolf vint s'asseoir près de moi. C'était un homme solide d'à peine plus de soixante ans, aux mains calleuses et aux cheveux gris. Dans mon souvenir, Dolf avait toujours vécu près de nous. Il avait commencé à travailler à la ferme très jeune et, quand mon père en avait hérité, il avait gardé Dolf comme bras droit. Ils étaient comme des frères. J'avais toujours cru que, sans Dolf, ni mon père ni moi n'aurions survécu au suicide de ma mère. Il nous avait soutenus tous les deux et je me rappelais encore le poids de sa main sur mon épaule dans les jours difficiles, après que le monde se fut écroulé dans un fracas de tonnerre et de fumée.

J'observai les aspérités de son visage, les petits yeux bleus et les sourcils saupoudrés de blanc. Il tapota mon genou, appuya sa tête contre le mur. De profil, on l'aurait dit taillé dans un morceau de cuir tanné.

— Ton père est un impulsif, Adam. Il réagit au quart de tour mais, en général, il finit toujours par se calmer. Gray Wilson a été assassiné et Janice a vu ce qu'elle a vu. Maintenant tu es de retour et voilà ce qui est arrivé à Grace. Ça le travaille, mais ça lui passera.

— Tu crois vraiment qu'on peut réparer ça avec des mots ?

— Je suis convaincu que tu n'as rien fait de mal, Adam. Et si ton père avait les idées claires, il verrait les choses comme moi. Tu dois comprendre que, quand Grace est arrivée, je ne savais pas quoi faire. Lorsque ma femme est partie, ma fille était très jeune. Je n'y connaissais rien. Ton père m'a aidé, il se sent responsable. Il est fier, et les hommes fiers ne montrent pas leur douleur. Ils explosent et font des choses qu'ils regrettent ensuite.

— Ça ne change rien.

— Nous avons tous des regrets. Tu en as et moi aussi. Et plus on vieillit, plus on les accumule. À la longue, il y en a assez pour briser un homme, c'est tout ce que je veux dire. Donne une chance à ton père. Il n'a jamais cru que tu avais tué ce garçon, mais il ne pouvait pas se contenter d'ignorer ce qu'affirmait sa propre femme.

— Il m'a mis à la porte !

— Et il a voulu se rattraper. Je ne compte plus le nombre de fois où il a pensé à t'appeler ou à t'écrire. Il m'a même demandé un jour de l'accompagner à New York en voiture. Il disait que certaines choses devaient être dites et qu'on ne pouvait pas tout confier à un bout de papier.

— Vouloir et faire sont deux choses différentes.

— C'est vrai.

Je songeai à la page blanche que j'avais trouvée sur le bureau de mon père.

— Qu'est-ce qui l'a retenu ?

— Sa fierté. Et ta belle-mère.

— Janice, articulai-je avec peine.

— C'est une honnête femme, Adam. Une mère aimante. Elle s'occupe bien de ton père. Je continue de le croire en dépit de tout le reste, tout comme elle croit à ce qu'elle a vu cette nuit-là. Je peux t'assurer que ces cinq dernières années n'ont pas été faciles pour elle non plus. Ce n'est pas comme si elle avait eu le choix. Nous agissons tous en fonction de ce que nous croyons.

— Tu veux que je lui pardonne ? demandai-je.

— Je veux que tu lui donnes une chance.

— C'est à moi qu'il devrait faire confiance.

— Tu n'es pas sa seule famille, Adam, soupira Dolf.

— Je suis la première qu'il ait jamais eue.

— Ça ne marche pas comme ça. Ta mère était une femme extraordinaire et il l'adorait. Mais les choses ont changé après sa mort. Et c'est toi qui as le plus changé.

— J'avais mes raisons.

Les yeux de Dolf se firent soudain plus brillants. La façon dont elle était morte nous avait tous ébranlés.

— Il aimait ta mère, Adam. Son second mariage n'est pas quelque chose qu'il a pris à la légère. La mort de Gray Wilson l'a mis dans une situation délicate. Il a dû choisir entre te croire toi et croire sa femme. Tu crois que c'était facile ? Essaie de voir les choses de cette façon.

— Mais aujourd'hui la situation est différente. Comment tu expliques ce qui vient de se passer ?

— Tout à l'heure, c'était… compliqué. C'est le mauvais moment. Et avec ce qu'a dit Grace…

— Et toi, alors ? C'est compliqué pour toi ?

Dolf me fit face et me dévisagea d'un air calme.

— Je fais confiance à Grace mais je te connais aussi. Alors même si je ne sais pas exactement ce qu'il faut croire, je suis persuadé que tout sera bientôt tiré au clair. En général, les coupables finissent par payer pour leurs péchés, ajouta-t-il en détournant le regard.

J'étudiai son visage sec, ses lèvres gercées et ses paupières tombantes qui peinaient à dissimuler sa colère.

— Tu le penses vraiment ?

Il leva les yeux vers les néons grésillants, si bien que, pendant un instant, ils étincelèrent dans l'ombre. Sa voix s'éteignit presque, aussi fugace que de la fumée.

— Oui, je le pense vraiment.

7.

Dix minutes plus tard, les flics apparurent dans le hall d'entrée. Robin resta en retrait tandis que l'autre flic manifestait son impatience. Grand, voûté, il devait avoir un peu plus de la cinquantaine et portait une veste rouge sur un jean délavé. Ses cheveux bruns, clairsemés, dévoilaient un front étroit au-dessus d'un nez pointu. Un insigne pendait à sa ceinture et ses yeux pâles disparaissaient derrière une paire de lunettes rondes.

— On peut parler dehors ? demanda Robin.

Dolf se redressa mais ne dit rien. Je les suivis à l'extérieur. Plus de trace de Jamie. L'autre flic me tendit la main.

— Inspecteur Grantham, se présenta-t-il. Ne vous fiez pas à ma tenue, je travaille pour le bureau du shérif.

Je lui serrai la main et son sourire s'élargit. Mais je n'étais pas dupe. Ce soir, aucun sourire ne pouvait m'inspirer confiance.

— Adam Chase.

— Je sais qui vous êtes, monsieur Chase. J'ai lu votre dossier et je ferai tout mon possible pour ne pas être influencé par ce que je sais.

Bien que cela me demandât un gros effort, je parvins à garder mon calme. Personne à New York ne savait quoi que ce soit sur mon compte et j'avais pris goût à cet anonymat.

— Vous en êtes capable ? demandai-je.

— Je ne connaissais pas le garçon qui a été assassiné. Je sais qu'il était aimé, que c'était une star du football, qu'il

avait de la famille dans le coin... Je sais qu'on a beaucoup
parlé d'une justice pour les riches mais tout ça, c'était avant
que je travaille ici. Pour moi vous êtes un homme comme
un autre, monsieur Chase. Pas de préjugés.

Il désigna Robin d'un geste de la main.

— L'inspecteur Alexander m'a parlé de vos relations avec
la victime. Aucun d'entre nous n'apprécie ce genre d'affaire
mais il est primordial d'agir le plus vite possible lorsqu'une
telle chose se produit. Je sais qu'il est tard et que vous êtes
sans doute bouleversé, mais j'aimerais que vous nous aidiez.

— Je ferai tout mon possible.

— Parfait. Si j'ai bien compris, donc, vous avez vu la
victime aujourd'hui ?

— Elle s'appelle Grace.

— Bien sûr, concéda-t-il avec un sourire en coin. De quoi
Grace et vous avez-vous parlé ? Quel était son état d'esprit ?

— Je ne sais pas comment répondre à ça. Je ne la connais
plus... Ça fait longtemps. Et puis elle n'a jamais répondu à
mes lettres.

— Tu lui as écrit ? intervint Robin.

Je perçus la surprise et la douleur dans sa voix – *tu lui
as écrit à elle et pas à moi*.

— Je lui ai écrit parce qu'elle était trop jeune pour comprendre les raisons de mon départ. Il fallait qu'elle comprenne pourquoi je n'étais plus là pour elle.

— Contentez-vous de me parler de tout à l'heure, coupa
Grantham. Continuez.

Je me remémorai Grace, la chaleur de sa peau sous ma
main, sa rancune farouche, les sous-entendus. Je savais ce
que cherchait ce flic. Il avait entendu la version de Grace
et voulait vérifier qu'elle correspondait à la mienne – *tu
parles d'objectivité*... Une partie de moi était désireuse de
lui donner ce qu'il voulait. Pourquoi ? Parce que j'en avais
ras le bol.

— Je lui ai mis de la crème solaire sur le dos. Elle m'a
embrassé. Elle m'a dit qu'elle me détestait puis... elle s'est
enfuie.

— Vous l'avez poursuivie ?

— Ce n'était pas ce genre de fuite.

— Ça ne ressemble pas non plus au genre de retrouvailles auxquelles on pourrait s'attendre.

— Penser que j'ai violé Grace Shepherd revient à penser que j'ai violé ma propre fille, articulai-je lentement et à voix basse.

— Et pourtant, il arrive que des pères violent leur fille, monsieur Chase, répliqua Grantham sans ciller.

— Ce n'est pas ce que vous croyez. Elle était en colère contre moi.

— Pourquoi ?

— Parce que je l'avais abandonnée. Elle avait raison.

— Quoi d'autre ?

— Elle a affirmé qu'elle avait beaucoup de petits amis. Elle voulait que je le sache. Je crois qu'elle voulait me faire mal, aussi.

— Vous voulez dire qu'elle couchait avec n'importe qui ?

— Je n'ai rien dit de tel. Comment saurais-je une chose pareille ?

— Elle vous l'a confié.

— Elle m'a aussi embrassé. Elle était triste et bouleversée. Je faisais partie de sa famille et je l'ai abandonnée quand elle avait quinze ans.

— Vous n'êtes pas son père, monsieur Chase.

— Hors sujet.

Grantham lança un regard à Robin, puis à moi. Il joignit les mains devant sa ceinture.

— Très bien, poursuivez.

— Elle portait un bikini blanc et des lunettes de soleil. Rien d'autre. Elle était trempée ; elle venait de sortir de la rivière. Quand elle s'est enfuie, elle est partie vers le sud. Il y a un sentier qui longe la berge et qui mène à la maison de Dolf, environ un kilomètre et demi plus bas.

— Avez-vous agressé Mlle Shepherd ?

— Non.

— OK, monsieur Chase, fit Grantham en pinçant les lèvres. Ça suffit pour aujourd'hui. Nous en reparlerons.

— Suis-je suspect ?

— Il est très rare que j'émette de telles hypothèses si tôt dans une enquête. Toutefois, l'inspecteur Alexander a sou-

ligné – avec beaucoup d'emphase – qu'elle ne vous en croyait
pas capable. Naturellement, je dois tenir compte du fait que
l'inspecteur Alexander et vous-même êtes apparemment liés.
Cela complique un peu les choses. Nous en saurons davantage quand nous pourrons parler à la victime – à Grace, je
veux dire.

— Et ce sera quand ?

— Nous attendons le feu vert du médecin.

Le téléphone de Grantham sonna. Il jeta un œil au
numéro qui s'affichait et s'éloigna pour répondre. Robin
s'approcha de moi mais j'avais du mal à la regarder dans
les yeux. C'était comme si elle avait deux visages : celui que
j'avais vu penché sur moi dans la pénombre de sa chambre
et celui que j'avais découvert plus récemment – celui du
flic.

— Je n'aurais jamais dû te tester, reconnut-elle.

— Non.

— Je te demande pardon.

Son expression était la plus douce que je lui avais vue
depuis mon retour.

— C'est compliqué, Adam. Pendant cinq ans, ce boulot,
c'est tout ce que j'avais. Je le prends très au sérieux. Je suis
douée, mais il y a parfois des mauvais côtés.

— Qu'est-ce que tu veux dire ?

— Tu te sens seul. Tu vois des ombres. Même les gens
bien sont capables de mentir à un flic, soupira-t-elle, luttant
pour aller au bout de son explication. Tu finis par t'y habi-
tuer, puis par t'y attendre. Je sais que c'est injuste et je n'aime
pas ça non plus mais c'est ce que je suis. C'est comme ça
que je suis devenue après ton départ.

— Tu n'as jamais douté de moi, Robin, même dans les
pires moments.

Je la laissai me prendre la main.

— Elle était si innocente, ajoutai-je en parlant de Grace.

— Elle s'en remettra, Adam. Les gens se remettent de
bien pire.

— Je ne parle pas de ce qui s'est passé aujourd'hui. Je
parle de mon départ, quand elle n'était qu'une enfant. C'est

comme si quelque chose s'était éteint en elle. C'est ce que disait Dolf.

— Comment ça ?

— Il disait que la plupart des gens avancent entre ombre et lumière. C'est comme ça que tourne le monde. Mais certaines personnes portent la lumière en elles. Grace était de celles-là.

— Elle n'est plus l'enfant dont tu te souviens, Adam. Elle a changé.

— Qu'est-ce que tu sous-entends ? l'interrogeai-je, intrigué par le ton de sa voix.

— Il y a six mois environ, un agent l'a surprise à 2 heures du matin sur l'autoroute, à deux cents à l'heure sur une moto volée. Elle ne portait même pas de casque.

— Elle avait bu ?

— Non.

— Il y a eu un procès ?

— Pas pour le vol de la moto.

— Pourquoi ?

— C'était la moto de Danny Faith. Il ignorait sans doute que c'était elle qui l'avait prise. Il a déclaré le vol mais n'a pas voulu porter plainte. Ils l'ont mise en prison mais le procureur a abandonné l'affaire. Dolf a fait appel à un avocat pour l'excès de vitesse. On lui a retiré son permis.

Je connaissais la moto, une grosse Kawasaki que Danny possédait depuis toujours. Grace devait avoir l'air minuscule là-dessus. Je l'imaginais très bien : la vitesse, le rugissement du moteur et les cheveux au vent. Comme le premier jour où elle était montée sur le cheval de mon père.

Sans peur.

— Tu ne la connais pas, repris-je.

— Deux cents kilomètres à l'heure, Adam, à 2 heures du matin. Sans casque. L'agent l'a poursuivie sur huit kilomètres avant de réussir à la rattraper.

Je songeai à Grace aujourd'hui, tout abîmée dans l'une des chambres aseptisées derrière moi. Je me frottai les yeux.

— Comment suis-je censé me sentir, Robin, toi qui as déjà vu ça avant ?

— En colère, vide... je n'en sais rien.

— Comment peux-tu ne pas savoir ?

— Ça n'est jamais arrivé à quelqu'un de proche.

— Et Grace ?

Son regard était impénétrable.

— Ça fait un bout de temps que je ne la connais plus, Adam.

Je restai silencieux et repensai aux paroles de Grace, sur le ponton. *Qui d'autre se souciait de moi ?*

— Est-ce que ça va ? me demanda Robin.

Non, ça n'allait pas. Pas du tout.

— Si je trouvais le type qui a fait ça, je le tuerais, dis-je en plantant mon regard dans le sien. Je lui ferais la peau, à ce fils de pute.

Robin jeta un coup d'œil alentour : personne.

— Ne répète plus jamais ça, Adam.

Grantham raccrocha et nous retrouva devant la porte de l'hôpital. Nous entrâmes ensemble. Dolf et mon père parlaient avec le médecin de garde. Grantham les interrompit.

— Est-ce qu'on peut la voir ?

Le médecin, un jeune homme à l'air grave, avait un nez fin et portait des lunettes à monture noire. Petit, voûté avant l'âge, il tenait un bloc de papier serré contre sa poitrine, comme si celui-ci pouvait le protéger des agressions extérieures. Sa voix était étonnamment ferme.

— Physiquement, elle est assez forte, mais je ne suis pas sûr qu'elle puisse reprendre le dessus. Elle n'a pas dit grand-chose depuis qu'elle est ici, à part une fois durant la première heure. Elle a demandé à voir un certain Adam.

Tout le monde se tourna vers moi : mon père, Dolf, Robin et l'inspecteur Grantham. Le médecin finit par les imiter.

— Vous êtes Adam ? demanda-t-il.

J'acquiesçai et la bouche de mon père s'ouvrit en silence. Le médecin parut hésiter.

— Peut-être que si vous lui parliez...

— Nous devons lui parler d'abord, interrompit Grantham.

— Très bien. Je dois être également présent.

— Aucun problème.

Le médecin nous conduisit dans un étroit couloir où étaient rangés des lits roulants, et s'arrêta devant une porte en bois clair percée d'une petite fenêtre. J'aperçus Grace sous une mince couverture.

— Tous les autres, vous attendez ici, ordonna-t-il en tenant la porte aux inspecteurs.

De l'air frais caressa mon visage tandis qu'ils disparaissaient à l'intérieur. Dolf et mon père regardaient par la fenêtre et moi, je faisais les cent pas en repensant aux derniers mots de Grace. Cinq minutes plus tard, le médecin sortit.

— Elle vous demande ! annonça-il.

Je fis mine d'entrer mais Grantham m'arrêta, une main sur mon torse.

— Elle n'a pas voulu nous parler. Nous avons accepté de vous laisser entrer parce que le docteur pense que ça l'aidera à sortir de son mutisme.

Mon regard soutint le sien.

— Ne faites rien qui puisse me le faire regretter.

J'avançai jusqu'à ce qu'il retire sa main et me laisse passer. En entrant dans la pièce, je sentais toujours ses doigts sur ma poitrine et l'ultime pression de la dernière seconde. La porte ne fit aucun bruit ; Dolf et mon père se pressèrent contre la vitre. Puis Grace fut là devant moi et je sentis toute ma rancune s'évanouir : plus rien ne comptait.

La lumière d'hôpital absorbait toutes ses couleurs. Sa poitrine se soulevait puis retombait à intervalles qui me semblaient parfois beaucoup trop longs. Des mèches de cheveux blonds pendaient sur ses joues et du sang avait séché dans le creux de son oreille. Je lançai un regard à Robin mais elle resta impassible.

Je contournai le lit. Ses lèvres étaient percées de points de suture. Elle était couverte de bleus et ses yeux étaient si enflés qu'ils s'ouvraient à peine – deux minces entailles bleues qui brillaient d'un éclat trop pâle. Une bande adhésive maintenait un tube fixé sur le dos de sa main, qui me parut fragile quand je la pris. J'essayai de retrouver un tout petit peu d'elle dans ces yeux et, quand je prononçai son nom, les entailles bleues s'élargirent très légèrement. Je sus qu'elle était là. Elle me dévisagea pendant un long moment.

— Adam ? demanda-t-elle, et je compris immédiatement tout ce qu'elle ressentait, une subtile nuance de douleur mêlée d'un sentiment de perte.

— Je suis là.

Elle détourna la tête pour dissimuler le flot de larmes silencieuses qui ruisselaient sur son visage. Je me redressai pour qu'elle puisse me voir en rouvrant les yeux. Cela lui prit un moment. Grantham dansa d'un pied sur l'autre mais personne d'autre ne bougea.

Elle attendit, pour me regarder à nouveau, que ses larmes cessent de couler mais quand nos yeux se rencontrèrent, je sus qu'elles allaient revenir. Elle luttait pour les contenir, et je la contemplai, impuissant. Elle tendit les bras et je m'y glissai alors que le flot de larmes reprenait. Elle s'agrippa à moi en sanglotant. Son corps chaud tremblait ; je l'enlaçai du mieux que je pus et la rassurai, lui promettant que tout allait s'arranger. Puis elle approcha sa bouche de mon oreille et murmura quelque chose, si bas que j'eus peine à l'entendre.

— Je suis désolée.

Je reculai pour lui faire face et me contentai d'acquiescer parce que je n'avais pas de mots. Puis elle m'attira de nouveau contre elle et me serra dans ses bras tandis qu'elle était secouée de tremblements.

Je croisai le regard de mon père derrière la vitre. Il se frotta les yeux et se détourna, mais pas avant que j'aie pu voir ses mains trembler. Dolf le regarda partir et secoua la tête, comme en proie à une grande tristesse.

Je reportai mon attention sur Grace et tentai de l'envelopper complètement au creux de mes bras. Elle finit par rejoindre ce recoin de son esprit qui lui servait de refuge. Elle ne prononça plus un mot : elle se contenta de rouler sur le côté et de fermer les yeux. Les flics n'en tirèrent rien du tout.

De retour dans le couloir, Grantham me tomba à nouveau dessus.

— Je crois que nous devrions faire un tour, déclara-t-il.

— Pourquoi ?

— Vous savez très bien pourquoi.

Sa main se referma sur mon bras. Je la repoussai d'un mouvement brusque.

— Laissez-lui une minute, intervint Dolf.

Grantham reprit le contrôle de lui-même.

— Je vous ai conseillé de ne pas m'emmerder, rappela-t-il.

— Allez, Adam ! m'encouragea Robin. Sortons.

— Non.

Autour de moi, les choses s'ordonnaient lentement : l'innocence perdue de Grace, les soupçons qui pesaient sur moi et l'ombre qui planait sur mon retour au pays.

— Je n'irai nulle part.

— Je veux savoir ce qu'elle a dit.

Grantham s'arrêta, à deux doigts de me toucher.

— Elle vous a parlé. Je veux savoir de quoi.

— C'est vrai ? demanda Robin. Elle t'a parlé ?

— Ne me le demande pas, Robin, ce n'est pas important.

— Si elle a dit quelque chose, nous devons le savoir.

Je pris conscience des visages qui m'entouraient. Les paroles de Grace m'était adressées et je n'avais pas envie de les partager. Mais Robin posa une main sur mon bras.

— Je me suis portée garante de toi, Adam. Tu sais ce que ça signifie ?

Je la repoussai doucement et regardai Grace. Elle s'était recroquevillée, tournant le dos au monde extérieur. Je sentais encore ses larmes tièdes quand elle s'était serrée contre moi. Je m'adressai à Grantham mais c'est mon père que je regardai.

— Elle a dit qu'elle était désolée.

Mon père s'affaissa.

— Désolée pour quoi ? demanda Grantham.

Je leur avais répété ses mots exacts mais l'interprétation de ces excuses n'était pas mon problème. J'offris donc une explication dont je savais que Grantham l'accepterait même si c'était un mensonge.

— Quand nous étions à la rivière, elle a affirmé qu'elle me détestait. Je suppose que c'est pour ça qu'elle voulait s'excuser.

— C'est tout ? demanda-t-il après avoir réfléchi un moment. C'est tout ce qu'elle a dit ?

— Oui.

Robin et Grantham échangèrent un regard et un instant de communication tacite passa entre eux. Puis Robin reprit :

— Il y a encore deux ou trois choses dont nous aimerions parler avec toi. Dehors, si ça ne te dérange pas.

— Bien sûr, fis-je en me dirigeant vers la sortie.

Je n'avais pas fait deux pas que mon père m'appela. Il avait le visage décomposé par la prise de conscience soudaine que Grace n'aurait sans doute jamais serré dans ses bras l'homme qui avait si horriblement abusé d'elle. Quand mes yeux rencontrèrent les siens, il n'y avait en eux aucune trace de pardon. Il fit un pas et répéta mon nom, interrogeant et implorant à la fois. L'espace d'un instant, j'hésitai : il souffrait, submergé par le remord de ces années qui nous avaient si implacablement séparés.

— Je ne crois pas, non, dis-je simplement.

Et je sortis.

8.

En sortant dans la nuit, je cherchai Jamie des yeux et l'aperçus au bout du bâtiment. Il était assis au volant d'un pick-up, garé dans un coin sans éclairage. Il but une gorgée de quelque chose. Une ambulance arriva, toutes lumières éteintes.

— J'ai besoin d'une cigarette, décréta Grantham avant de partir en chercher une.

Nous le regardâmes s'éloigner, seuls dans ce silence gêné que les gens inquiets connaissent si bien. J'entendis un coup de klaxon et le pick-up de Jamie lança un appel de phares. Il indiqua quelque chose sur sa droite, vers l'entrée du parking des urgences. En me retournant, je vis une longue voiture noire s'engager dans l'étroit couloir de béton et s'arrêter. Deux portières s'ouvrirent et les passagers descendirent : Miriam, ma sœur et un homme trapu en uniforme de police et bottes noires. Ils m'aperçurent en même temps et se figèrent. Miriam hésita et resta près de la voiture. L'homme qui l'accompagnait sourit et s'approcha.

— Adam, salua-t-il avant de me serrer énergiquement la main.

— George.

Même dans mes plus vieux souvenirs, George Tallman avait toujours été un vrai pot de colle. Âgé de quelques années de moins que moi, c'est surtout de Danny Faith qu'il avait été proche. Lâchant sa main, je l'examinai. Il mesurait un bon mètre quatre-vingt-dix, pesait dans les quatre-vingt-quinze kilos, avait d'épais cheveux blond-roux et des yeux bruns et ronds. Il était bien bâti, plutôt musclé, et visiblement assez fier de sa poignée de main.

— La dernière fois que je t'ai vu avec une arme, George, tu étais soûl et tu essayais de viser des canettes de bière alignées sur une souche avec un fusil à air comprimé.

Il lança un regard à Robin et ses yeux se rétrécirent. Son sourire s'évanouit.

— C'était il y a longtemps, Adam.

— Il n'est pas vraiment flic, précisa Robin.

— Je fais de la prévention scolaire, expliqua George, tandis qu'un éclair de colère passait dans ses yeux. J'interviens dans les écoles, je parle de la drogue aux enfants.

Il regarda Robin et son ton ne changea pas.

— Et je suis flic. Avec une arme et tout le reste.

J'entendis des pas hésitants et aperçus Miriam. Elle paraissait pâle dans son pantalon large et son tee-shirt à manches longues. Elle m'adressa un sourire nerveux mais il y avait de l'espoir dans ses yeux. Elle avait grandi, mais elle ne ressemblait pas à son portrait.

— Salut, Miriam.

— Salut, Adam.

Je serrai ma sœur dans mes bras et sentis son extrême maigreur. Lorsqu'elle me serra à son tour, je vis que le doute la tiraillait encore. Gray Wilson et elle avaient été bons amis. Mon procès pour son meurtre l'avait profondément blessée. Dès l'instant où je m'écartai d'elle, George occupa l'espace. Il passa un bras autour de ses épaules et l'attira contre lui. Cela me surprit : avant, il suivait Miriam à la trace comme un chiot tout juste toléré.

— Nous sommes fiancés ! annonça-t-il.

En baissant les yeux, je remarquai la bague de Miriam : un anneau d'or serti d'un petit diamant. Cinq ans. Les choses changent.

— Félicitations, dis-je.

Miriam avait l'air mal à l'aise.

— Ce n'est pas vraiment le moment ni l'endroit pour parler de ça, objecta-t-elle.

— Tu as raison, soupira George en la serrant plus fort et en levant les yeux au ciel.

Je jetai un coup d'œil à la voiture, une rutilante Lincoln noire.

— Où est Janice ? demandai-je.

— Elle voulait venir…, commença Miriam.

— Nous l'avons ramenée à la maison, interrompit George.

— Pourquoi ? repris-je, connaissant la réponse.

George hésita.

— Le moment… les circonstances…

— Tu parles de moi ? insistai-je.

Miriam se ratatina tandis que George terminait son explication.

— Elle pense que cela t'accable comme le procès aurait dû le faire.

— Je lui ai fait remarquer que c'était injuste, intervint Miriam.

Je laissai filer. Tout. J'observai ma sœur : son dos voûté, ses épaules frêles. Elle risqua un regard, puis baissa à nouveau les yeux.

— Je lui ai dit, Adam, mais elle n'a rien voulu entendre.

— Ne t'en fais pas. Et toi, est-ce que ça va ?

— Des mauvais souvenirs, soupira-t-elle en acquiesçant malgré tout.

Je la comprenais. Mon retour inattendu rouvrait de vieilles plaies.

— Je m'en remettrai, ajouta-t-elle avant de se tourner vers son fiancé. Je dois parler à mon père. Je suis contente de t'avoir revu, Adam.

Je les regardai s'éloigner. Devant l'entrée, Miriam me lança un dernier regard par-dessus son épaule ; ses immenses yeux noirs trahissaient une grande inquiétude.

— Tu n'apprécies pas beaucoup George, si je comprends bien, repris-je en m'adressant à Robin.

— J'ai quelques doutes sur sa motivation, répondit-elle. Viens, nous avons encore des choses à discuter.

Je la suivis jusqu'à la voiture de Grantham, garée dans une rue parallèle. Sa cigarette était à moitié consumée et chaque bouffée éclairait son visage d'une lueur orange. Il jeta le mégot dans les égouts et son visage retomba dans l'obscurité.

— Parlez-moi du sentier près de la rivière, dit-il.

— Il part en direction du sud en longeant la rivière, jusqu'à la maison de Grace.

— Et au-delà ?

— C'est un vieux sentier qu'empruntaient les Indiens Sapona. Il continue sur des kilomètres. Après la maison de Grace, il dépasse les limites de la ferme, il traverse le terrain d'une exploitation voisine, puis plusieurs autres terrains avec des chalets de pêche. Après ça, je ne sais pas.

— Et au nord ?

— À peu près pareil.

— Est-ce que beaucoup de gens utilisent ce sentier ? Des promeneurs ? Des pêcheurs ?

— Oui, de temps en temps.

— Grace a été attaquée à environ huit cents mètres du ponton, là où le sentier part vers le nord. Vous pouvez nous dire quelque chose sur cette zone ?

— La forêt est dense, là-bas, pas très large. C'est plutôt une bande de forêt qui borde la rivière. Au-delà des arbres, il y a des pâturages.

— Donc l'agresseur est nécessairement arrivé par le sentier.

— Ou par la rivière.

— Mais vous l'auriez vu.

— Je ne suis resté sur le ponton que quelques minutes, dis-je en secouant la tête. Mais il y avait une femme.

— Quelle femme ?

Je décrivis ce que j'avais vu : les cheveux blancs, le canoë.

— Sauf qu'elle est partie vers l'amont, précisai-je, pas vers l'aval.

— Vous la connaissez ?

Je me remémorai son visage, celui d'une femme d'âge moyen paraissant plus jeune. Vaguement familier.

— Non, répondis-je.

— On va vérifier ça, fit Grantham en griffonnant quelque chose. Elle a pu voir quelque chose, quelqu'un sur un autre canot, un homme. Quelqu'un qui aurait pu remarquer Grace et laisser sa barque en contrebas en l'apercevant, une belle jeune fille, à moitié nue dans un coin isolé...

Je revis le visage enflé de Grace, ses lèvres blessées, les points de suture. Aucun de ceux qui l'avaient vue dans cette chambre d'hôpital n'avait idée de sa beauté réelle. Un soupçon m'envahit.

— Vous la connaissez ? demandai-je.

Grantham m'étudia sans ciller.

— Nous sommes un petit comté, monsieur Chase.

— Puis-je vous demander comment vous la connaissez ?

— Aucune importance.

— Néanmoins...

— Mon fils a à peu près le même âge. Est-ce que cela vous convient ?

Comme je ne répondais rien, il poursuivit sur le même ton.

— Nous parlions d'un canot, de quelqu'un qui aurait pu la voir depuis la rivière et l'attendre...

— Cela suppose que cette personne ait su qu'elle allait emprunter ce chemin pour rentrer chez elle.

— Ou bien qu'il est venu à sa rencontre et l'a croisée sur le sentier. Il a pu vous apercevoir sur le ponton et attendre. C'est possible ?

— C'est possible.

— Est-ce que « D.B. soixante-douze » vous évoque quelque chose ?

Il posa la question l'air de rien et, pendant quelques instants, je restai muet.

— Adam ? fit Robin.

Mon regard se figea tandis que des coups sourds tambourinaient dans ma tête. Le monde bascula.

— Adam ?

— Vous avez trouvé une bague ? articulai-je avec peine.

L'effet produit sur Grantham fut immédiat.

— Pourquoi dites-vous ça ? demanda-t-il en se balançant d'un pied sur l'autre.

— Une bague en or avec une pierre grenat.

— Comment le savez-vous ?

— Parce que « D.B. soixante-douze » est l'inscription gravée à l'intérieur, répondis-je sans reconnaître ma propre voix.

Grantham plongea la main dans une poche de son manteau et en ressortit un sachet plastique enroulé sur lui-même. Il le déroula : le plastique luisait au soleil et portait des traces de boue. C'était bien la bague – de l'or massif, une pierre grenat.

— J'aimerais bien savoir ce que ça signifie, reprit Grantham.

— Une minute.

— Je vous somme de m'expliquer tout ceci, monsieur Chase.

— Adam ?

Robin semblait contrariée mais j'étais incapable de m'en préoccuper. Je pensais à Grace et à l'homme que je croyais être mon ami.

— C'est impossible…

Je me repassai le film de ce qui s'était sans doute produit. Je connaissais son visage, sa silhouette, le son de sa voix. Il m'était donc facile de combler les vides. Ce fut comme de visionner un film d'horreur dans lequel mon plus vieil ami violait une femme que je connaissais depuis sa plus tendre enfance. Je désignai la bague dans le sachet plastique.

— Vous avez trouvé ça là où ça s'est passé ?

— Sur le lieu du crime… à l'endroit où Dolf l'a découverte.

Je fis quelques pas, puis revins. Ce ne pouvait pas être vrai. Et pourtant… En cinq ans, les choses changent.

— Soixante-douze était le numéro de son maillot de football, expliquai-je d'une voix rauque. La bague est un cadeau de sa grand-mère.

— Continuez !

— D.B. sont les initiales de son surnom, Danny Boy. Numéro soixante-douze.

— D.B. soixante-douze, acquiesça Grantham. Danny Faith.

Robin demeura silencieuse ; elle savait ce que cela me faisait.

— Vous en êtes sûr ? me pressa Grantham.

— Vous vous rappelez, ces chalets de pêche dont je vous ai parlé ? Ceux en contrebas près de la rivière, un peu après la maison de Dolf.

— Oui.

— Le deuxième en descendant appartient à Zebulon Faith, le père de Danny.

Tous deux me regardèrent.

— À quelle distance se trouve-t-il de l'endroit où elle a été agressée ? s'enquit Grantham.

— Moins de trois kilomètres.

— Très bien.

— Je veux être là quand vous lui parlerez.

— Hors de question.

— Je n'étais pas obligé de vous le dire. J'aurais très bien pu en parler directement avec lui.

— C'est l'affaire de la police. Restez en dehors de ça.

— Il ne s'agit pas de votre famille.

— Ni de la vôtre, monsieur Chase.

Il se rapprocha de moi et, bien que sa voix restât mesurée, elle trahissait sa colère.

— Si j'ai besoin d'autre chose, je vous le ferai savoir.

— Sans moi, vous n'auriez jamais eu cette information.

— Restez en dehors de tout ça monsieur Chase.

Je quittai l'hôpital alors que la lune se levait, jetant entre les arbres des éclats argentés. Je conduisais vite, la tête remplie de visions sanglantes et d'une rage sourde. Danny Faith. Robin avait raison. Il avait changé, dépassé les bornes. C'était sans espoir et ce que j'avais dit à Robin était vrai.

Je pourrais le tuer.

La ferme me parut étrangère : la route trop étroite, les virages mal placés, l'herbe terne, les clôtures en fils barbelés sinistres et menaçantes. Je pris sans la voir la dernière bifurcation avant la maison de Dolf. Je me rangeai sur le bas-côté – une bande de terrain où j'avais un jour appris à conduire à Grace. Elle avait huit ans et apercevait à peine la route par-dessus le volant. J'entendais encore son rire et revoyais sa déception quand je lui demandais de ralentir.

Aujourd'hui, Grace était à l'hôpital, brisée et recroquevillée sur elle-même. Je revis les points de suture sur ses lèvres, les minces croissants bleus de ses yeux.

J'abattis mes mains sur le volant et l'agrippai violemment, tentant en vain de le plier en deux. J'écrasai l'accélérateur ; les pierres vinrent heurter le plancher de la voiture. Un dernier virage, une grille à bétail que mes pneus encaissèrent de plein fouet, et je coupai le moteur devant une petite maison de deux étages, à bardeaux blancs, pourvue d'un toit de tôle. La bâtisse appartenait à mon père mais c'était là que Dolf vivait depuis des années. Un chêne étendait ses branches au-dessus de la cour et je remarquai une vieille voiture sur cales dans la grange ouverte ; les pièces du moteur se trouvaient sous le chêne, sur une table de jardin.

Je descendis de voiture en claquant la porte ; on entendait le bourdonnement des moustiques et le battement d'ailes des chauves-souris qui volaient bas.

Je serrai les poings en traversant la cour. L'entrée n'était éclairée que d'une seule lampe. La poignée grinça et la porte s'ouvrit brutalement sous ma poussée. J'allumai la lumière et me rendis directement dans la chambre de Grace. Je restai là à m'imprégner des choses qu'elle aimait : des posters de voitures de course, des trophées d'équitation, une photo prise sur la plage. Tout était en ordre – le lit, le bureau. Une rangée de chaussures fonctionnelles – des bottes en peau de serpent, des cuissardes... Il y avait d'autres photos sur le miroir, au-dessus de la commode. Deux d'entre elles représentaient des chevaux et l'autre montrait Dolf et Grace devant une voiture – celle que j'avais vue dans le garage – sur une plate-forme.

C'était la sienne.

Je refermai la porte et allai déposer mon sac sur le lit de la chambre d'amis. Le regard dans le vide, je réfléchis pendant un long moment, espérant recouvrer mon calme. En vain. Je décidai que ce qui importait, c'était Grace. Je fouillai donc la cuisine de Dolf à la recherche d'une lampe de poche. Je pris un fusil dans l'armoire, l'ouvris et le chargeai ; puis j'aperçus le revolver. Cet objet, assez laid, me convint parfaitement. Je rangeai le fusil et piochai six balles dans une boîte de calibres .38. Elles étaient larges et lourdes et glissèrent facilement dans le barillet.

Je m'arrêtai dans l'entrée, conscient qu'une fois à l'extérieur je ne pourrais plus faire marche arrière. Le lourd revolver se réchauffait dans ma main. La trahison de Danny me tourmentait et je sentais s'ouvrir en moi un vide qui se remplissait d'une rage noire que je n'avais plus ressentie depuis des années. Avais-je l'intention de le tuer ? Peut-être. Je n'en savais vraiment rien. Mais j'allais le retrouver et je jurai qu'il répondrait à mes questions.

Je descendis la colline à travers les pâturages et n'eus pas besoin de lumière avant d'avoir atteint les arbres. Puis je suivis l'étroit passage jusqu'au croisement avec le sentier principal. J'orientai le faisceau de ma lampe vers le sol ; en dehors des racines qui dépassaient, le sentier était peu accidenté. Je marchai jusqu'au grand virage dont Grantham avait parlé et remarquai les branches cassées et les buissons écrasés. Je suivis la courbe du sol jusqu'à un léger creux rempli de feuilles froissées et de traces de terre rouge. Un ange blanc dans la boue.

Je me trouvai non loin de l'endroit où, des années auparavant, mon père avait sauvé Grace et, alors que je constatais les traces de lutte, mon doigt glissa tout seul sur la détente.

Je franchis la limite des terres de mon père, avec la rivière à ma gauche, et pénétrai dans la propriété voisine. Le premier chalet était vide et plongé dans l'obscurité. Je le surveillai un moment : rien. Je retournai dans les bois et pris la direction du chalet des Faith. Huit cents mètres, cinquante mètres... La lune s'enfonçait un peu plus derrière les arbres.

À trente mètres du chalet, je quittai le sentier. Ma lampe était trop voyante et les arbres se raréfiaient. Préférant l'obscurité de la forêt, je m'éloignai de la rivière de façon à pouvoir traverser la clairière au-dessus du chalet. En bordure des arbres, je me dissimulai derrière les hautes herbes.

Je voyais tout : la route de gravier, le chalet sombre, la voiture garée devant la porte et la cabane à outils, au bord de la clairière.

Les flics.

Ils avaient laissé leur voiture sur la route un peu plus haut et se déplaçaient à pied. Ils marchaient comme marchent les flics, légèrement courbés, arme baissée. Il y en avait cinq. Leurs silhouettes se confondaient, puis se détachaient. Ils accélérèrent juste avant d'atteindre le chalet, puis se séparèrent : deux d'entre eux se dirigèrent vers l'entrée, trois firent le tour par l'arrière. Fermé. Ils étaient tout proches, noir sur noir, ils se confondaient presque avec le chalet.

J'attendis le bruit du bois qui explose et me forçai à respirer. Puis je discernai quelque chose d'anormal : l'éclat pâle d'un visage, un mouvement près de la cabane à outils à la lisière de la forêt – il y avait quelqu'un. L'homme risqua un coup d'œil, puis se cacha derrière la cabane. Un flot d'adrénaline m'envahit. Les flics s'étaient aplatis de chaque côté de l'entrée et l'un d'eux, peut-être Grantham, tenait son pistolet des deux mains, canon pointé vers le haut. Il fit un signe de tête et sembla compter.

Je me concentrai sur l'homme derrière la cabane ; il portait un pantalon foncé. J'étais incapable de distinguer son visage mais c'était lui. Forcément.

Danny Faith, mon ami.

Il se baissa et s'élança à toute allure vers la forêt, en direction du sentier qui lui permettrait de s'enfuir. Sans réfléchir, je courus le long de la clairière jusqu'à la cabane, le revolver à la main.

Au chalet, les voix des flics s'élevèrent. Puis le craquement du bois. Quelqu'un hurla :

— Dégagez !

Et l'écho retentit. Nous étions seuls, rien que nous deux. L'homme fonçait dans les buissons et les branches fouettaient l'air derrière lui. Arrivé tout près de la cabane, j'entrevis les lueurs du feu à travers les fenêtres crasseuses et les fissures dans le bois de la porte. La cabane était en train de brûler. J'étais juste à côté quand les fenêtres explosèrent.

La secousse m'envoya rouler dans la boue. Je restai au sol tandis que des flammes s'échappaient vers le ciel, illuminant la nuit et l'espace devant moi jusqu'aux arbres. Je me relevai et bondis.

Je plongeai sous les arbres juste au moment où Grantham criait mon nom ; il se tenait à la porte du chalet. L'obscurité était presque totale mais j'avais grandi dans une forêt comme celle-ci et je la connaissais, si bien que même si je tombais, je me relevais d'un bond, comme propulsé par une force inconnue. À un moment, je heurtai durement le sol et le revolver m'échappa. Je ne parvins pas à le retrouver mais je ne pouvais pas me permettre de perdre du temps ; je l'abandonnai.

J'aperçus l'éclat de son tee-shirt sur le sentier avant qu'il ne disparaisse dans le virage. Je rattrapai l'homme en quelques secondes. Il m'entendit, se retourna et je lui assenai un coup de poing dans la poitrine. Je me jetai sur lui et, au moment où mes mains se refermaient sur son cou, je compris que j'avais eu tort. Il était trop mince, trop frêle pour être Danny Faith mais je le connaissais, et mes doigts s'enfoncèrent un peu plus dans son cou desséché.

L'homme se débattait sous mon poids, il se tordit pour tenter de me mordre. En vain. Puis il saisit mes poignets et s'efforça de se dégager de ma prise. Ses genoux se soulevèrent, ses talons martelèrent la terre sèche et dure. Une partie de moi savait que j'avais tort ; le reste s'en fichait. Peut-être que le coupable était Danny ; peut-être qu'il était au chalet, menotté, entre les mains de la police. Mais peut-être aussi que je m'étais trompé, et que celui qui avait violé ma petite Grace était ce vieux salopard, ce misérable fils de pute qui se tordait dans la poussière tandis que je lui broyais le cou.

Je serrai plus fort.

Lâchant mes poignets, le type se mit à tâtonner au niveau de sa taille. Lorsque je sentis quelque chose de dur entre nous, je compris que j'avais commis une erreur. Je libérai ma prise et roulai sur le côté au moment même où deux détonations éclataient dans la nuit. Aveuglé, je continuai de rouler jusqu'à l'humidité de la forêt. Je m'appuyai contre un arbre et attendis que le vieux vienne m'achever. Mais le coup ne partit jamais. Il y eut des voix et des lumières, le reflet des insignes et des fusils, aussi lisses que du verre. Grantham se pencha sur moi et braqua sa lampe sur mon visage. Je tentai de me lever mais quelqu'un m'assomma et je me retrouvai sur le dos.

— Menottez-moi ce petit con ! ordonna Grantham à l'un des adjoints.

L'adjoint m'attrapa, me retourna et cala son genou dans le creux de mon dos.

— Où est l'arme ? aboya Grantham.

— C'était Zebulon Faith. Son flingue.

Grantham jeta un coup d'œil alentour et éclaira le sentier.

— Tout ce que je vois ici, c'est vous.

— Il a mis le feu et il s'est enfui, articulai-je en secouant la tête. Il m'a tiré dessus quand j'ai essayé de l'arrêter.

Grantham regarda la rivière et la légère ondulation de l'eau : on aurait dit du goudron liquide. Puis ses yeux remontèrent jusqu'au rougeoiement de la cabane en feu. Il secoua la tête et cracha par terre.

— Quel gâchis ! dit-il en s'éloignant.

9.

Ils me poussèrent au fond d'une voiture de flic et surveil-
lèrent la cabane pendant qu'elle finissait de brûler. Puis des
pompiers arrosèrent les débris encore fumants. Entre-
temps, mes bras s'étaient complètement engourdis. Je songeai à ce que j'avais failli faire. Zebulon Faith, pas Danny.
Ses pieds martelant la terre et la satisfaction violente que
j'avais éprouvée en sentant la vie le quitter. J'aurais pu le
tuer.

Cela aurait dû me troubler.

L'air dans la voiture se fit plus oppressant ; je contemplai
le lever du soleil. Grantham fouillait les cendres détrempées
en compagnie d'un pompier aux cheveux blancs : ils ramas-
saient des objets, puis les laissaient là où il les avaient
trouvés. Une heure après l'aube, la voiture de Robin apparut entre les arbres. Elle leva la main en me dépassant sur
la route accidentée. Elle parla longtemps avec l'inspecteur
Grantham, qui lui montrait certaines choses au milieu des
débris ; puis elle échangea également quelques mots avec
le capitaine des pompiers. À plusieurs reprises ils me regardèrent et Grantham ne chercha même pas à dissimuler son
mécontentement. Dix minutes plus tard, Robin remonta
dans sa voiture et Grantham marcha jusqu'à la sienne,
garée en haut de la colline, dans laquelle je me trouvai.

— Dehors ! ordonna-t-il en ouvrant la portière.

Je me glissai à l'extérieur ; l'herbe était humide.

— Tournez-vous !

Je m'exécutai et il m'ôta les menottes.

— Une question, monsieur Chase. Détenez-vous des parts dans l'exploitation familiale ?

— La ferme est une entreprise familiale. J'en possédais dix pour cent, répondis-je en me frottant les poignets.

— « Possédais » ?

— Mon père a racheté ma part.

— Quand vous êtes parti ?

— Quand il m'a jeté dehors.

— Vous n'avez donc rien à gagner, s'il vend.

— Exact.

— Qui d'autre détient des parts ?

— Il a donné dix pour cent à Jamie et à Miriam lorsqu'il les a adoptés.

— Combien ça vaut, dix pour cent ?

— Cher.

— Cher comment ?

— Pas mal d'argent, rétorquai-je.

— Et votre belle-mère ? Est-ce qu'elle possède des parts ?

— Non, aucune.

— Bien.

J'étudiai Grantham. Son expression demeurait indéchiffrable.

— C'est tout ? fis-je.

— Si vous avez des questions, monsieur Chase, adressez-vous à elle, ajouta-t-il en indiquant la voiture de Robin.

— Et Danny Faith ? insistai-je. Et Zeb Faith, qu'allez-vous en faire ?

— Adressez-vous à Alexander, répéta-t-il.

Il s'installa côté conducteur, fit demi-tour et partit vers la forêt ; sa voiture racla une ornière. Robin ne descendit pas de voiture et je me glissai donc à côté d'elle. Mon genou toucha le fusil fixé au tableau de bord. Elle portait les mêmes habits que la nuit précédente et semblait fatiguée. Sa voix était tendue.

— Je suis allée à l'hôpital, commença-t-elle d'une voix tendue.

— Comment va Grace ?

— Elle parle un peu. Elle a dit que ce n'était pas toi.

— Ça te surprend ?

— Non. Mais elle n'a vu aucun visage. Pas très concluant, d'après Grantham.

— Est-ce qu'ils ont retrouvé Danny ?

— Aucune trace de lui.

Elle me dévisagea. Je savais ce qu'elle allait dire avant même qu'elle ne parle.

— Tu n'aurais jamais dû te trouver ici, Adam.

Je haussai les épaules.

— Tu as de la chance que personne ne soit mort, ajouta-t-elle sans chercher à dissimuler sa frustration. Nom de Dieu, Adam ! Regarde dans quel état tu te mets.

— Je n'ai pas voulu cela et pourtant c'est arrivé. Je ne vais pas rester assis à ne rien faire. Il s'agit de Grace, pas d'une étrangère !

— Est-ce que tu es venu ici dans l'intention de faire du mal à quelqu'un ?

Je songeai au pistolet de Dolf Shepherd, perdu quelque part dans le tapis de feuilles.

— Tu me croirais si je répondais que non ?

— Probablement pas.

— Alors pourquoi me poser la question ? C'est fait, maintenant.

Nous avions tous les deux les nerfs à fleur de peau. Robin arborait ce visage de flic que je commençais à bien connaître.

— Pourquoi Grantham m'a-t-il laissé partir ? demandai-je. Il aurait pu décider de me faire vivre un enfer.

Elle réfléchit et montra du doigt le tas de cendres noires.

— Zebulon Faith tenait un laboratoire de méthamphétamine dans cette cabane. L'argent lui servait probablement à couvrir ses dettes pour les terres qu'il a achetées. C'est lui qui a mis le feu. Il devait être informé de l'arrivée de la police. On trouvera sûrement quelque chose de ce côté-là – un détecteur de mouvement ou un coup de fil de l'un des mobile homes qu'on croise un peu plus haut sur la route. Quelque chose a dû lui mettre la **puce à l'oreille**. Il ne reste presque rien du labo.

— Suffisamment, quand même ?

— Pour le traduire en justice ? Peut-être. On n'est jamais sûr avec les jurys.

— Et Faith ?

— Il a complètement disparu et rien ne semble le relier au labo. Si cette affaire va en justice, ajouta-t-elle en me faisant face, Grantham aura besoin de toi pour témoigner que Zebulon Faith se trouvait ici. C'est en partie ce qui l'a décidé à te relâcher.

— Je suis quand même surpris qu'il l'ait fait.

— La méthamphétamine est un problème grave. Une condamnation ferait bien dans le décor. Et le shérif est un politicien.

— Et si j'avais quelque chose à voir avec le viol de Grace, est-ce que Grantham la ferait passer au second plan, elle aussi ?

— Grantham a de bonnes raisons de douter que tu sois impliqué, rétorqua Robin d'une voix hésitante.

Une nouvelle tension apparut sur ses traits. Je la connaissais trop bien.

— Quelque chose a changé, dis-je.

Elle réfléchit et j'attendis sa réponse ; elle finit par céder.

— L'agresseur a laissé un bout de papier sur le lieu de l'agression. Un message.

Ses paroles me glacèrent.

— Et ça, tu le sais depuis le début ?

— Oui, confirma-t-elle sans un remords.

— Et il y a quoi dans ce message ?

— « Dites au vieux de vendre. »

Je la considérai, incrédule.

— C'est ce qui était écrit, ajouta-t-elle.

Soudain, je vis rouge. Je sortis brusquement de la voiture et me mis à faire les cent pas.

J'aurais dû le tuer.

— Adam ?

Je sentis la main de Robin sur mon épaule.

— Nous ne savons pas si c'est Zebulon Faith, ou même Danny. Nombreux sont ceux qui aimeraient que ton père vende. Plusieurs personnes l'ont menacé, la bague pourrait être une coïncidence.

— Permets-moi d'en douter.

— Regarde-moi, insista-t-elle.

Je me retournai. Elle se tenait dans un creux et sa tête arrivait à peine à hauteur de mon torse.

— Aujourd'hui tu as eu de la chance, tu comprends ? Quelqu'un aurait pu mourir. Toi par exemple, ou Faith. Ça aurait pu très mal se terminer. Laisse-nous nous occuper de tout ça.

— Je n'ai pas à te promettre quoi que ce soit, Robin.

— Et quand bien même..., répliqua-t-elle avec amertume. Je sais ce que valent tes promesses.

Elle tourna les talons et, lorsqu'elle quitta l'obscurité de la forêt, elle semblait porter tout le poids de la journée écoulée sur ses épaules. Elle disparut dans sa voiture et, quand elle fit demi-tour, de la boue gicla. Je suivis des yeux ses feux arrière qui brillaient un peu plus fort à chaque secousse.

Il me fallut une demi-heure pour retrouver le pistolet de Dolf. Puis je rejoignis le sentier et longeai la rivière, mes pas silencieux s'enfonçant dans la terre meuble. La rumeur de l'eau se fit plus sourde et, au bout d'un moment, je cessai de l'entendre. Je laissai peu à peu la violence derrière moi pour me mettre en quête d'une sorte de paix, d'un calme au-delà du simple détachement. La forêt et les souvenirs m'y aidèrent : Robin au tout début, mon père avant le procès, ma mère avant que la dernière étincelle de vie ne la quitte. Je marchai tranquillement, effleurant du bout des doigts l'écorce des arbres. Au détour d'un virage, je m'arrêtai net.

À cinq mètres de moi, la tête penchée au-dessus de l'eau pour se désaltérer, se tenait un cerf. Ses bois frôlaient les deux mètres d'envergure ; son poil luisait, encore humide de l'air de la nuit. Un frisson lui parcourut l'échine. Je retins mon souffle. Lentement, il tourna la tête dans ma direction, dévoilant des yeux très grands et très noirs.

Plus rien ne bougeait.

Ses naseaux étaient couverts de buée. L'animal renifla et je fus saisi d'une étrange émotion : une vague de soulagement vint se mêler à la douleur qui étreignait ma poitrine. Je n'avais aucune idée de ce qu'elle signifiait mais la sensation était très nette, comme si elle me transperçait. Des secondes s'écoulèrent. Je songeai à cet autre cerf blanc qui m'avait appris, à neuf ans, que la colère pouvait faire fuir la douleur. Je tendis la main tout en sachant que j'étais trop loin pour l'atteindre, que trop d'années avaient passé pour pouvoir réparer mon erreur de ce jour-là. Je m'approchai ; l'animal pencha la tête, frotta un de ses bois contre un arbre, puis demeura parfaitement immobile, le regard toujours fixé sur moi.

Soudain, un coup de feu éclata. Il avait été tiré d'assez loin, au moins trois kilomètres. Il ne visait pas le cerf mais l'animal se raidit néanmoins. Il bondit et s'élança par-dessus la rivière, la tête alourdie par le poids de ses bois. Il plongea et réapparut dans le courant, haletant tandis qu'il gagnait l'autre rive. Il se hissa sur la berge, piétinant l'argile grasse, et se retourna. Pendant un instant, son œil noir brilla d'un éclat farouche, puis il s'ébroua avant de disparaître dans l'obscurité, tel un éclair blanc à peine teinté de gris. Inexplicablement, l'air vint à me manquer. Je m'assis sur la terre froide et humide et me laissai envahir par le passé.

Je revis le jour de la mort de ma mère.

Je ne voulais pas tuer. Cela, je le tenais de ma mère – c'est en tout cas ce qu'aurait dit mon père s'il avait su. Mais la mort et le sang font partie des épreuves qu'un jeune garçon doit endurer pour devenir un homme, quoi qu'en pensât ma mère. J'avais entendu cet argument plus d'une fois : tard le soir et à voix basse, mes parents se disputaient à propos de ce qui était bon ou non pour l'éducation de leur fils. J'avais huit ans et j'étais capable de faire sauter la capsule d'une bouteille à soixante mètres ; mais l'exercice était une chose et la pratique, une autre. Nous savions tous ce qui m'attendait là-bas.

Mon père avait tué son premier cerf à huit ans et, aujourd'hui encore, il en avait les larmes aux yeux quand il évoquait ce souvenir et racontait comment, ce jour-là, son propre père lui avait barbouillé le visage du sang chaud de l'animal. C'était un baptême, disait-il, quelque chose qui résistait au temps. Le jour fatidique, je m'éveillai glacé et nauséeux, l'estomac noué. Malgré tout, j'enfilai mon équipement et retrouvai Dolf et mon père au lever du jour. Ils me demandèrent si j'étais prêt. Je répondis que oui et tous deux m'encadrèrent lorsque je franchis la clôture et marchai en direction des profondeurs secrètes de la forêt.

Quatre heures plus tard, nous étions de retour à la maison. Mon fusil sentait la poudre chaude mais il n'y avait pas de sang sur mon front. Pas de quoi avoir honte, disaient-ils, mais je doutais de leur sincérité.

Je restai assis à l'arrière du pick-up tandis que mon père entrait pour prendre des nouvelles de ma mère. Il revint d'un pas lourd.

— Comment va-t-elle ? l'interrogeai-je, connaissant d'avance la réponse.

— Pareil, répondit-il d'un ton bourru, sans parvenir à masquer sa tristesse.

— Tu lui as dit ? insistai-je en me demandant si mon échec pourrait lui apporter un réconfort inespéré.

Il m'ignora et commença à démonter son fusil.

— Elle m'a réclamé une tasse de café. Tu veux bien la lui apporter ?

Je ne savais pas ce qui clochait avec ma mère, je savais seulement qu'elle avait perdu sa joie de vivre. Elle avait toujours été une femme chaleureuse et pleine d'humour, une véritable amie pendant ces longues journées où mon père restait dans les champs. Nous jouions ensemble, nous nous racontions des histoires et passions notre temps à rire. Puis quelque chose avait changé. Son humeur s'était assombrie. Je ne comptais plus le nombre de fois où je l'avais vue pleurer et redoutais les nombreux moments où les paroles que je lui adressais s'évanouissaient dans le silence de ses yeux vides. Elle avait considérablement maigri et je craignais d'apercevoir un jour ses os si elle marchait derrière une fenêtre sans rideaux.

Cela m'effrayait et je n'y comprenais rien.

Je pénétrai dans la maison silencieuse et sentis l'odeur du café qu'aimait ma mère. J'en versai une tasse et grimpai l'escalier avec précaution. Je n'en renversai pas une goutte.

Jusqu'à ce que j'ouvre la porte.

Le revolver était déjà contre sa tempe, son visage livide et plein de désespoir dépassant de la robe de chambre rose qu'elle portait ce jour-là. Elle appuya sur la détente au moment où j'entrais.

Mon père et moi n'en avions jamais parlé. Nous avions enterré la femme que nous aimions mais c'était comme si je l'avais toujours su : la mort et le sang font partie des choses que doit endurer un jeune garçon pour devenir un homme.

Après cet épisode, je tuai de nombreux cerfs.

10.

Je trouvai Dolf sous la véranda, en train de se rouler une cigarette.

— Bonjour, lançai-je en m'accoudant à la balustrade et en observant ses doigts habiles.

Dolf m'étudia tout en léchant le papier ; il lissa une dernière fois sa cigarette, attrapa une allumette dans la poche de sa chemise, la craqua, puis ses yeux se posèrent sur le revolver resté coincé dans ma ceinture. Il souffla sur l'allumette.

— C'est le mien ? demanda-t-il.

Je posai le revolver sur la table. En me penchant, l'odeur suave du tabac m'enveloppa et son visage se découpa dans la lumière crue.

— Désolé, fis-je.

Il souleva le pistolet et renifla le canon avant de le reposer.

— Il n'y a pas de mal, on dirait.

Il se laissa aller contre le dossier de sa chaise qui craqua sous son poids.

— Cinq ans, ça fait un sacré bout de temps, reprit-il d'un ton désinvolte.

— C'est vrai.

— J'imagine que tu as une bonne raison de revenir. Tu n'as pas envie de m'en parler ?

— Non.

— Peut-être que je peux t'aider.

C'était une offre généreuse et sincère.

— Pas cette fois, Dolf.

— J'ai senti l'odeur du feu, poursuivit-il en indiquant la rivière. J'ai pensé que je pourrais peut-être voir les lueurs.

Dolf avait envie de savoir, et je ne pouvais pas le lui reprocher.

— La rivière amplifie les sons, continua-t-il en tirant sur sa cigarette. Tu sens la fumée.

Je m'assis dans le fauteuil à bascule à côté du sien et posai mes pieds sur la balustrade. Mon regard passa une nouvelle fois du pistolet à la tasse de café de Dolf. Je songeai à ma mère et au cerf blanc.

— Quelqu'un chasse sur les terres, fis-je remarquer.

— C'est ton père.

— Il a recommencé à chasser ? Je croyais qu'il avait juré d'arrêter.

— En quelque sorte.

— C'est-à-dire ?

— Il y a une bande de chiens sauvages qui traîne. Ils se sont manifestés après que la première vache a été abattue. Ils reniflent l'odeur du sang à des kilomètres et débusquent les cadavres à la nuit tombée. Ils y ont pris goût maintenant. Impossible de les éloigner. Ton père a décidé de les tuer jusqu'au dernier. C'est sa nouvelle croisade.

— Je croyais qu'on n'avait tiré qu'une seule fois sur le bétail.

— C'est la seule fois où nous l'avons signalé. Maintenant ça doit faire sept ou huit fois.

— De quel genre de chiens il s'agit ?

— Aucune idée. Des gros, des petits. Des bâtards, mais coriaces ; de vraies saletés. Mais le chef de meute, il n'est pas comme les autres. On dirait un croisement entre un berger allemand et un doberman. Il doit peser dans les quarante ou cinquante kilos. Noir, rapide et rusé comme un renard. Ton père a beau ne pas faire un bruit, d'où qu'il vienne, ce noir-là le voit toujours le premier et il disparaît en moins de deux. Ton père n'a même pas le temps de tirer. Il prétend que ce chien est le diable en personne.

— Combien y en a-t-il ?

— Au départ, peut-être une douzaine. Ton père en a tué deux ou trois. Ils ne sont plus que cinq ou six maintenant.

— Qui a tué les autres ?

— Le noir, je pense. On les a trouvés avec la gorge déchiquetée. Tous des mâles. Des rivaux, je suppose.

— Nom de Dieu...

— Tu l'as dit.

— Pourquoi vous ne signalez pas les autres attaques ?

— Parce que le shérif est un bon à rien. C'était un bon à rien il y a cinq ans et, pour autant que je sache, il n'a pas changé. La première fois qu'on l'a appelé, il a fait le tour de la carcasse avant de suggérer qu'il serait sans doute dans l'intérêt de tous que ton père accepte simplement de vendre. À partir de là, ton père et moi avons préféré en rester là.

— Est-ce qu'il reste quelqu'un à l'hôpital ?

— Ils ne nous laissent pas l'approcher, alors autant ne pas traîner là-bas. On est rentré il y a quelques heures.

Le soleil se levait par-dessus la cime des arbres. Je marchai jusqu'au coin de la véranda en réfléchissant. Que pouvais-je dévoiler à Dolf ? Je décidai de tout lui dire.

— C'était Zebulon Faith, commençai-je. Lui ou Danny. Ce sont eux qui sont derrière tout ça.

Dolf resta silencieux un long moment. Sa chaise grinça et j'entendis ses pas sur le plancher. Il vint se poster à côté de moi et s'accouda lui aussi à la balustrade. Il contempla la légère brume qui se formait au-dessus de la rivière.

— Ce n'était pas Zebulon Faith, lâcha-t-il.

Je le regardais sans savoir quoi penser. Il ôta un brin de tabac de sa langue et prit son temps ; j'attendis son explication.

— Je reconnais qu'il en serait capable mais il s'est fait soigner pour un cancer de la prostate il y a trois ans. Et maintenant... il est impuissant. La mécanique est foutue.

— Comment tu sais ça ?

— Nous avions le même médecin, soupira Dolf tout en gardant les yeux fixés sur la rivière. On a reçu le diagnostic à peu près en même temps et on a suivi le traitement ensemble. Pas comme si on était amis ou quoi mais on a discuté une ou deux fois. Concours de circonstance.

— Tu en es sûr ?

— Absolument.

Je me représentai Dolf, se battant contre le cancer, pendant que moi, dans une ville lointaine où je n'avais pas ma place, je luttais pour trouver un sens à la vie.

— Je suis désolé, Dolf.

Il cracha un autre brin de tabac et haussa les épaules, comme pour se débarrasser de ma compassion.

— Qu'est-ce qui te fait penser que c'était un de ces deux-là ? reprit-il.

Je lui dis tout ce que je savais : la bague de Danny, l'incendie, ma bagarre avec Zebulon Faith.

— C'est sans doute une bonne chose que tu ne l'aies pas tué, remarqua Dolf.

— J'en avais envie.

— Je ne peux pas te le reprocher.

— Peut-être que c'est Danny le coupable.

— La plupart des gens ont une part obscure, finit-il par répondre après un instant de réflexion. Danny est un bon garçon mais sa part d'obscur est plus près de la surface que chez beaucoup d'autres.

— Qu'est-ce que tu veux dire ?

— J'ai passé de nombreuses années à t'observer pendant que tu te battais avec les ombres, Adam. Tu te laissais aller, tu étais souvent inaccessible. Ça me tuait de te voir comme ça mais je comprenais. Tu avais vu des choses qu'aucun enfant ne devrait jamais voir. Quand tu rentrais à la maison en sang ou quand ton père et moi te tirions d'affaire, tu affichais toujours une sorte de calme mêlé de tristesse. C'est difficile à dire mais c'est la vérité : tu avais l'air un peu perdu. Danny, en revanche, était différent. Lui arborait une joie à peine dissimulée. Ce garçon-là se battait parce qu'il aimait ça. Ça fait une sacrée différence.

Je n'essayai pas de le contredire. À bien des égards, la part obscure de Danny constituait justement la base de notre amitié. Je l'avais rencontré six mois après le suicide de ma mère. J'avais déjà commencé à me battre, à sécher les cours ; la plupart de mes amis s'étaient détournés de moi. Ils ne savaient pas comment réagir, ignoraient quoi dire à un garçon dont la mère s'était fait sauter la cervelle. Ça aussi, ça faisait mal, mais je ne pleurais pas sur mon sort. Je me renfermai davantage en moi-même et pris mes distances avec pratiquement tout le monde. Danny est entré dans ma vie comme l'aurait fait un frère. Il avait un père violent, pas d'argent et de mauvaises notes. Il n'avait plus vu sa mère ni mangé un vrai repas depuis deux ans au moins.

Danny n'avait aucune conscience des répercussions de ses actes ; en clair, il s'en fichait complètement, et je voulais me sentir comme lui.

On faisait les quatre cents coups. Si je me retrouvais dans une bagarre, il assurait mes arrières, et je faisais pareil. On se battait autant avec des gamins plus âgés qu'avec des gamins du même âge : peu importait. Un jour, en terminale, nous avons volé la voiture du proviseur et l'avons garée devant l'institut de massages au bord de l'autoroute. C'est Danny qui a été accusé : renvoyé pendant deux semaines, inscription au casier judiciaire. Il n'avait pas mentionné mon nom une seule fois.

Mais aujourd'hui, Danny était adulte et son père était candidat pour un bon paquet d'argent. Je devais me demander à quel point cette part obscure affleurait.

Un nombre à sept chiffres, avait dit Robin. Je suppose que c'était assez convaincant.

— Tu crois qu'il pourrait être coupable ? Qu'il aurait pu agresser Grace ? repris-je.

— Peut-être... mais j'en doute. Il a commis des erreurs mais je continue de penser qu'au fond, c'est un bon garçon. Est-ce que la police le recherche ?

— Oui.

— On verra bien, alors.

— Grace était avec une femme avant l'agression.

— Quelle femme ? demanda Dolf.

— Dans un canoë bleu, un de ces vieux canoës en bois qu'on ne fabrique plus. Elle avait les cheveux blancs mais son visage paraissait plus jeune. Elles étaient en train de parler.

— Vraiment ? s'étonna-t-il.

— Tu la connais ?

— Oui.

— Qui est-ce ?

— Tu as parlé d'elle à la police ?

— Oui.

— C'est Sarah Yates. Mais considère que ce n'est pas moi qui t'ai donné son nom.

— Qui est-ce ?

— Cela fait longtemps que je n'ai pas parlé avec Sarah. Elle habite sur l'autre rive.

— Encore un effort.

— C'est tout ce que je peux te dire, vraiment. Viens, je vais te montrer quelque chose.

Je n'insistai pas et le suivis jusque dans la cour. Il me conduisit jusqu'à la grange et posa une main sur la vieille MG toujours sur cales.

— Tu sais, avant cette voiture, Grace ne m'avait jamais rien demandé. Elle était capable d'user ses pantalons jusqu'à la corde avant de songer à se plaindre.

Il caressa la carrosserie du plat de la main.

— C'est la décapotable la moins chère qu'elle ait pu trouver. Son moteur a ses humeurs, il n'est pas vraiment fiable mais pour rien au monde elle n'échangerait cette voiture. À ton avis, est-ce que ça pourrait s'appliquer à autre chose dans cette grange ?

Je voyais très bien où il voulait en venir.

— Elle t'aime, Adam. Même si tu es parti et même si ton départ a failli la tuer. Elle ne t'échangerait pour rien au monde.

— Pourquoi me racontes-tu ça ?

— Parce qu'à partir de maintenant, elle va avoir besoin de toi plus que jamais. Ne t'en va pas encore une fois, conclut-il en me pressant l'épaule. Voilà ce que je te dis.

Je reculai, laissant retomber sa main qui se contracta nerveusement.

— Ça n'a jamais dépendu de moi, Dolf.

— Ton père est un homme bon qui a commis des erreurs, c'est tout. Comme toi. Comme moi.

— Et la nuit dernière, quand il a menacé de me tuer ?

— Justement. Violent et complètement aveuglé, comme toi. Vous êtes pareils.

— Ce n'est pas la même chose, protestai-je.

Dolf se redressa et eut un sourire plus forcé que jamais.

— Bah, oublie ça. Tu sais ce que tu fais. Allons manger quelque chose, proposa-t-il en s'éloignant.

— C'est la deuxième fois en douze heures que tu me sermonnes au sujet de mon père. Il n'a pas besoin que tu mènes ses combats à sa place.

— Ce n'est pas censé être un combat.

Je contemplai le ciel, puis la grange, mais je n'avais nulle part ailleurs où aller. Nous retournâmes à la maison et je m'assis à la table de la cuisine tandis qu'il servait deux tasses de café et sortait des œufs et du bacon du réfrigérateur. Il cassa six œufs dans un bol, ajouta du lait et fouetta le tout avec une fourchette. Il mit le bol de côté et découpa le bacon.

Il nous fallut quelques minutes pour recouvrer notre calme.

— Dolf, repris-je finalement, je peux te poser une question ?

— Je t'écoute, répondit-il d'une voix très calme.

— Quelle est la durée de vie maximale d'un cerf, à ton avis ?

— Un blanc ? demanda-t-il en répartissant la moitié du bacon dans la poêle. Dix ans en liberté, et davantage en captivité.

— Un cerf qui vivrait vingt ans, tu as déjà vu ça ?

Dolf alluma le feu sous la poêle et le bacon commença à grésiller.

— Pas pour un cerf ordinaire.

De la lumière filtrait à travers la fenêtre et découpait un carré pâle sur le bois presque noir. Quand je levai les yeux, Dolf m'observait avec une curiosité non dissimulée.

— Tu te souviens de ce mâle blanc que j'ai raté la dernière fois où mon père m'a emmené à la chasse ?

— C'est l'une des histoires préférées de ton père. Il raconte que ce jour-là, toi et lui avez compris quelque chose là-bas, dans la forêt. L'une de ces choses qu'on ne dit pas, d'après lui. Une concession à la vie dans l'ombre de la mort ou quelque chose comme ça. Un peu trop poétique à mon goût.

Je songeai à la photo que mon père conservait dans son bureau, celle du jour où nous avions vu le cerf blanc. Elle avait été prise sur la route devant la maison après un long retour silencieux de la forêt. Mon père était convaincu que cela marquait un nouveau départ. Moi j'essayais juste de ne pas pleurer.

— Il avait tort, tu sais. Il n'y a jamais eu de concession.

— Qu'est-ce que tu veux dire ? demanda Dolf.

— Je voulais tuer ce cerf.

— Je ne comprends pas.

Je levai les yeux vers Dolf et fus envahi par la même émotion qui m'avait submergé dans les bois. Soulagement et tristesse.

— Mon père prétendait que ce cerf était un signe... un signe d'elle.

— Adam...

— C'est pour ça que je voulais lui faire mal, expliquai-je en serrant les poings si fort que j'en eus mal aux articulations. C'est pour ça que je voulais le tuer. J'étais furieux.

— Mais pourquoi ?

— Parce que je savais que c'était fini.

— Qu'est-ce qui était fini ?

— Tout ce qu'il y avait de bien, dis-je sans parvenir à soutenir son regard.

Dolf resta muet mais je le comprenais. Que pouvait-il répondre ? Elle m'avait abandonné et je ne savais même pas pourquoi.

— J'ai vu un cerf, ce matin. Un blanc.

— Et tu penses que c'est peut-être le même ?

— Je n'en sais rien... Peut-être. Je rêvais souvent du premier.

— Tu aimerais que ce soit le même ?

Je ne répondis pas directement.

— Il y a quelque temps, je me suis renseigné sur les cerfs blancs, sur la mythologie liée à ces animaux. On raconte des tas de choses, et ça remonte à un millier d'années. Ils sont très rares.

— Quel type de mythologie ?

— Les chrétiens parlent d'un cerf blanc qui portait une image du Christ entre ses bois. Ils croient que c'est un signe de rédemption imminente.

— Ça sonne bien.

— Certaines légendes remontent bien plus loin. Les Celtes croyaient tout autre chose. Leurs légendes évoquaient des cerfs blancs qui guidaient les voyageurs jusqu'aux profondeurs secrètes de la forêt. Selon eux, un cerf blanc pouvait conduire un homme à la découverte d'un nouvel enseignement.

— Pas mal non plus.

— Ils disaient que c'était un messager venu du royaume des morts.

11.

Nous mangeâmes en silence. Puis Dolf partit et je pris une douche.

Le miroir me renvoya le reflet d'un visage à la mine défaite dont les yeux paraissaient plus vieux que le reste. J'enfilai un jean et une chemise en lin et, en sortant, je trouvai Robin assise à la table de jardin, une pièce de carburateur à la main. Elle se leva en m'apercevant ; je restai devant la porte.

— Personne n'a répondu quand j'ai frappé, expliqua-t-elle. Comme j'ai entendu couler l'eau, j'ai décidé d'attendre.

— Qu'est-ce que tu fais ici ?

— Je suis venue m'excuser.

— Si c'est pour tout à l'heure...

— Ce n'est pas pour tout à l'heure.

— Pour quoi, alors ?

— C'était l'ordre de Grantham, commença-t-elle en baissant les yeux et en rentrant les épaules. Mais ce n'est pas une raison. Je n'aurais jamais dû laisser les choses aller aussi loin.

— De quoi est-ce que tu parles ?

— Si ça s'était produit dans une grande ville ou dans un lieu fréquenté, il n'aurait probablement pas jugé nécessaire de...

— Robin.

— Elle n'a pas été violée, avoua-t-elle en se redressant, dans l'attente d'un châtiment mérité.

Je demeurai sans voix.

— Elle a été agressée mais pas violée. Grantham ne voulait pas qu'on en parle pour voir comment vous réagissiez.

Pas violée.

— « Vous » ? demandai-je d'une voix grinçante.

— Toi, Jamie, ton père... N'importe quel coupable potentiel. Il vous surveillait.

— Pourquoi ?

— Parce qu'une agression sexuelle ne se termine pas toujours par un viol, parce que ce n'est pas toujours aussi accidentel qu'on le croit, et aussi à cause de l'endroit où ça s'est produit. La probabilité d'une rencontre fortuite dans ce coin-là est extrêmement mince.

— Et parce que Grantham m'en croit capable.

— La plupart des gens sont de mauvais menteurs. Si tu avais su qu'il n'y avait pas eu de viol, cela aurait pu se voir. Grantham voulait s'en assurer.

— Et toi tu l'as suivi.

— Ce n'est pas une pratique inhabituelle que de dissimuler des informations, rétorqua-t-elle d'un voix triste. Je n'avais pas le choix.

— Foutaises.

— Tu parles sous le coup de l'émotion...

— Pourquoi as-tu finalement décidé de me le dire ?

Son regard se promena alentour, comme si elle cherchait de l'aide.

— Parce que les choses paraissent différentes à la lumière du jour. Parce que j'ai commis une erreur.

— Zebulon Faith est impuissant, dis-je. C'est peut-être pour ça qu'elle n'a pas été violée.

— Je ne veux pas parler de l'affaire, je veux parler de nous. Tu dois comprendre pourquoi j'ai agi de la sorte.

— Je comprends parfaitement.

— Je n'en ai pas l'impression.

Je fis mine de m'éloigner et ma main rencontra le chambranle de la porte d'entrée. Elle savait que j'allais la refermer entre nous. C'est sans doute pour ça qu'elle ajouta :

— Il y a quelque chose que tu devrais probablement savoir.

— Quoi ?

— Grace n'a jamais été sexuellement active.

— Pourtant, elle m'a dit...

— Le médecin l'a confirmé, Adam. Contrairement à ce qu'elle a prétendu, il est assez clair qu'elle n'a jamais eu une foule de petits amis.

— Pourquoi mentirait-elle ?

— Sans doute pour les raisons que tu as déjà évoquées.

— Lesquelles ?

— Elle voulait te faire de la peine.

La route qui menait à la maison de mon père ressemblait à de la terre cuite, et de la poussière rouge s'accumula sur mes chaussures lorsque je l'empruntai. Elle partait en direction du nord et virait à l'est avant la légère montée jusqu'à la colline, d'où elle descendait finalement vers la rivière. J'observai les voitures garées devant la maison. Il y en avait plusieurs, dont une que je reconnus. Pas la voiture elle-même mais la plaque d'immatriculation – J-19C. Le J indiquait qu'il s'agissait de la voiture d'un juge en fonction.

En m'approchant, j'aperçus un emballage de barre chocolatée sur le siège. Je connaissais cet enfoiré.

Gilbert T. Rathburn – le juge G ou Gilly le rat.

Je m'écartai de la voiture juste au moment où la porte de la maison s'ouvrait. Le juge en sortit à reculons, comme s'il était poursuivi par un chien. L'une de ses mains serrait une liasse de papiers, l'autre, sa ceinture. Il était grand, gras, portait une perruque tissée de cheveux fins et des lunettes qui mouchetaient son visage rubicond de petits éclats dorés. Son costume était suffisamment coûteux pour parvenir à camoufler une bonne partie de son gabarit, mais sa cravate paraissait trop étroite. Mon père le suivait de près.

— Je crois que tu devrais encore y réfléchir, Jacob ! protesta le juge. C'est vraiment la solution la plus sage. Si seulement tu me laissais t'expliquer...

— Tu ne comprends vraiment pas ce que je dis ?

Le juge sembla s'affaisser légèrement et mon père, s'en étant aperçu, se détourna un instant de lui ; son regard se posa sur moi sur la route. Un éclair de surprise passa sur son visage et il baissa la voix en tendant un doigt vers moi.

— J'aimerais te voir dans mon bureau, déclara-t-il avant de s'adresser une dernière fois au juge : Et ne t'avise pas d'aller parler de ça à Dolf. Ce que je dis vaut aussi pour lui.

Sans attendre de réponse, il disparut à l'intérieur. La moustiquaire claqua derrière lui et le juge secoua la tête avant de se tourner vers moi. Je me tenais dans l'ombre d'un pacanier et il me toisa des pieds à la tête, par-dessus ses lunettes ; le bourrelet de son cou débordait de son col de chemise. Nous nous connaissions depuis des années. J'avais fait une ou deux apparitions dans sa salle d'audience à l'époque où j'étais plus jeune et où il siégeait encore au tribunal de première instance. Les accusations n'avaient jamais été très graves – principalement pour ivresse ou trouble de l'ordre public. Nous n'avions jamais vraiment eu de problème jusqu'à ce que, cinq ans plus tôt, il signe le mandat d'arrêt à mon nom pour le meurtre de Gray Wilson. Il ne put dissimuler son mépris.

— Vous avez vraiment du culot de revenir ainsi dans le comté de Rowan.

— Et où est-elle, cette loi qui stipule qu'on est innocent tant qu'on n'a pas été jugé coupable, connard ?

Rathburn se rapprocha de moi ; il me dépassait de dix bons centimètres et de la transpiration perlait sur son visage et sur ses tempes.

— Ce garçon a été tué sur ces terres ! Et votre propre mère vous a vu en train de quitter le lieu du crime...

— Ma belle-mère, rectifiai-je en soutenant son regard.

— Vous étiez couvert de son sang.

— D'après une seule personne...

— Un témoin fiable, répliqua-t-il avec un sourire.

— Qu'est-ce que vous faites là, Rathburn ?

— Personne n'a oublié, vous savez. Même si vous n'avez pas été condamné, les gens se souviennent.

Je tentai de l'ignorer.

— On veille les uns sur les autres, ici. C'est comme ça que ça se passe dans ce comté, ajouta-t-il en pointant un doigt sur moi tandis que j'ouvrais la moustiquaire.

Sa montre brillait sur son poignet, aussi luisant et gras qu'un beignet.

— Tu veux dire que tu veilles sur ceux qui financent ta campagne, c'est ça ?

Son cou devint tout rouge. Rathburn était un élitiste fanatique. Si on était blanc et riche, c'était le juge parfait. Il était souvent venu trouver mon père pour lui demander de financer sa campagne, mais chaque fois il était reparti les mains vides. Je ne doutais pas que sa présence ici ait quelque chose à voir avec les terres bordant la rivière. Il devait sûrement avoir un intérêt dans l'affaire.

Rathburn chercha ses mots. Ne sachant que répondre, il se tassa dans sa voiture, fit demi-tour sur la pelouse et disparut derrière la colline dans un nuage de poussière. J'attendis qu'il soit hors de vue avant de refermer la porte derrière moi.

Je m'arrêtai dans le salon en entendant le plancher craquer à l'étage. Janice, pensai-je. Puis je me dirigeai vers le bureau de mon père, encombré de livres. La porte était ouverte mais par habitude, je frappai avant d'entrer. Il me tournait le dos, ses mains étaient appuyées sur le bureau. Il avait la tête baissée et je pus distinguer sur son cou les plis de sa peau tannée par le soleil.

Cette vision fit remonter en moi des images de l'époque où j'étais un petit garçon, lorsque je jouais sous le bureau – des souvenirs de rires et d'amour qui imprégnaient la maison. Je sentis la main de ma mère aussi nettement que si elle avait été en vie.

Je me raclai la gorge et remarquai la blancheur des doigts de mon père agrippés au bois sombre. Quand il fit demi-tour, je fus frappé par ses yeux rouges et son teint livide. Pendant un long moment nous restâmes sans rien dire, comme si nous vivions quelque chose d'inédit – une vulnérabilité partagée.

Durant un instant, l'expression de son visage devint hésitante avant de se tranquilliser, comme s'il venait de prendre une décision. Il avança vers moi, posa les mains sur mes épaules et me serra dans ses bras. Son corps sec et vigoureux portait l'odeur de la ferme et tout un cortège de souvenirs. La tête me tourna et je luttai pour contenir ma colère. Je ne lui rendis pas son étreinte et il recula d'un pas, ses mains toujours sur mes épaules. Il paraissait complètement désemparé. Il me lâcha en entendant un froissement de tissu et une voix étonnée à la porte.

— Oh, désolée !

Miriam se tenait sur le seuil. Elle n'arrivait pas à nous regarder dans les yeux et je vis qu'elle était embarrassée.

— Qu'est-ce qu'il y a, Miriam ? s'enquit mon père.

— Je ne savais pas qu'Adam était là, s'excusa-t-elle.

— Ça ne peut pas attendre ?

— Maman veut te parler.

— Où est-elle ? soupira-t-il.

— Dans la chambre.

— Ne t'en va pas, ajouta-t-il à mon adresse.

Puis il partit. Miriam hésitait à entrer. Elle était venue au procès, s'était assise au premier rang chaque jour sans un mot. Je ne l'avais revue qu'une seule fois ensuite – un adieu des plus brefs pendant que j'entassais ce que je pouvais dans le coffre de ma voiture. Ses derniers mots me revinrent. *Où vas-tu aller ?* avait-elle demandé, et j'avais répondu la seule réponse qui m'était venue. *Je n'en sais rien.*

— Salut, Miriam.

— Je ne sais pas trop quoi te dire, bredouilla-t-elle, levant la main en guise de réponse.

— Ne dis rien, alors.

— Ç'a été dur ? souffla-t-elle en baissant la tête.

— Tout va bien.

— Vraiment ?

Une émotion indéfinissable semblait l'agiter. Elle avait été incapable de soutenir mon regard pendant le procès et avait fui la salle d'audience au moment où le procureur avait présenté au jury des agrandissements de photos de l'autopsie posées sur un chevalet. Celles-ci, prises au flash à l'aide d'un appareil haute résolution, mettaient crûment la plaie en évidence. Le premier agrandissement, de presque un mètre de haut, montrait des cheveux tachés de terre et de sang, des éclats d'os et de cervelle figés comme de la cire. Il avait orienté le document de façon à ce que le jury puisse voir mais Miriam se trouvait assise au premier rang, à moins d'un mètre de la photo. Elle avait porté la main à sa bouche et était partie en courant par l'allée centrale. Je l'avais imaginée sur la pelouse derrière l'allée en train de rendre tout ce qu'elle avait dans l'estomac. C'est là que j'aurais voulu être. Même mon père avait dû détourner les yeux mais, pour elle, la vision avait dû être insoutenable. Ils se connaissaient depuis des années.

— Tout va bien, répétai-je.

Elle acquiesça mais elle paraissait au bord des larmes.

— Tu es ici pour combien de temps ?

— Je n'en sais rien.

Elle parut disparaître encore davantage dans ses vêtements larges lorsqu'elle s'appuya sur le chambranle. Elle n'avait toujours pas croisé mon regard.

— C'est bizarre, reprit-elle.

— Tu n'es pas obligée de le voir comme ça.

— Mais ça l'est, c'est tout.

— Miriam...

— Il faut que j'y aille.

Elle se volatilisa. Ses pas résonnèrent comme un murmure sur le plancher du couloir. Dans le silence qui suivit, j'entendis des voix à l'étage, une dispute et le ton de ma belle-mère qui montait. Quand mon père fut de retour, je vis que son visage s'était fermé.

— Que voulait Janice ? demandai-je, connaissant déjà la réponse.

— Elle voulait savoir si tu mangerais avec nous ce soir.

— Ne mens pas.

— Tu nous as entendus ?

— Elle veut que je quitte la maison.

— Ça n'a pas été facile pour ta belle-mère.

— Je ne voudrais pour rien au monde l'incommoder, répliquai-je sèchement, luttant pour rester poli.

— C'est n'importe quoi, tout ça. Sortons d'ici.

Il se dirigea vers la porte de derrière et attrapa au passage l'un des fusils appuyés contre le mur ; la lumière du soleil inonda la pièce lorsqu'il ouvrit la porte. Je le suivis. Son pick-up était garé à six mètres de là. Il cala le fusil sur le râtelier.

— Pour ces maudits chiens, grogna-t-il. Grimpe !

Le pick-up était vieux, sentait la poussière et la paille. Il conduisit lentement vers l'amont de la rivière. Nous traversâmes des champs de maïs, de soja, et une nouvelle plantation de pins taeda avant de pénétrer dans la forêt. Là, il rompit le silence.

— Tu as pu parler avec Miriam ?

— Elle n'avait pas vraiment envie de parler.

Mon père eut un geste de la main et une grimace furtive de mécontentement passa sur son visage.

— Elle est trop émotive.

— Non, c'était autre chose, répondis-je.

— Gray Wilson était son ami, Adam.

— Tu crois que je ne suis pas au courant ? m'emportai-je, incapable de me maîtriser davantage. Tu crois peut-être que j'ai pu oublier ça ?

— Ça va s'arranger, m'assura-t-il d'une voix faible.

— Et toi ? Une tape dans le dos ne règle pas tout.

Il ouvrit la bouche, puis la referma. Le pick-up arrivait au sommet d'une colline dominant la maison ; il coupa le contact. Tout était calme.

— J'ai fait ce que je pensais être mon devoir, Adam. Tant que tu étais à la maison, personne ne pouvait passer à autre chose. Janice était bouleversée. Jamie et Miriam étaient très affectés. Et moi aussi. Il restait trop de questions.

— Je ne peux pas t'apporter des réponses que je n'ai pas. Quelqu'un l'a tué. Je t'ai dit que ce n'était pas moi ; ma parole aurait dû te suffire.

— Ça ne suffisait pas. Ton acquittement n'a pas effacé ce qu'a vu Janice.

— Est-ce qu'on va recommencer avec ça ?

— Non, mon garçon. On ne va pas recommencer.

Je baissai les yeux ; le plancher du pick-up était jonché de paille, de boue et de débris de feuilles mortes.

— Ta mère me manque, finit-il par dire.

— À moi aussi.

Un long silence s'installa tandis que le soleil faisait grimper la température à l'intérieur de l'habitacle.

— Je te comprends, maintenant.

— Comment ça ?

— Je comprends ce que tu as perdu quand elle est morte.

— N'essaie même pas.

Il y eut un nouveau silence, alourdi du souvenir de ma mère et du bonheur perdu de notre vie à tous les trois.

— Une partie de toi m'a certainement cru capable de meurtre, repris-je.

Il se passa les deux mains sur le visage et colla ses paumes calleuses devant ses yeux. De la saleté s'était accumulée sous ses ongles. Quand il se remit à parler, sa voix révélait une profonde sincérité.

— Tu n'as plus jamais été le même après sa mort. Avant, tu étais un garçon si gentil... Tu étais parfait – un vrai bonheur. Mais après sa mort, tu as changé ; ton humeur s'est assombrie et tu es devenu méfiant, rancunier, distant. Je croyais que ça te passerait avec l'âge ; puis, à l'école, les bagarres ont commencé, les disputes avec les professeurs. Tu étais tout le temps en colère, comme si un cancer s'était mis à ronger toute la gentillesse que tu avais en toi.

Il marqua une pause et posa à nouveau ses mains sur son visage ; j'entendis le frottement sec de ses paumes râpeuses.

— Je croyais que tu dépasserais ça. Il y avait toujours un risque que tu exploses, j'imagine, mais je ne pensais pas que ça puisse arriver juste comme ça. Planter une voiture, ressortir sérieusement blessé d'une bagarre – ça oui, peut-être. Quand ce garçon a été assassiné, jamais il ne m'est venu à l'esprit que tu puisses être responsable. Mais Janice a juré qu'elle t'avait vu. J'ai cru que tu avais finalement touché le fond, conclut-il dans un soupir.

— À cause de ma mère ?

Il ne remarqua pas mon ton glacial. Il acquiesça et je ressentis un violent coup dans la poitrine. J'avais été accusé à tort, jugé pour meurtre, mis à la porte, et il était en train de mettre ça sur le compte de la mort de ma mère.

— Si j'étais si perturbé, pourquoi tu ne m'as pas trouvé de l'aide ?

— Un psy, tu veux dire ?

— Oui... ou n'importe quoi d'autre.

— Tout ce dont un homme a besoin, c'est de garder les pieds sur terre. Dolf et moi, nous avons cru qu'on pourrait te tirer de là.

— Et ça a bien marché pour toi, hein ?

— Je t'interdis de me juger.

— Tout comme ça a marché pour maman ?

— Tu ferais mieux de la fermer maintenant, fit-il en serrant les dents. Tu parles de quelque chose que tu ne connais pas.

— Va te faire foutre !

Je claquai la porte du pick-up et sortis faire quelques pas. J'entendis sa porte claquer aussi.

— Ne pars pas, Adam.

Je sentis sa main sur mon épaule et, sans réfléchir, je fis volte-face et lui assenai un coup de poing au visage. Il s'étala dans la terre meuble et je me penchai au-dessus de lui. Un éclair de couleur passa devant mes yeux – la dernière seconde de ma mère – et formulai enfin ce qui m'avait torturé toutes ces années.

— Ç'aurait dû être toi !

Du sang coulait de son nez sur sa bouche. À terre, il paraissait tout petit. Je revis l'instant où ma mère avait commis l'irréparable : le pistolet que sa main avait lâché, le café qui avait maculé mes doigts... Au moment où j'avais ouvert la porte, elle avait eu une expression particulière. De la surprise, pensai-je. Du remords. Par la suite, j'avais cru l'avoir rêvée.

Plus maintenant.

— On est rentrés à la maison, continuai-je, déterminé. De retour de la forêt, tu es allé voir comment elle allait. C'est à toi qu'elle a demandé une tasse de café.

— De quoi est-ce que tu parles ?

Il essuya le sang sur son visage mais n'essaya pas de se relever. Il ne voulait pas l'entendre mais il savait.

— Le pistolet était sur sa tempe quand j'ai ouvert la porte. C'est toi qu'elle attendait, elle voulait que tu la voies mourir. Pas moi.

Mon père blêmit.

Je tournai les talons.

Je savais qu'il ne me retiendrait pas.

12.

Je quittai la route et retournai chez Dolf par des sentiers que je connaissais. L'endroit était désert ; lorsque je m'effondrai sous la véranda, personne ne put voir à quel point j'étais brisé, ni combien je luttais pour me ressaisir. J'entassai mes affaires dans le coffre de la voiture mais Dolf arriva au moment où je partais. Je m'arrêtai, par respect pour sa main levée, et aussi à cause du soudain désarroi que je lus sur son visage.

Il descendit de son pick-up et, posant la main sur le toit de ma voiture, il se pencha vers moi. Il remarqua le sac sur la banquette arrière et me dévisagea.

— Tu ne devrais pas faire ça, Adam. Quoi qu'il t'ait dit, fuir n'est pas la solution.

Il avait tort. Rien n'avait changé. Partout, je me heurtais à la méfiance. Quoi que je décide, au fond, c'était la colère ou la rancune qui motivaient mes choix. À côté de ça, l'indifférence me paraissait une alternative séduisante.

— J'ai été très heureux de te revoir, Dolf, mais ça ne peut pas marcher. Dis à Grace que je l'aime.

Je fis marche arrière et m'éloignai, le laissant seul au milieu de la route. Sans me quitter des yeux, il leva la main et articula quelque chose que je n'entendis pas ; ça n'avait pas d'importance. Robin m'avait tourné le dos, mon père était perdu...

Tout était fini.

Je suivis les routes étroites menant à la rivière, jusqu'au pont qui délimitait le comté de Rowan. Je me garai au même endroit que la fois précédente et marchai jusqu'à la berge. Les bouteilles étaient toujours là. Je songeai au petit garçon que mon père regrettait. La seule chose qui importait alors était de faire attention à bien huiler l'étui d'un couteau ou à attraper un poisson-chat. Y avait-il encore un peu de ce petit garçon en moi ? Ou le cancer l'avait-il définitivement rongé ? Je me souvins d'un jour en particulier. J'avais sept ans, plus d'un an avant qu'un sombre hiver ne vide ma mère de toute la vie qui l'habitait.

Nous étions à la rivière, en train de nager.

— Tu me fais confiance ? me demanda-t-elle.

— Oui.

— Viens.

Nous étions accrochés au rebord du ponton, le soleil haut dans le ciel. Ma mère eut un sourire plein de malice et de petits éclats d'or embrasèrent ses yeux bleus.

— Suis-moi, reprit-elle en plongeant sous l'eau.

En deux brassées vigoureuses, elle disparut sous le ponton. Je commençai à paniquer mais alors, sa main apparut. Je la serrai, retins mon souffle et me laissai attirer. Le monde s'assombrit un instant, puis j'émergeai sous les planches à côté d'elle. Tout était calme et vert, comme dans la forêt. Des rais de lumière filtraient entre les planches. Les pupilles de ma mère dansaient et s'enflammaient dès qu'elles croisaient un rayon de soleil. Un petit espace invisible et silencieux. J'étais passé sur ce ponton des centaines de fois sans jamais aller au-dessous. C'était comme un secret, c'était...

Elle plissa les yeux et caressa mon visage.

— Il y a de la magie dans le monde, dit-elle.

Voilà. C'était magique.

J'étais perdu dans mes souvenirs lorsque le pick-up de Dolf apparut sur la route et se rangea sur le bas-côté. Il descendit péniblement jusqu'à la berge.

— Comment savais-tu que je serais là ?

— J'ai tenté ma chance.

Il ramassa une poignée de galets et se mit à les lancer à la surface de l'eau.

— Si je traverse ce pont maintenant, je ne reviendrai plus.

— C'est clair.

— C'est pour ça que je me suis arrêté.

Il lança un nouveau galet, qui coula au deuxième rebond.

— Tu n'es pas très doué, le taquinai-je.

— C'est l'arthrite. Une vraie saloperie.

Il répéta son geste : le galet coula tout de suite.

— Pourquoi ne pas me donner la véritable raison de ta présence ici ? demanda-t-il en tentant un autre ricochet. Je ferai tout ce que je peux pour t'aider, Adam.

Je ramassai quatre galets. Le premier ricocha six fois.

— Tu as suffisamment de soucis comme ça, Dolf.

— Peut-être que oui, peut-être que non. Mais peu importe... Mon offre tient toujours.

Je contemplai un instant l'asymétrie de son visage.

— Danny m'a appelé il y a trois semaines, finis-je par avouer.

— Vraiment ?

— Il avait besoin de mon aide. Il m'a demandé de rentrer.

— Qu'as-tu répondu ? interrogea Dolf en se baissant pour ramasser d'autres cailloux.

— Je lui ai demandé des précisions mais il a refusé de m'en dire plus. Il aurait soi-disant trouvé comment remettre de l'ordre dans sa vie et aurait besoin de mon aide. Il voulait qu'on en parle face à face. Je lui ai dit que j'en étais incapable.

— Comment a-t-il réagi ?

— Il a insisté, puis s'est énervé. Il a ajouté que lui le ferait pour moi si les rôles étaient inversés.

— Mais il a refusé de t'expliquer de quoi il s'agissait ?

— Oui.

— Tu crois qu'il voulait que tu convainques ton père de vendre ?

— L'argent peut régler pas mal de problèmes.

— Alors pourquoi es-tu rentré ? reprit Dolf après un instant de réflexion.

— À une époque, quand j'avais des problèmes, Danny aurait très bien pu me laisser tomber, mais il ne l'a jamais fait. Jamais. Quand je repensais à Danny et moi, ça ressemblait beaucoup à papa et toi. On était très proches, tu sais. On pouvait compter l'un sur l'autre. Je m'en suis voulu de l'avoir laissé tomber.

— Certaines amitiés sont difficiles, Adam.

— Et d'autres meurent. Je ne vois pas comment j'aurais pu me tromper à ce point sur son compte. Je n'arrête pas de penser à l'argent.

Je lançai un nouveau galet et songeai à Grace.

— Quel gâchis…

Un silence s'installa pendant lequel nous contemplâmes la rivière.

— Ce n'est pas la seule raison de mon retour, repris-je.

— Quelle est l'autre raison ? demanda Dolf, remarquant le changement dans ma voix.

— Tu ne devines pas ?

— Pour faire la paix avec ton père ?

— J'avais tiré un trait sur cet endroit, tu sais. J'allais de l'avant du mieux que je pouvais. J'avais du boulot, quelques amis. Généralement, je n'y pensais pas. Je m'y étais entraîné. Mais parler à Danny m'a remis tout ça en tête. J'ai recommencé à réfléchir, à ressasser des souvenirs. J'ai longuement essayé de mettre de l'ordre dans ma tête mais je me suis dit qu'il était peut-être temps.

— Et pourtant te voilà, en train de lancer des cailloux dans la rivière en te demandant quelle direction prendre. Celle-ci, indiqua-t-il en pointant son doigt vers le nord – celle de la maison.

— Qu'est-ce que tu en penses ?

— Je pense que ça fait trop longtemps que tu es parti. Qu'il te l'ait avoué ou pas, ton père pense la même chose.

Je jetai un autre galet, sans conviction cette fois-ci.

— Et Grace ? s'enquit Dolf.

— Je ne peux pas l'abandonner maintenant.

— J'imagine que c'est aussi simple que ça, alors.

— J'imagine.

Je glissai le quatrième galet dans ma poche et laissai le pont derrière moi.

Je suivis Dolf jusqu'à la ferme, où il m'expliqua qu'il avait d'autres choses à me montrer ; je grimpai donc dans son pick-up. Devant les étables, j'aperçus Robin et Grantham. Malgré leurs vêtements propres, ils paraissaient fatigués et leur ténacité me surprit. Ils parlaient à des ouvriers tout en prenant des notes sur des carnets à spirale.

— Ce n'est pas ce que je voulais te montrer, dit Dolf.

J'observai Robin en passant. Elle leva les yeux et me vit.

— Ils sont là depuis combien de temps ?

— Ça doit faire une heure. Ils veulent interroger tout le monde.

— Mais ils n'ont pas d'interprète, m'étonnai-je alors que nous les perdions de vue.

— Robin parle espagnol.

— C'est nouveau, ça.

Nous traversâmes la partie centrale de la ferme et empruntâmes l'une des petites routes qui filaient vers le nord-est de la propriété. En arrivant au sommet d'une colline, Dolf coupa le moteur.

— Mon Dieu !

Nous nous trouvions en face de champs de vignes, d'innombrables rangées de vignes verdoyantes qui couvraient toute la vallée devant nous.

— Combien d'hectares ?

— Deux cents hectares de vignes. Et je peux te dire que ç'a été du boulot. Là, tu ne vois que cent cinquante hectares.

— Et d'où ça sort ?

— C'est la nouvelle politique commerciale, expliqua Dolf. L'avenir de l'agriculture en Caroline du Nord – enfin c'est ce qu'ils disent. Mais c'est pas gagné. On a planté cette vigne il y a trois ans et il va en falloir au moins deux encore, peut-être même quatre avant qu'on puisse en tirer un bénéfice. Et même là, ce n'est pas garanti. Mais le marché du soja stagne, le bœuf est en perte de vitesse et les pins taeda ne pousseront pas plus vite juste parce qu'on le leur demande. On alterne avec du maïs et on a loué des terres à une antenne de téléphonie mobile. C'est assez rentable mais ton père se fait du souci pour l'avenir. Le voilà, l'avenir, conclut-il avec un geste en direction de la vigne. Enfin, on l'espère.

— C'était ton idée ?

— Non, celle de Jamie. Il lui a fallu deux ans pour convaincre ton père. Et il y a un paquet d'argent en jeu.

— Je n'ose pas te demander combien.

— Ça a coûté une fortune pour planter les pieds de vigne et on a dû sacrifier des cultures. La ferme a accusé un gros déficit, précisa-t-il, puis il haussa les épaules. On verra bien.

— Est-ce que la ferme risque la faillite ?

— À combien ton père t'a-t-il racheté tes dix pour cent ?

— Trois millions de dollars.

— C'est à peu près ce que je pensais. Il dit que tout va bien mais il est toujours réticent quand il s'agit de parler de son argent. La pilule a dû être difficile à avaler pour lui.

— Et c'est Jamie qui s'occupe de tout ça ?

— Oui.

— Nom de Dieu, les risques sont énormes.

— Ça passe ou ça casse, à mon avis.

C'était un Dolf vieillissant que je découvrais ces jours-ci. La ferme était toute sa vie.

— Et tu es d'accord avec tout ça ?

— J'aurai soixante-trois ans le mois prochain, commença-t-il en me lançant un regard en coin. Mais ton père ne m'a jamais laissé tomber jusqu'ici, et je ne crois pas que ce soit dans ses intentions aujourd'hui.

— Et Jamie ? Tu as confiance en lui ?

— C'est comme ça, Adam. On verra bien ce que ça donne.

Nous restâmes silencieux un moment.

— Tu crois que mon père finira par céder à la compagnie d'électricité ?

— Tu as peur de ne pas profiter des retombées ? demanda-t-il d'un ton glacial.

— Ce n'est pas juste, protestai-je.

— Tu as raison, Adam, ce n'est pas juste. Mais j'ai vu ce que l'argent pouvait faire aux gens par ici, s'excusa-t-il, les yeux dans le vague. La cupidité... ça leur fait perdre la tête.

— Alors, tu penses qu'il va le faire ?

Quelque chose brilla dans le regard du vieil homme tandis qu'il se tournait vers les vignes pleines de promesses.

— Ton père t'a déjà expliqué pourquoi cet endroit s'appelle la ferme Red Water[1] ?

— J'ai toujours cru que c'était à cause de la terre rouge dans la rivière.

— Je ne crois pas, fit Dolf en redémarrant.

— Où va-t-on ?

— Au rocher.

— Pourquoi ?

— Tu vas voir.

Le rocher était le point culminant de la propriété, un énorme affleurement de granit qui pourrait passer pour une petite montagne. La majeure partie du rocher était couverte de pentes boisées et abruptes mais le sommet était dénudé, la couche de terre étant trop fine pour qu'une végétation importante y pousse. Il dominait la rive nord de la Yadkin et constituait la partie la plus inaccessible de la ferme.

Dolf se remit à parler quand nous atteignîmes le pied du rocher, et il haussa la voix lorsque le pick-up entama en cahotant l'ascension vers le sommet.

— À une époque, cette région était le territoire des Indiens Sapona. Il y avait un village près d'ici. Probablement sur les terres de la ferme, bien qu'on n'ait jamais pu déterminer son emplacement. Comme la plupart des Indiens, les Sapona refusèrent d'abandonner leur terre. Leur ultime bataille s'est déroulée juste là, fit-il en désignant le sommet.

En sortant des bois, nous débouchâmes sur un plateau couvert d'herbe clairsemée. Côté nord, le granit formait une muraille de dix mètres de haut et d'environ quatre cents mètres de long. L'affleurement était criblé de fissures et de profondes crevasses. Dolf se gara au pied de la paroi et descendit de voiture. Je lui emboîtai le pas.

— Selon la meilleure estimation, ils devaient être dans les trois cents habitants et, à la fin, ils se sont tous réfugiés ici, femmes et enfants compris.

---

1. L'eau rouge.

Dolf s'accroupit sur le sol rocailleux et arracha un long brin d'herbe. Il se mit à le déchiqueter entre ses doigts en attendant que j'assimile ce qu'il était en train de me raconter. Puis il se leva et fit quelques pas le long de la muraille de pierre.

— C'est ici que ça s'est passé, reprit-il en désignant le pan de rocher. C'était le dernier point de repli. D'ici, on peut surveiller les alentours à plusieurs kilomètres à la ronde.

Il me montra une étroite brèche à la base du rocher. Je connaissais l'endroit pour avoir été souvent mis en garde par mon père, qui me défendait de m'en approcher. Ça avait l'air profond.

— Quand tout a été fini, poursuivit-il, ils ont jeté les corps là-dedans. Les hommes avaient été abattus, bien sûr, mais la plupart des femmes et des enfants étaient encore en vie. Ils les y ont jetés les premiers et ont entassé les morts par-dessus. La légende dit que tant de sang a coulé dans la nappe phréatique que l'eau des sources est restée rouge pendant des jours entiers après ça. Voilà d'où vient le nom.

Un frisson glacé me parcourut.

— Comment sais-tu cela ?

— Des archéologues de Washington ont fouillé la crevasse à la fin des années 1960. J'étais là et ton père aussi.

— Comment se fait-il que je n'en aie jamais entendu parler ?

— C'était une autre époque. Les gens n'y accordaient pas autant d'attention ; ça ne faisait pas la une des journaux. De plus, ton grand-père n'a autorisé les fouilles qu'à la condition que les archéologues restent discrets. Il ne voulait pas que des imbéciles aillent courir le risque de se briser le cou en cherchant des pointes de flèches un soir trop arrosé. Il doit bien y avoir un article ou deux là-dessus dans les archives. Peut-être à l'université de Chapel Hill ou quelque part à Washington, mais ça n'a jamais fait les gros titres. Aujourd'hui, ce serait différent.

— Pourquoi mon père ne m'en a jamais parlé ?

— Quand tu étais petit, il ne voulait pas t'effrayer. Il craignait que ces fantômes te hantent, que tu perdes ta foi en l'homme ou ce genre de choses. Puis, quand tu as été plus âgé, c'est Jamie et Miriam qui étaient trop jeunes. Avec le temps, j'imagine qu'il ne savait plus comment aborder le sujet. Ce n'est pas un secret, tu sais.

En m'approchant de la brèche, j'éraflai ma chaussure sur le granit coupant. Je me penchai mais j'étais trop loin pour distinguer quoi que ce fût.

— Qu'est-ce que cela a à voir avec mon père et la vente des terres ? demandai-je en me tournant vers Dolf.

— Ton père est comme les Sapona. De son point de vue, il y a des choses qui méritent qu'on tue... ou qu'on meure pour elles.

— Vraiment ?

— Il ne vendra jamais.

— Même si la ferme fait faillite à cause des vignes de Jamie ?

— On n'en arrivera pas là, rétorqua Dolf, visiblement mal à l'aise.

— Tu veux parier ?

Il ne daigna pas répondre. Je me rapprochai un peu plus de l'effroyable crevasse et y plongeai le regard : elle était profonde et hérissée d'arêtes dures et coupantes mais le soleil s'y frayait un chemin. Je crus voir quelque chose au fond.

— Qu'ont-ils fait des ossements, ces archéologues ?

— Ils les ont étiquetés et remontés à la surface. Ils sont rangés quelque part dans des boîtes, j'imagine.

— Tu en es sûr ?

— Oui, pourquoi ?

Je me penchai davantage et scrutai l'obscurité. À plat ventre sur la roche tiède, je passai la tête à l'intérieur et aperçus une courbe lisse et pâle surmontant un creux. Au-dessous, une rangée de petits objets blancs, telles des perles sur un fil. Enfin, je repérai un gros tas sombre – sans doute du tissu taché et moisi.

— Ça ressemble à quoi, d'après toi ? demandai-je.

Dolf vint s'allonger près de moi, observa pendant au moins une minute et tordit le nez – il sentait un léger relent de pourriture.

— Nom de Dieu ! lâcha-t-il.

— Tu as une corde dans ta voiture ?

Il roula sur le côté et les boutons pression de son jean raclèrent la pierre.

— Tu es sérieux ?

— À moins que tu n'aies une meilleure idée.

— Nom de Dieu, répéta-t-il avant de se lever et de marcher jusqu'au pick-up.

Je fixai la corde avec un nœud de cabestan et lançai une extrémité par-dessus le bord de la crevasse ; elle fouetta la pierre en tombant.

— Tu n'aurais pas une lampe de poche, par hasard ?

Dolf repartit en chercher une.

— Tu n'es pas obligé de faire ça, dit-il en me tendant la lampe.

— Je ne suis pas sûr de ce que je vois là-dessous. Toi oui ?

— Plutôt sûr.

— Certain ?

Il ne répondit rien. Je tournai donc le dos à la brèche et empoignai fermement la corde. Dolf agrippa mon épaule.

— Ne fais pas ça, Adam ! Tu n'es pas obligé.

— Ne me laisse pas tomber, le rassurai-je en souriant.

Il grommela quelque chose qui ressemblait à « foutue tête de mule ».

Me mettant à plat ventre, je basculai mes jambes par-dessus bord. Je pris appui sur mes pieds et confiai le reste de mon poids à la corde. Je croisai une dernière fois le regard de Dolf avant de plonger à l'intérieur, puis les lèvres de la crevasse se refermèrent sur moi.

L'air devint froid et pesant. J'entamai ma descente, franchissant progressivement les différentes strates de roche. Petit à petit, l'obscurité dévora la lumière chaude du monde extérieur. Brusquement, je ressentis leur présence : trois cents hommes et femmes, certains encore en vie lorsqu'on les avait jetés là. L'espace d'un instant, mon esprit s'égara et tout sembla réel – j'entendis nettement la pierre éclater sous les coups de feu, les hurlements des femmes qu'on poussait dans la crevasse pour économiser les munitions. Mais les événements s'étaient déroulés plusieurs siècles auparavant – aujourd'hui, la roche vibrait à peine.

Je dérapai, la corde gémit sous mon poids. Je m'écartai de la paroi, me sentis happé par le vide mais je poursuivis ma descente. Trois mètres plus bas, l'odeur me submergea. Je me forçai à respirer malgré la puanteur. Je braquai la lampe sur le cadavre et aperçus les os de jambes tordues. Je dirigeai le faisceau de ma lampe vers le haut du corps qui éclaira l'os arrondi d'un front – vu de haut, on aurait dit un bol retourné. Je distinguai les orbites creuses, des lambeaux de chair et des dents.

Mais il y avait autre chose.

En y regardant de plus près, je discernai de la toile de jean noircie et une chemise, qui avait dû être blanche et à laquelle l'humidité et la moisissure avaient donné une couleur aubergine. Je faillis vomir, mais pas à cause de l'odeur...

Des insectes. Des milliers d'insectes dansaient une danse macabre sous les restes de vêtements.

Quatre heures plus tard, sous un ciel bleu tendre, on hissa Danny Faith à la surface. L'entreprise ne fut pas une partie de plaisir. Une équipe descendit avec un sac mortuaire, et elle utilisa le treuil à l'arrière du véhicule du shérif, dont les grincements ne parvenaient pas à couvrir le bruit du sac en vinyle qui raclait la paroi, ni les coups des os heurtant la roche.

Trois personnes suivirent le corps jusqu'à la surface : Grantham, Robin et le médecin légiste. Ils portaient des masques mais paraissaient malgré tout aussi sombres et fragiles que du papier carbonisé. Robin refusa de croiser mon regard.

Personne à part moi ne pouvait affirmer avec certitude qu'il s'agissait de Danny. Mais c'était bien lui. La taille correspondait et les cheveux, roux et bouclés – pas si courants dans le comté de Rowan –, étaient reconnaissables.

Le shérif fit une apparition alors que le corps se trouvait encore dans la fosse. Il passa dix minutes à parler à ses équipes, puis à Dolf et à mon père. Leur antipathie était manifeste, tout comme leur méfiance. Il ne m'adressa la parole qu'une seule fois et, là encore, sa haine était palpable.

— Écoute-moi bien, petit con ! cracha-t-il. Je ne peux pas t'empêcher de revenir, mais ce qui est sûr, c'est que tu n'aurais jamais dû descendre là-dedans.

Puis il quitta aussitôt les lieux en homme qui avait accompli l'essentiel du boulot et qui avait dorénavant mieux à faire.

Je me surpris à frotter mes mains sur mes cuisses, comme si ce geste suffirait à me débarrasser de l'odeur et du souvenir de la roche humide. Je vis que mon père m'observait et enfonçai mes mains dans mes poches. Il avait l'air aussi stupéfait que moi et se rapprochait sensiblement chaque fois que Grantham arrivait avec une nouvelle question. Lorsque Danny fut transporté jusqu'aux voitures, nous quittâmes définitivement le rocher. Mon père et moi étions à moins de deux mètres l'un de l'autre et nos propres soucis nous paraissaient bien dérisoires au regard de cet encombrant sac noir qui refusait de s'aplatir à l'arrière du véhicule du shérif.

Mais, le corps ne pouvant pas rester là éternellement, les voitures s'éloignèrent et le calme revint. Nous restâmes alignés tous les trois devant la roche brisée, Dolf tenant son chapeau à la main.

La mort de Danny Faith remontait à trois semaines tout au plus mais pour moi, d'une certaine façon, c'était comme s'il avait ressuscité. Grace avait été attaquée, oui, mais Danny n'avait rien à voir avec ça. Je sentis la haine m'abandonner et laisser place à une sorte de soulagement doux-amer – des remords silencieux mêlés à un soupçon de honte.

— Je te ramène ? proposa mon père.

Je le regardai ; le vent agitait ses cheveux et son nez était enflé là où je l'avais frappé. J'aimais cet homme mais je ne voyais pas d'issue à nos problèmes. Pis : j'ignorais s'il me restait assez d'énergie pour en chercher une. Tout comme à lui, il m'en coûta de trouver les mots.

— Pourquoi, papa ? Y a-t-il quelque chose à ajouter ?

— Je ne veux pas que tu t'en ailles.

— Tu lui as dit ? demandai-je en me tournant vers Dolf.

— Je suis fatigué d'attendre que vous grandissiez, tous les deux, répondit-il. Il fallait que ton père se rende compte qu'il était à deux doigts de te perdre pour de bon. La vie est bien trop courte.

— C'est pour Grace que je reste, précisai-je à l'intention de mon père. Pas pour toi ou quoi que ce soit d'autre.

— Essayons au moins de ne pas nous battre. Mettons-nous d'accord là-dessus et voyons ce que l'avenir nous réserve.

Je réfléchis. Danny n'était plus. Et peut-être en effet restait-il des choses à dire. Dolf comprit et s'éloigna sans un mot.

— Retrouve-nous à la maison ! lui lança mon père. Je crois qu'on a tous besoin d'un verre.

Le moteur de Dolf toussa une fois avant de démarrer.

— Pas de bagarre, acquiesçai-je. Mais en ce qui me concerne, rien n'est résolu.

— D'accord, fit mon père. Tu penses vraiment que c'est Danny ?

— J'en suis sûr.

Nous fixâmes le trou noir pendant un long moment mais ce n'était pas à cause de la mort de Danny ou des questions qu'elle soulevait. Le fossé qui s'était creusé entre nous était plus profond que jamais et nous redoutions de l'affronter. Il était plus facile de contempler les ténèbres de la crevasse au pied du rocher... Lorsque mon père se décida à parler, ce fut pour évoquer le suicide de ma mère.

— Elle ne savait pas ce qu'elle faisait, Adam. Peu importait que ce soit toi ou moi. Elle avait choisi son heure pour des raisons que nous ne comprendrons jamais. Elle n'essayait pas de punir qui que ce soit. J'ai besoin de croire ça.

Je me sentis pâlir.

— Le moment me semble mal choisi pour parler de ça, murmurai-je.

— Adam...

— Pourquoi a-t-elle fait ça ?

La question m'avait échappé.

— La dépression nous pousse à faire des choses étranges. Ta mère s'était perdue elle-même.

— Tu aurais dû la faire aider.

— C'est ce que j'ai fait, se défendit-il. Elle voyait un thérapeute depuis presque un an mais ça ne l'a pas beaucoup aidée. Il m'a assuré qu'elle allait mieux une semaine avant qu'elle n'appuie sur la détente.

— Je ne savais pas.

— Tu n'étais pas censé savoir. Aucun enfant ne devrait subir tout ça. Un simple sourire demandait à ta mère toute son énergie... C'est pour ça que je n'ai jamais voulu t'envoyer chez un psy, soupira-t-il. Tu étais solide. Je pensais que tu finirais par t'en remettre.

— M'en remettre ? Tu plaisantes ? Elle l'a fait devant moi ! Tu m'as laissé seul dans la maison !

— Quelqu'un devait accompagner le corps.

— J'ai nettoyé sa cervelle sur le mur !

— C'était toi ? s'exclama-t-il, horrifié.

— J'avais huit ans !

Il sembla vaciller.

— Ç'a été un moment difficile.

— Pourquoi cette dépression ? Elle avait toujours été heureuse, je m'en souviens... Elle était pleine de joie de vivre et puis soudain elle s'est littéralement éteinte. J'aimerais savoir pourquoi.

Mon père fixa la crevasse. Je ne lui avais jamais vu une telle expression de souffrance.

— Oublie ça, mon fils, cela n'amènerait rien de bon.

— Papa...

— Laisse-la mourir, Adam. Ce qui compte maintenant, c'est toi et moi.

Je fermai les yeux et, lorsque je les rouvris, mon père se tenait devant moi. Comme l'autre fois dans son bureau, il posa ses mains sur mes épaules.

— Je t'ai appelé Adam parce que le jour où tu es né, j'étais convaincu de ne jamais pouvoir aimer quiconque autant que toi. C'est ce que le Seigneur a dû ressentir en voyant Adam. Tu es tout ce qui me reste de ta mère, tu es mon fils et tu le seras toujours.

En regardant ce vieil homme dans les yeux, quelque chose se brisa au fond de mon cœur.

— Dieu a chassé Adam. Il n'est jamais plus retourné au jardin d'Éden.

Sans attendre, je fis demi-tour et m'installai dans le pick-up.

— Et ce verre, alors ? demandai-je.

13.

Nous bûmes du bourbon dans le bureau. Dolf et mon père le prirent avec de l'eau et moi sec. En dépit de tout ce qui s'était passé, personne ne savait quoi dire. C'était trop. Grace, Danny, le choc de mon retour. Les ennuis semblaient nous guetter à chaque coin de rue et nous parlâmes peu, comme si les choses pouvaient encore empirer. C'était dans l'air et même Jamie, qui nous rejoignit dix minutes après que mon père eut servi le bourbon, reniflait comme s'il pouvait le sentir.

Après y avoir longuement réfléchi, je leur rapportai ce que m'avait révélé Robin à propos de Grace :

— Elle n'a pas été violée.

J'expliquai comment Grantham avait essayé de nous piéger. Mes mots pesaient si lourd que le sol sembla se dérober sous nos pieds. Le verre de mon père vola en éclats dans la cheminée. Dolf se couvrit le visage et Jamie se raidit.

Puis je leur parlai du message. « Dites au vieux de vendre. » Ces paroles happèrent tout l'air de la pièce.

— C'est intolérable ! éructa mon père. Tout ce foutu merdier ! Bon sang mais qu'est-ce qui se passe ici ?

Il n'existait pas de réponse. Pas pour l'instant. Je traversai ce silence douloureux et allai me servir un autre verre. Je m'en versai deux doigts et donnai une tape sur l'épaule de Jamie.

— Comment tu vas, Jamie ?

— Sers-m'en un autre, rétorqua-t-il.

J'étais en train de me rasseoir lorsque Miriam apparut à la porte.

— Robin Alexander est là. Elle veut parler à Adam.

— Nom de Dieu, moi aussi j'aimerais lui parler ! s'exclama mon père avec colère.

— Elle veut le voir dehors. Elle dit que c'est une affaire de police.

Nous retrouvâmes Robin dans la cour. Elle parut mécontente de nous trouver tous là. À une époque, pourtant, elle avait vraiment fait partie de cette famille.

— Robin, la saluai-je depuis la véranda.

— Je peux te parler en privé ? demanda-t-elle.

Mon père me devança :

— Quoi que tu veuilles dire à Adam, tu peux le faire devant nous. Et j'apprécierais que cette fois, tu nous dises la vérité.

Robin comprit que j'avais parlé ; je le vis à la façon dont elle nous observait.

— Ce serait plus facile si on en discutait juste tous les deux.

— Où est Grantham ? répliquai-je.

Elle fit un geste en direction de sa voiture et j'aperçus la silhouette d'un homme.

— Je pensais que ça irait mieux si je m'en chargeais, expliqua-t-elle.

Mon père s'avança assez près pour dominer Robin de toute sa hauteur.

— Quoi que tu aies à raconter concernant Grace Shepherd ou les événements qui ont eu lieu sur ma propriété, j'exige que tu le fasses en ma présence. Je te connais depuis longtemps et sache que tu me déçois. Tes parents auraient honte.

Elle ne cilla pas et se contenta de le fixer calmement.

— Mes parents sont morts depuis longtemps, monsieur Chase.

— Tu ferais aussi bien de me parler ici, intervins-je.

Personne ne bougea. Je me doutais bien du sujet qu'elle voulait aborder. Puis une portière claqua et Grantham apparut derrière Robin.

— Ça suffit maintenant ! intervint-il. On va régler ça au poste.

— Suis-je en état d'arrestation ? demandai-je.

— Je suis prêt à aller jusque-là, répliqua Grantham.

— Pour quel motif ? interrogea Dolf.

— Mais qu'est-ce qui se passe, bon Dieu ? l'interrompit mon père.

— Votre fils m'a menti, monsieur Chase. Je n'aime pas beaucoup les mensonges, et encore moins les menteurs. C'est de ça que je veux lui parler.

— Viens, Adam, reprit Robin. Allons au poste. Ce ne sont que quelques questions, ça ne prendra pas longtemps.

Je fis abstraction de tout le monde. Grantham disparut, ainsi que mon père. Une communication tacite s'installa entre Robin et moi.

— La voilà, la limite, l'avertis-je. C'est maintenant.

Sa détermination faiblit un instant puis se renforça.

— Monte dans la voiture, s'il te plaît.

Et ce fut tout. Mon cœur se brisa, le peu d'espoir qu'il me restait pour nous deux s'évanouit et je grimpai dans le véhicule. Je contemplai ma famille tandis que Grantham faisait demi-tour. Je lus le choc et la confusion sur ces visages qui, un peu plus tôt, étaient tous rassemblés autour de moi. Puis j'aperçus Janice, ma belle-mère. Elle s'avançait sous la véranda alors qu'un nuage de poussière s'élevait derrière nous.

Elle paraissait âgée, comme si ces cinq dernières années l'avaient fait vieillir de vingt ans. Elle leva une main pour protéger ses yeux du soleil et, même de loin, je vis à quel point elle tremblait.

14.

Ils m'emmenèrent en ville. Nous dépassâmes l'université et les boutiques qui l'entouraient. Nous remontâmes la rue principale avec ses cabinets d'avocats, son palais de justice et ses cafés. Nous passâmes devant la résidence de Robin : les gens prenaient l'air, leur ombre s'allongeant sous le ciel rose. Rien n'avait changé ces cinq dernières années, pas plus que les cent dernières. Certaines devantures de boutiques dataient du siècle passé ; des commerces étaient tenus par la même famille depuis cinq générations... Une autre chose ne changeait pas : Adam Chase était toujours soupçonné de crime.

— Vous ne voulez pas me dire de quoi il s'agit ? demandai-je.

— Je crois que vous le savez, répliqua Grantham.

Robin resta muette.

— Inspecteur Alexander ? insistai-je.

Elle serra les mâchoires.

Nous tournâmes dans une rue perpendiculaire qui menait à la voie ferrée. Le bureau de police de Salisbury était le deuxième immeuble sur la gauche – un bâtiment récent à deux étages avec des voitures sur le parking et des drapeaux en haut d'un mât. Grantham se gara. Ils me conduisirent à l'intérieur. Tout se passa de façon très cordiale : pas de menottes, pas de cellule. Grantham me tint même la porte.

— Je croyais que l'affaire relevait de la compétence du comté. Pourquoi n'allons-nous pas au bureau du shérif ?

Le bureau du shérif était de l'autre côté de la rue principale, au sous-sol de la prison.

— Nous avons pensé que tu préférerais éviter leurs salles d'interrogatoire à cause de... ta précédente expérience là-bas.

Elle parlait du meurtre de Gray Wilson. Ils m'avaient interrogé pendant des heures après que mon père eut découvert le corps du jeune homme les pieds dans l'eau, les chaussures coincées un peu plus loin sous une racine noire. Je ne sus jamais si Janice l'avait accompagné chez les flics. Je n'eus pas l'occasion de poser la question et je préférais penser qu'il avait été aussi surpris que moi en apercevant les menottes. Ils m'avaient transporté dans l'une des voitures marquées de l'insigne du shérif – griffures dans les sièges, empreintes de visage et traces de crachats séchés sur la vitre de séparation. Ils m'avaient conduit dans une pièce située sous la prison et interrogé durant de longues heures, pendant trois jours. J'avais beau nier, ils refusaient de m'écouter. Alors je n'avais plus prononcé un seul mot. Mais je me souvenais très bien du poids de tous ces étages au-dessus de nos têtes, de tout ce béton armé. Un millier de tonnes au moins, suffisamment pour faire suinter les murs d'humidité.

— C'est très aimable, dis-je, tout en me demandant si j'étais ironique.

— C'était mon idée.

Robin ne m'avait toujours pas regardé. Ils me firent entrer dans une salle meublée d'une table en métal et d'un miroir sans tain. Un autre bâtiment, certes. Mais l'impression était la même : une pièce petite et carrée, qui rétrécissait à vue d'œil. Je pris une grande inspiration : le même air, chaud et humide. Je m'installai sur le siège que Grantham m'indiqua. Je n'aimais pas son air mais supposai que c'était naturel dans la mesure où il était dans la position du flic, tournant le dos au côté miroir de la vitre sans tain. Robin était assise près de lui, les mains cramponnées à l'acier gris de sa chaise.

— Chaque chose en son temps, monsieur Chase. Vous n'êtes pas en garde à vue. Ceci n'est qu'un interrogatoire préliminaire.

— Je peux faire appel à un avocat ?

— Si vous pensez que vous avez besoin d'un avocat, je vous permettrai bien entendu d'en appeler un... Vous voulez un avocat ? demanda-t-il après une pause.

Je regardai Robin, l'inspecteur Alexander. La lumière vive accentuait les reflets dans ses cheveux ainsi que la dureté de son expression.

— Finissons-en avec cette situation grotesque, dis-je.

— Bien.

Grantham alluma un magnétophone et annonça la date, l'heure et le nom des personnes présentes. Puis il se renversa en arrière et se tut. Le silence s'installa ; j'attendis. Grantham finit par se pencher vers moi.

— La première fois que nous avons parlé, c'est à l'hôpital, la nuit où Grace Shepherd a été agressée. Vous confirmez ?

— Oui.

— Aviez-vous vu Mlle Shepherd plus tôt dans la journée ?

— Oui.

— Sur le ponton ?

— C'est exact.

— Vous l'avez embrassée ?

— C'est elle qui m'a embrassé.

— Puis elle est partie par le sentier en direction du sud ?

Je savais ce qu'il faisait : il mettait en place une trame de faits concordants. Il me préparait, m'y habituait en se répétant, en gardant le rythme, en me faisant acquiescer sur des éléments déjà établis, des points de détail. Un flic en train de tourner autour du pot.

— Est-ce qu'on peut en venir au fait ? m'impatientai-je.

Il pinça les lèvres lorsque je rompis le rythme et haussa les épaules.

— Très bien. Quand vous m'avez dit que Mlle Shepherd s'était enfuie, je vous ai demandé si vous l'aviez poursuivie et vous m'avez répondu que non.

— Est-ce une question ?

— Avez-vous poursuivi Mlle Shepherd après qu'elle s'est enfuie ?

Je regardai Robin. Elle paraissait petite sur sa chaise.

— Je n'ai pas agressé Grace Shepherd.

— Nous avons parlé avec chacun des ouvriers de la ferme de votre père. L'un d'eux est prêt à jurer qu'il vous a bien vu poursuivre Mlle Shepherd quand elle s'est enfuie. Il est formel. Elle est partie en courant et vous l'avez suivie. Je veux savoir pourquoi vous nous avez menti là-dessus.

La question ne me surprit pas. J'avais toujours su que quelqu'un avait pu être témoin de la scène.

— Je n'ai pas menti. Quand je vous ai raconté qu'elle s'était enfuie, vous m'avez demandé si je l'avais poursuivie et j'ai répondu qu'il ne s'agissait pas de ce genre de fuite. C'est votre propre interprétation.

— Je n'ai aucune patience pour les jeux de mots.

— Je n'étais pas satisfait de la manière dont notre conversation s'était terminée. Elle était dans tous ses états. Je voulais qu'on parle encore un peu. Je l'ai rattrapée à une trentaine de mètres, dans les bois.

— Pourquoi ne pas nous en avoir informés ? demanda Robin.

C'était sa première question. Je croisai son regard.

— Parce qu'alors vous m'auriez posé des questions sur notre conversation.

Je songeai aux derniers mots de Grace, à la manière dont elle tremblait dans l'ombre des branches basses.

— Et ça ne regarde personne, ajoutai-je.

— Mais je vous pose la question, intervint Grantham.

— C'est personnel.

— Vous m'avez menti ! s'emporta-t-il. Je veux savoir ce que vous vous êtes dit.

— Hors de question, articulai-je lentement, de façon à ce qu'il ne rate aucune syllabe.

Grantham se leva de son siège.

— Mlle Shepherd a été agressée à environ huit cents mètres de là où vous vous êtes rencontrés et vous nous avez menti sur vos faits et gestes à ce moment-là. Depuis que vous êtes de retour, vous avez expédié deux hommes à l'hôpital, vous avez été impliqué de manière indirecte dans un incendie criminel, un laboratoire de méthamphétamine, et une fusillade. Nous venons tout juste de découvrir un cadavre sur les terres de votre père, un corps que, comme par hasard, *vous* avez découvert. De telles choses ne se produisent pas si souvent dans le comté de Rowan. Prétendre que vous m'intriguez serait un vaste euphémisme, monsieur Chase.

— Vous avez déclaré que je n'étais pas en garde à vue... C'est vrai ?

— C'est exact.

— Alors voici ma réponse.

Je lui fis un doigt d'honneur. Grantham se rassit.

— Qu'est-ce que vous faites à New York, monsieur Chase ?

— Ce ne sont pas vos affaires.

— Si je contactais les autorités à New York, que m'apprendraient-elles sur vous ?

Je détournai le regard.

— Qu'est-ce qui vous amène dans le comté de Rowan après tout ce temps ?

— Ce ne sont pas vos affaires. Considérez que ceci est ma réponse à toutes les questions que vous me poserez. À l'exception de « Pouvons-nous vous appeler un taxi ? »

— Vous ne vous rendez pas service, monsieur Chase.

— Vous devriez être en train d'enquêter sur les gens qui veulent que mon père vende, sur ceux qui le menacent. C'est de cela qu'il s'agit, nom de Dieu ! Je peux savoir pourquoi vous perdez votre temps avec moi ?

Grantham lança un regard à Robin et une expression de surprise passa sur son visage.

— Je ne savais pas que vous étiez au courant de ça, s'étonna-t-il.

— C'est moi qui lui en ai parlé, expliqua Robin avec empressement. J'ai pensé qu'ils avaient le droit de savoir.

Grantham fusilla Robin de ses yeux clairs ; sa colère était palpable. En me révélant ce détail, elle avait dépassé les bornes ; mais elle ne cilla pas et garda la tête haute. Il reporta son attention sur moi mais je devinais qu'il n'en avait pas fini avec elle.

— Dois-je supposer que tout le monde détient cette information à l'heure qu'il est ? demanda-t-il.

— Supposez ce que vous voulez, répondis-je.

Nous nous défiâmes jusqu'à ce que Robin rompe le silence. Elle parla doucement.

— S'il y a autre chose que tu veuilles nous dire, Adam, c'est le moment.

Je songeai aux motifs de mon retour, aux paroles de Grace, puis à Robin et à la passion que nous avions connue encore si peu de temps auparavant – son visage au-dessus du mien dans la pénombre, le mensonge dans sa voix quand elle m'avait affirmé que tout ça ne signifiait rien. Puis je revis la ferme et le moment où elle m'avait demandé de bien vouloir monter dans la voiture, la façon dont elle avait tiré un trait sur notre passé en revêtant son habit de flic.

— Mon père avait raison, remarquai-je en me levant. Tu devrais avoir honte.

— Adam...

Mais je quittai la pièce et me rendis à l'hôpital. Je me faufilai devant le bureau des infirmières et gagnai la chambre de Grace. Je ne devais pas me trouver là mais, parfois, il arrive simplement qu'on sache exactement où est notre place. Je me glissai donc dans sa chambre et approchai une chaise de son lit. Lorsque je pris sa main, Grace ouvrit les yeux et me rendit mon étreinte. Je l'embrassai sur le front, lui expliquai que j'allais rester pour la nuit. Quand elle s'endormit, le sommeil avait déposé sur son visage un voile de réconfort.

15.

Je me réveillai à 5 heures et perçus une lueur dans son regard. Grace me sourit mais il était évident qu'elle souffrait.

— Ne te fatigue pas, dis-je en m'approchant.

Une larme perla au coin de son œil.

— Ne sois pas triste.

Elle secoua la tête et parla d'une voix rauque.

— Je ne suis pas triste. Je croyais que j'étais seule.

— Non...

— Je pleurais parce que j'avais peur. Je n'ai jamais eu peur d'être seule, ajouta-t-elle en se raidissant sous les draps.

— Grace...

— Et pourtant j'ai peur, Adam.

Je me redressai et passai un bras autour de ses épaules. Elle sentait l'antiseptique, le détergent et la panique. Les muscles de son dos se contractèrent sous mes mains, des muscles longs et fermes ; ses bras possédaient une force qui me surprit. Elle paraissait si petite sous les draps.

— Je vais bien, dit-elle finalement.

— Tu es sûre ?

— Oui.

— Est-ce que tu as besoin de quelque chose ? insistai-je en me rasseyant.

— Parle-moi.

— Est-ce que tu te souviens de ce qui s'est passé ?

Sa tête remua sur l'oreiller.

— Seulement de quelqu'un qui a surgi de derrière un arbre et de quelque chose qui m'a frappée au visage – une planche, une matraque... un objet en bois en tout cas. Je me souviens d'être tombée dans des buissons et de m'être retrouvée par terre, d'une silhouette penchée sur moi et d'un genre de masque. Et puis encore ce truc en bois qui se remettait à frapper.

Elle leva les bras comme pour protéger son visage et je remarquai les contusions sur ses avant-bras – les blessures provoquées par ses gestes de défense.

— Autre chose ?

— Je me souviens vaguement que Dolf m'a transportée jusqu'à la maison, de son visage dans la lumière de la véranda, de sa voix. J'avais froid. Puis de quelques minutes à l'hôpital. Et de toi, ici même.

Sa voix s'éteignit ; je savais à quoi elle pensait.

— Dis-moi quelque chose de bon, Adam.

— C'est fini.

— Ça, ce n'est que l'absence du mauvais.

Que pouvais-je lui dire ? Qu'avais-je moi-même vécu de bon depuis mon retour ?

— Je suis là pour toi, quoi qu'il arrive.

— Parle-moi d'autre chose... N'importe quoi.

J'hésitai.

— J'ai vu un cerf ce matin.

— Et c'est bien ?

Je l'avais eu en tête toute la journée. Les cerfs blancs sont rares, exceptionnels, même. Quelle était la probabilité d'en voir deux dans une vie ? Et de voir deux fois le même ?

— Je ne sais pas, avouai-je.

— J'en voyais un immense avant, reprit Grace. C'était après le procès. Je le voyais le soir, sur la pelouse.

— Il était blanc ?

— Blanc ?

— Peu importe.

Je me sentais soudain désemparé, comme si j'étais retourné quelques années en arrière.

— Merci d'être venue au procès, ajoutai-je.

Elle avait été là tous les jours. Une enfant vêtue de clair, la peau dorée par le soleil. Mon père avait commencé par lui interdire de venir. Ce n'était pas convenable, avait-il décrété. Alors elle était venue à pied. Vingt kilomètres. Après ça, il avait cédé.

— Comment aurais-je pu ne pas venir ? répondit-elle simplement tandis que ses larmes se remettaient à couler. Dis-moi autre chose de bon.

— Tu as tellement grandi, dis-je finalement. Tu es magnifique.

— Comme si ça faisait une différence pour toi, fit-elle d'une voix sombre.

Je compris qu'elle pensait à ce qui s'était passé entre nous à la rivière. J'entendais encore ses paroles. *Je ne suis pas aussi jeune que tu le crois.*

— Tu m'as pris au dépourvu, c'est tout, expliquai-je.

— Les garçons sont tellement stupides.

— Je suis un adulte, Grace.

— Et je ne suis plus une enfant, répliqua-t-elle sur un ton aussi tranchant qu'une lame.

— C'est juste que je n'étais pas préparé à ça.

Elle roula sur le côté et me tourna le dos. Je compris alors à quel point je m'y étais mal pris.

Elle venait à peine d'atteindre les bois quand je réalisai qu'il me fallait la rattraper. Elle occupait un recoin secret de mon âme que j'avais appris à ignorer. Un endroit fermé à double tour. Pourquoi ? Parce que je l'avais abandonnée. Sachant à quel point mon absence serait douloureuse, j'étais parti très loin et je lui avais écrit.

Des mots vides de sens.

Aujourd'hui j'étais là, et elle souffrait.

Alors je me mis à courir derrière elle. Pendant quelques secondes, elle continua de courir. Les plantes de ses pieds dansaient devant mes yeux, roses, brunes, puis rouge sombre lorsqu'elle atteignit la terre humide. Subitement, elle s'arrêta. La rive sembla s'éloigner et, l'espace d'un instant, elle parut vouloir s'élancer vers la rivière, comme si elle s'apprêtait à prendre son élan pour plonger. Mais elle n'en fit rien et, rapidement, elle perdit son expression d'animal traqué.

— Qu'est-ce que tu veux ? demanda-t-elle.

— Que tu ne me détestes pas.

— Très bien. Je ne te déteste pas.

— Je veux que tu le penses.

Elle éclata de rire et j'en fus blessé. Aussi quand elle fit mine de repartir posai-je une main sur son épaule ferme et chaude. Elle se figea puis, brusquement, elle se pressa contre moi comme pour me posséder. Ses mains se nouèrent derrière ma nuque et elle m'embrassa avec force, son corps ondulant contre le mien. Son maillot de bain encore mouillé imprégna mes vêtements.

Lorsque je m'écartai, je lus sur son visage un mélange de provocation et de quelque chose d'indéfinissable.

— Je ne suis pas aussi jeune que tu le crois.

— Ce n'est pas une question d'âge, répliquai-je, à nouveau pris de court.

— Si je t'aimais suffisamment, je savais que tu finirais par revenir.

— Tu ne m'aimes pas, Grace. Pas comme ça.

— Je t'ai toujours aimé, mais je n'ai jamais eu le courage de te le dire. Aujourd'hui, je n'ai plus peur. Je n'ai plus peur de rien.

— Grace...

— Je peux te le prouver, Adam, murmura-t-elle en baissant les mains vers ma ceinture.

Je les saisis fermement et les repoussai. Tout allait de travers. Ses mots, son expression tandis qu'elle prenait lentement conscience de mon rejet... Elle fit une dernière tentative et je l'arrêtai. Elle recula en titubant et je vis ses traits se décomposer. Elle leva le bras et partit en courant, la plante des pieds aussi rouge que si elle avait couru sur des morceaux de verre brisé.

Sa voix était si faible que je l'entendis à peine.

— Tu l'as dit à quelqu'un ? demanda-t-elle.

— Bien sûr que non.

— Tu penses que je suis une idiote.

— Grace, je t'aime plus que tout au monde. Quant à la forme de cet amour, quelle importance ?

— Je crois que je suis prête à rester seule maintenant.

— Ne le prends pas comme ça, Grace.

— Je suis fatiguée. Reviens me voir plus tard.

Je me levai et voulus la serrer une dernière fois dans mes bras mais elle était recroquevillée sur elle-même. Je me contentai donc de lui tapoter le bras, à un endroit vierge de toute contusion, pansement et autre perfusion.

— Repose-toi, lui dis-je, et elle ferma les yeux.

Je lui jetai un dernier coup d'œil depuis le couloir. Elle fixait le plafond, les mains crispées sur les draps.

Je marchai dans la lumière diffuse d'une nouvelle aube. Je n'avais pas de voiture mais il y avait un restaurant pas trop loin qui ouvrait à 6 heures. Alors que j'attendais devant, plusieurs voitures se garèrent à proximité. Puis une porte en métal claqua contre le mur et quelqu'un donna un coup de pied dans une bouteille qui roula bruyamment sur le béton. Des lumières s'allumèrent et des doigts boudinés retournèrent la pancarte FERMÉ du côté OUVERT.

Je choisis une banquette près de la fenêtre et attendis que l'odeur du café se répande. Au bout d'une minute, la serveuse s'approcha et son sourire mécanique s'évanouit aussitôt.

Elle se souvenait de moi.

Elle nota ma commande tandis que mes yeux fixaient le motif écossais de sa chemise en polyester. C'était plus facile comme ça, pour elle comme pour moi. Le vieux aux doigts boudinés me reconnut aussi. Il échangèrent quelques mots à voix basse près de la caisse et je compris que, même après cinq ans, « accusé » avait le même sens que « coupable ».

L'endroit se remplit pendant que je mangeais : cols bleus, cols blancs, un peu de tout. La plupart savaient qui j'étais, mais aucun ne m'adressa la parole. Je me demandai si ces réactions étaient à mettre sur le compte de l'entêtement de mon père ou si tous étaient convaincus que j'étais un monstre. J'allumai mon portable. Robin avait essayé de m'appeler trois fois.

La serveuse approcha en traînant les pieds et s'arrêta aussi loin qu'elle put sans que ce soit trop flagrant.

— Autre chose ? demanda-t-elle.

— Non.

— Votre note, ajouta-t-elle en la déposant au bord de la table.

Elle utilisa son majeur pour la pousser vers moi.

— Merci, dis-je en feignant d'ignorer sa grossièreté.

— Pas de quoi.

Je restai encore un peu, sirotai le reste de mon café en regardant par la fenêtre. Une voiture de police se garait le long du trottoir. George Tallman en descendit. Il inséra quelques pièces dans un distributeur de journaux, puis leva les yeux et m'aperçut à travers la vitre. Je lui fis un signe, qu'il me rendit après avoir passé un coup de fil depuis son téléphone portable. Une fois dans le restaurant, il se glissa sur la banquette en face de moi et posa son journal sur la table.

— Tu appelais qui ? demandai-je en serrant la main qu'il me tendait.

— Ton père. Il m'a fait promettre d'ouvrir l'œil.

Il leva le bras pour attirer l'attention de la serveuse et commanda un solide petit déjeuner. Puis il désigna ma tasse vide.

— Encore du café ?

— Volontiers.

— Encore du café, alors, fit-il à la serveuse qui leva les yeux au ciel.

J'étudiai son uniforme, une combinaison bleu marine couverte de broderies dorées et de métal clinquant. Puis, regardant par la fenêtre, j'aperçus un grand chien assis bien droit sur le siège arrière de sa voiture.

— Tu fais aussi partie de la brigade canine ?

— Les gamins adorent ce chien, répondit-il avec un sourire en coin. Je l'emmène avec moi de temps en temps.

On apporta son petit déjeuner.

— Tu t'entends bien avec mon père, alors ? demandai-je.

George découpa ses pancakes en carrés réguliers et reposa soigneusement ses couverts du côté propre de l'assiette.

— Tu connais mon histoire, Adam. Je suis parti de rien. Un père qui ne payait jamais sa pension, une mère par intermittence... Je ne serai jamais riche ou influent mais M. Chase ne m'a jamais pris de haut. Il n'a jamais laissé entendre que je n'étais pas assez bien pour sa fille. Je ferais n'importe quoi pour ton père. J'aime autant que tu le saches.

— Et Miriam ?

— Les gens pensent que je suis avec elle pour l'argent.

— On n'échappe jamais aux questions d'argent.

— On ne choisit pas qui on aime.

— Tu l'aimes vraiment, alors ?

— Je l'aime depuis le lycée, peut-être même avant. Je ferais n'importe quoi pour elle. Et elle a besoin de moi, ajouta-t-il avec une soudaine conviction dans le regard. Personne n'a jamais eu besoin de moi auparavant.

— Je suis content que tout se passe bien.

— Ne te méprends pas, tout ne se passe pas bien. Miriam... eh bien, c'est une femme fragile. Aussi fragile et magnifique que de la porcelaine de Chine.

Il fit semblant d'attraper entre deux gros doigts l'anse d'une minuscule tasse.

— Je dois me montrer très doux.

Il posa la tasse imaginaire sur la table et leva les mains en écartant les doigts.

— Mais j'aime ça ! ajouta-t-il en souriant.

— Je suis heureux pour toi.

— Ta belle-mère a mis du temps à approuver notre relation.

Il parla à voix si basse que j'eus du mal à distinguer ses derniers mots.

— Elle me voit comme l'abeille ouvrière d'une ruche.

— Comment ça ?

— Elle a dit à Miriam qu'on pouvait sortir avec les ouvrières mais pas se marier avec elles.

Je bus une gorgée de mon café et George reprit sa fourchette. Il parut réfléchir.

— Et toi, tu approuves ? demanda-t-il.

— Tu plaisantes ?

Il secoua la tête et j'eus de la peine pour lui. Je reposai
ma tasse.

— Je n'ai pas à avoir d'opinion là-dessus, George. Je suis
parti depuis longtemps, alors que j'étais soupçonné de
meurtre. Tu es flic, nom de Dieu !

— Miriam est contente que tu sois de retour.

— Tu n'as aucune idée de ce que Miriam ressent pour
moi.

— Alors disons qu'elle est partagée.

— Ce n'est pas la même chose, soulignai-je, et George
parut embarrassé.

— Je t'ai toujours admiré, Adam. Ton approbation signi-
fierait beaucoup pour moi.

— Alors, que Dieu vous bénisse.

Il me tendit sa main et je la serrai.

— Merci, Adam, fit-il, ravi.

Il se concentra à nouveau sur son petit déjeuner et je le
regardai engloutir la nourriture.

— Du nouveau sur Zebulon Faith ? demandai-je.

— Il se planque, on dirait. Mais il refera surface. On le
recherche.

— Et Danny ? Qu'est-ce que tu en penses ?

— J'aimerais vraiment pas finir dans un trou pareil mais
je ne suis pas surpris.

— Pourquoi ?

George essuya une goutte de sirop d'érable sur son menton et s'adossa à la banquette.

— Je sais que vous étiez très proches, tous les deux, alors
ne le prends pas mal.

— C'était aussi ton ami.

— Dans le temps, peut-être. Mais Danny est devenu
un vrai frimeur après ton départ. Tout à coup, un tas de
femmes se sont mises à lui courir après. C'était le mec le
plus cool de la ville. Difficile de ne pas le trouver antipa-

thique. Les choses ont changé encore plus quand je suis devenu flic. Danny prétendait que j'étais une petite frappe. Il a conseillé à Miriam de ne pas sortir avec moi.

— J'imagine qu'il gardait le souvenir d'un autre George Tallman.

— Qu'il aille se faire foutre, alors ! Voilà ce que j'en dis.

— Il est mort, George. Raconte-moi plutôt pourquoi cela ne te surprend pas ?

— Danny aimait les femmes – mariées ou célibataires – et elles le lui rendaient bien. Il y a certainement quelques maris furieux qui auraient bien aimé lui casser la gueule. Et Danny était un joueur. Pas du genre à faire un poker le mercredi soir, plutôt un vrai accro. Bookmakers, dettes et compagnie. Il les aura toutes faites. Mais tu devrais plutôt en parler à ton frère.

— Jamie ?

— Ouais, Jamie, répondit George avec une moue dégoûtée.

— Pourquoi ? Jamie ne touche plus aux jeux d'argent depuis des années.

— Tu ferais peut-être mieux de lui demander, continua George d'un ton hésitant.

— Tu ne veux pas m'en dire davantage ?

— Écoute, je ne sais pas ce qui s'est passé avec Jamie avant ton départ. Je n'ai rien à voir avec ça. Tout ce que je sais, c'est ce que je vois maintenant. Jamie essaie de marcher dans les pas de Danny mais le problème, c'est qu'il n'a pas la moitié de son charme et encore moins son talent aux cartes. Alors oui, Jamie joue. Beaucoup d'argent, à ce que j'entends. Mais on a déjà assez de problèmes tous les deux. Parle-lui, si tu veux, mais ne mentionne pas mon nom.

Un pick-up rouillé vint se garer sur le parking et trois hommes en sortirent, bottes de ferme crottées aux pieds et casquette graisseuse sur la tête. Ils s'installèrent au comptoir et firent leur choix sur des menus écornés. L'un d'eux me dévisagea et prit une mine dégoûtée, comme s'il s'apprêtait à cracher par terre.

— J'ai cru comprendre que ce n'était pas l'entente cordiale entre Robin et toi, poursuivis-je.

— Je sais que vous avez une longue histoire tous les deux mais je n'aime pas mâcher mes mots, alors je vais te parler franchement. Elle prend les choses trop à cœur. Genre « superflic », tu vois ?

— Et elle ne t'aime pas ?

— Je ne suis pas difficile, Adam. Je suis fier de porter l'uniforme. J'aime bosser avec les mômes et me balader avec le chien. Je ne suis pas difficile. Alexander, elle, elle veut arrêter des criminels.

Je fis semblant de paraître indifférent.

— Elle a changé, remarquai-je.

— Ça, tu peux le dire.

Au comptoir, tous les visages étaient maintenant tournés vers moi avec l'air de vouloir me flanquer une raclée. Je les comprenais : Gray Wilson avait été très apprécié. Je fis un geste vers le groupe et George suivit ma main des yeux.

— Tu vois ça ? demandai-je.

Il les regarda. Je fus impressionné par sa force de caractère, par le flic qui sommeillait en lui. Il soutint leur regard jusqu'à ce qu'ils détournent les yeux.

— Les gens sont des imbéciles, s'excusa-t-il.

J'entendis un klaxon à l'extérieur et aperçus un pick-up qui s'arrêtait au milieu du parking. C'était Jamie. Il klaxonna à nouveau.

— Ton chauffeur, lança George.

— Je suppose qu'il ne va pas entrer.

Je me levai et laissai quelques billets sur la table.

— Content de t'avoir revu, George.

George agita la main à l'attention de Jamie.

— Souviens-toi : je ne veux pas d'autres problèmes avec ton frère. On sera bientôt de la même famille.

— Pas de souci.

— Merci.

— Juste une question, George...

— Oui ?

— Ces bookmakers dont tu parlais, ce sont des gros poissons ? Je veux dire, assez gros pour descendre un type qui leur devrait de l'argent ?

— Je suppose que ça dépend du montant de la dette, répondit-il en s'essuyant la bouche.

Je partis sans me retourner. Dehors, le jour s'était levé sur un ciel si bleu, si profond qu'il en paraissait irréel. Dans le pick-up, Jamie avait l'air pâle et enflé, et des cernes soulignaient ses yeux. Une bouteille de bière était calée entre ses jambes. Il remarqua mon regard.

— Je ne bois pas si tôt, au cas où tu te poserais la question. En fait, je ne me suis pas encore couché.

— Tu veux que je conduise ?

— Ouais, bonne idée.

Nous échangeâmes nos places. Je rapprochai légèrement le siège conducteur du volant et une autre bouteille vide roula à mes pieds ; je la balançai sur la banquette arrière. Jamie se passa une main sur le visage et inspecta son reflet dans le miroir de courtoisie.

— J'ai vraiment une sale tête.

— Tu es sûr que ça va ?

— Tirons-nous d'ici, fit-il en jetant un coup d'œil à George à travers le pare-brise.

Je démarrai et m'engageai dans la circulation peu abondante du matin. Je sentis qu'il m'observait.

— Vas-y.

— Quoi ?

— Pose-moi la question.

— Qu'est-ce qui se passe, bordel ? osa-t-il finalement. Adam, qu'est-ce que les flics te voulaient ?

— J'imagine que le sujet a fait le tour de la maison.

— Ça, tu peux le dire, frangin. Ce n'est pas comme si on avait oublié la dernière fois où les flics t'ont emmené. Papa n'a pas arrêté de répéter à tout le monde de se calmer mais ça n'a pas été facile. Je te dis ça comme ça. On est tous assez secoués.

Je l'avais vu venir, alors je lui racontai, sans perdre mon sang-froid. Jamie parut sceptique.

— De quoi vous avez parlé avec Grace qui soit si secret ?

— Ça ne te regarde pas, dis-je en détournant le regard.

Il croisa les bras, visiblement furieux.

— C'est pour ça que tu as passé la nuit à boire ? demandai-je. Tu as des doutes au sujet de ton frère, une fois de plus ?

— Non.

— Alors quoi ?

— C'est à cause de Danny, surtout. C'était un type bien, tu sais. Je le croyais encore sur une plage en Floride à se la couler douce. Et pendant tout ce temps, il était en train de pourrir dans ce trou.

Il éclusa sa bière.

— Ne me mens pas, Jamie.

— Je ne mens pas, se défendit-il à nouveau, mais c'était faux – je ne relevai pas.

— Danny s'est disputé avec sa petite amie et il l'a frappée, repris-je. C'est pour ça qu'il est parti en Floride. Tu sais quelque chose ? Qui était la fille ?

— Aucune idée. Il en avait plusieurs.

— Et les jeux d'argent ? insistai-je tout en l'étudiant. Tu crois que ça pourrait y être pour quelque chose ? Peut-être qu'il devait de l'argent à des types auxquels il vaut mieux ne pas se frotter.

— Tu es au courant, alors ? s'étonna Jamie, plutôt embarrassé.

— Jusqu'à quel point était-il capable de s'endetter ?

— Beaucoup parfois, mais pas toujours. Tu sais comment c'est… Un jour tu gagnes, un jour tu perds. La chance tourne vite, mais il se débrouillait pour ne pas se retrouver à sec.

Il eut un rire nerveux.

— Tu as une idée de qui prenait ses paris ?

— Comment je le saurais ? demanda-t-il, soudain méfiant.

Je voulais le pousser à m'en dire plus mais je me ravisai et nous restâmes silencieux. Nous quittâmes la ville, passâmes au-dessus d'une crique et nous nous engageâmes sur les routes désertes. Je voyais bien que mes questions l'avaient contrarié. Il s'enfonça davantage dans son siège, la mâchoire serrée, et lorsqu'il parla à nouveau, ce fut sans me regarder.

— Je ne le pensais pas, tu sais.

— Quoi donc ?

— Quand j'ai dit que je me la ferais bien, je ne le pensais pas.

Il parlait de Grace.

— Et ton télescope au troisième étage ?

— Elle a parlé de ça ? Merde ! Miriam m'a surpris une fois en train de regarder Grace avec des jumelles – une seule fois, d'accord ? Et puis merde, ce n'est pas un crime ! Elle est sexy, et je ne faisais que regarder, s'emporta-t-il avant de tressaillir, comme s'il venait juste de penser à quelque chose. Est-ce que les flics sont au courant ?

— Je ne sais pas mais je suis sûr qu'ils interrogeront Grace. Pour autant que je sache, elle n'a aucune raison de te faire des cadeaux.

— Merde…

— Oui, tu l'as déjà dit.

— Gare-toi.

— Quoi ?

— Gare cette putain de bagnole !

Je ralentis, me rangeai sur le bas-côté et coupai le moteur. Jamie se redressa sur son siège et me fit face.

— Tu veux qu'on y aille ?

— Quoi ?

— Tu veux qu'on règle ça une bonne fois pour toutes ? C'est peut-être ce qu'on devrait faire.

— Tu es soûl, rétorquai-je en soutenant son regard.

— Ça fait cinq ans que je te défends. Les gens disent du mal de toi, ils prétendent que tu es un putain d'assassin et moi je leur réponds de fermer leur gueule. J'ai toujours été de ton côté. C'est comme ça entre frères. Alors maintenant, je n'ai vraiment pas besoin de ces petites manigances soi-disant innocentes. Je ne suis pas dupe, tu sais. Tu tournes autour du pot depuis tout à l'heure. Quoi que tu aies sur le cœur, crache le morceau ! Tu crois que je suis pour quelque chose dans ce qui est arrivé à Grace, c'est ça ? Ou à Danny ? Tu voudrais revenir ici comme si rien ne s'était passé, comme si rien n'avait changé ? Tu veux reprendre la ferme ? C'est ça ? Dis-le !

Il était sur la défensive et je savais pourquoi. Son problème avec le jeu n'avait rien de neuf, et mes questions sur Danny l'avaient perturbé. Parfois, je détestais avoir raison.

— Combien tu as perdu ?

C'était du bluff mais j'étais tombé dans le mille, il se raidit et je compris.

— Papa t'a encore couvert, c'est ça ? Combien, cette fois ?

Il se ratatina à nouveau. Il paraissait soudain très jeune et effrayé. Il avait touché le fond une fois pendant sa dernière année de lycée. Il s'était frotté à un bookmaker de Charlotte et s'était retrouvé lourdement endetté après avoir parié sur un match de football. Le moteur cliquait en refroidissant.

— Un peu plus de trente mille, avoua-t-il.

— Un peu plus ?

— OK, cinquante mille.

— Nom de Dieu, Jamie !

Il se renfonça un peu plus dans son siège, vidé de toute animosité.

— Encore du foot ?

— J'étais certain que les Panthères allaient prendre le dessus mais ça a mal tourné. Ce n'était pas censé se passer comme ça.

— Et papa t'a couvert.

— C'était il y a trois ans, Adam. Je n'ai pas rejoué depuis, affirma-t-il en levant la main.

— Mais Danny, oui.

Jamie acquiesça.

— Tu veux toujours te battre ? demandai-je.

— Non.

— Alors ne fais pas le con avec moi, Jamie. Tu n'es pas le seul à avoir passé une mauvaise nuit, lançai-je en redémarrant. Je veux le nom de ce bookmaker.

— Il y en a plusieurs, répondit Jamie d'une petite voix.

— Je les veux tous.

— Je te les trouverai. Ils sont notés quelque part.

Nous restâmes silencieux durant plusieurs kilomètres, jusqu'à ce que nous passions devant une petite épicerie.

— Tu peux t'arrêter là ? demanda Jamie. J'en ai pour une minute.

Je me garai devant la boutique et Jamie en ressortit avec un pack de six.

16.

Arrivé sur les terres de la ferme, je pris la direction de la maison de Dolf. Des voitures étaient garées dans la cour et Janice se tenait devant l'entrée. Je m'arrêtai au milieu de la route.

— Qu'est-ce qui se passe ? demandai-je.

Jamie haussa les épaules.

— Tu descends ?

— Je ne suis pas si soûl, fit Jamie.

Je sortis tandis que Jamie se glissait sur le siège conducteur. Je posai une main sur le rebord de la vitre.

— Je me suis trompé sur Danny, reconnus-je. Maintenant qu'il est mort, les flics vont sûrement creuser un peu cette histoire de bookmakers. Il y a peut-être quelque chose de ce côté.

— Les flics ?

— Je veux ces noms.

— Je les trouverai, promit-il avant de saluer sa mère de la main et de faire demi-tour.

Je choisis le chemin le plus long. Janice me regarda approcher. Elle était jeune lorsqu'elle avait épousé mon père et, aujourd'hui, elle n'avait pas encore cinquante ans. Elle était assise seule devant la porte et affichait une mine défaite. Elle avait perdu du poids. Ses cheveux, autrefois souples et brillants, étaient devenus secs et jaunes. Ses pommettes saillantes lui donnaient une mine austère. Elle se leva lorsque j'atteignis les premières marches. Je marchai jusqu'à elle.

— Adam.

Elle trouva le courage de faire un pas vers moi. À une époque, elle aurait effleuré ma joue de ses fines lèvres. Désormais, elle était aussi froide qu'une terre hostile.

— Tu es rentré, fit-elle.

— Janice.

J'avais imaginé ce moment un millier de fois. Nous deux, parlant pour la première fois depuis mon acquittement. Parfois, j'avais rêvé qu'elle s'excusait. D'autres fois, elle me frappait ou hurlait. La réalité était bien différente. C'était embarrassant et nerveusement éprouvant. Janice s'efforçait de se maîtriser et paraissait sur le point de faire demi-tour. Je ne trouvai rien à dire.

— Où est papa ?

— Il m'a demandé de t'attendre ici. Il pensait que ça pourrait nous aider à reprendre contact.

— Je ne pensais pas que tu souhaitais un quelconque contact avec moi.

— J'aime ton père, déclara-t-elle, impassible.

— Mais pas moi ?

Pour le meilleur et pour le pire, nous avions fait partie de la même famille pendant près de vingt ans. Je ne pus dissimuler mon amertume et, l'espace d'un instant, une ombre de tristesse passa sur son visage. Cela ne dura pas.

— Tu as été acquitté, reprit-elle avant de se rasseoir. Ce qui, logiquement, fait de moi une menteuse. Ton père nous a clairement fait comprendre qu'il ne voulait plus entendre parler de tout ça. J'ai choisi de satisfaire à ses désirs.

— J'ai du mal à y croire.

Un éclair de sévérité passa dans ses yeux.

— Cela signifie que je vais respirer le même air que toi et tenir ma langue. Cela signifie que je vais tolérer, dans ma maison, la présence d'un menteur et d'un assassin. Ne te fais pas d'illusions.

Elle soutint mon regard un long moment, puis piocha une cigarette dans un paquet posé sur la table. Elle l'alluma d'une main tremblante et souffla la fumée de côté.

— Tu diras à ton papa que j'ai été polie.

Je lui lançai un dernier regard et entrai. Dolf m'accueillit et, du pouce, je lui désignai la porte derrière moi.

— Janice, expliquai-je.

— Je crois qu'elle n'a plus fermé l'œil depuis que tu es revenu, dit-il en hochant la tête.

— Elle n'a pas l'air en forme.

— Elle a accusé de meurtre le fils de son mari. Tu n'imagines pas l'enfer que ces deux-là ont traversé.

Ses mots me frappèrent. Pendant tout ce temps, jamais je n'avais mesuré les répercussions que le procès avait pu avoir sur leur couple.

— Ton père l'a mise en garde. Il l'a prévenue que leur mariage serait sérieusement menacé si elle faisait quoi que ce soit qui t'empêcherait de te sentir bienvenu.

— J'imagine qu'elle a essayé. Qu'est-ce qui se passe là-dedans ? demandai-je en indiquant l'intérieur de la maison.

— Viens.

Je suivis Dolf jusqu'au salon. Mon père était là, au côté d'un homme que je n'avais jamais vu – la soixantaine, les cheveux blancs, vêtu d'un costume de bonne coupe. Les deux hommes se levèrent à notre entrée. Mon père me tendit la main ; j'hésitai avant de la serrer. Je devais bien admettre qu'il faisait de son mieux.

— Adam, content de te revoir. Tout va bien ? Nous sommes allés au bureau du shérif mais impossible de te trouver.

— Tout va bien. J'ai passé la nuit près de Grace.

— Ils nous ont pourtant dit que... peu importe. Je suis content qu'elle ait pu t'avoir avec elle. Voici Parks Templeton, mon avocat.

Nous échangeâmes une poignée de main et il acquiesça, comme si quelque chose d'important venait d'être décidé.

— Ravi de vous rencontrer, Adam. Je suis désolé de ne pas être arrivé à temps au poste de police la nuit dernière. Votre père m'a appelé immédiatement après que vous êtes parti avec l'inspecteur Grantham mais il y a une heure de route depuis Charlotte, et je suis allé au bureau du shérif. Je pensais vous trouver là-bas.

— Ils m'ont emmené au poste de police de Salisbury. À cause de ce qui s'est passé il y a cinq ans.

— Je crains que ce ne soit pas tout à fait vrai.

— Je ne comprends pas.

— Si je ne pouvais pas vous trouver, cela leur laissait plus de temps pour parler seul à seul avec vous. Cela ne me surprend pas.

Je repensai à la salle d'interrogatoire, aux premiers mots de Robin. *C'était mon idée.*

— Ils savaient que vous viendriez ?

— Moi ou quelqu'un d'autre. J'ai eu votre père au téléphone avant même que vous ne quittiez la propriété.

— Je n'ai pas besoin d'avocat.

— Ne sois pas ridicule, rétorqua mon père. Bien sûr que tu en as besoin. Et puis il est aussi là pour la famille.

— On a retrouvé un corps sur les terres de la propriété, Adam, intervint Parks. On l'a découvert à un endroit très peu fréquenté que peu de personnes connaissent. Ils vont enquêter sur tout le monde, et pas qu'un peu. Certaines personnes pourraient tenter de profiter de la situation pour faire pression sur votre père.

— Vous le croyez vraiment ?

— On parle d'une énorme installation nucléaire. En plus, il y a des élections cette année. Les enjeux vont bien au-delà de ce que vous imaginez...

— Tu exagères, Parks, interrompit mon père.

— Tu crois ? Les menaces ont été assez explicites... Jusqu'à hier, ce n'étaient que de simples menaces. Puis Grace Shepherd a été agressée. Ensuite, un homme est mort et aucun de nous ne sait pourquoi. Faire l'autruche ne réglera rien.

— Je refuse d'admettre que la corruption soit aussi répandue dans ce comté que ce que tu voudrais nous faire croire.

— Ce n'est pas seulement le comté, Jacob. C'est aussi Charlotte, Raleigh, Washington... Aucun événement de cette ampleur ne s'est produit depuis des décennies.

Mon père balaya d'un geste le commentaire. Dolf éleva la voix.

— C'est pour ça que tu as appelé Parks, n'est-ce pas ? Pour douter de tout à ta place ?

— Il va y avoir une enquête, reprit Parks. Et ce n'est que le début. La situation risque de s'échauffer, il va y avoir des journalistes partout...

— Des journalistes ? m'étonnai-je.

— Deux d'entre eux se sont déjà présentés à la maison, expliqua mon père. Voilà pourquoi nous sommes ici.

— Tu devrais demander à quelqu'un de garder l'entrée de la propriété, suggérai-je.

— C'est vrai, acquiesça Parks. Un Blanc, pas un saisonnier. Quelqu'un qui présente bien et qui sait se montrer poli mais ferme. Si tout ça doit passer aux infos, je veux qu'on voie l'image de l'Amérique moyenne.

— Mon Dieu..., soupira Dolf, écœuré.

— Si la police ou n'importe qui d'autre désire parler de quoi que ce soit, envoyez-les-moi. C'est pour ça que je suis là – c'est pour ça que vous me payez.

— Fais-le, conseilla mon père à l'intention de Dolf.

Parks saisit une chaise près de la fenêtre et s'assit face à moi.

— Bon, maintenant racontez-moi la nuit dernière. Je veux savoir ce qu'ils vous ont demandé et les informations que vous leur avez données.

Je m'exécutai et les autres écoutèrent. Il me posa des questions sur l'épisode de la rivière, sur Grace. Il voulait savoir ce que nous nous étions dit. Je lui donnai la même réponse qu'à Grantham et Robin :

— Ça ne vous apportera rien !

— C'est à moi d'en juger, répliqua-t-il, attendant que je poursuive.

Ce n'était pas grand-chose et je le savais, mais ça l'était pour Grace alors je me contentai de regarder par la fenêtre.

— Tu ne nous aides pas beaucoup, soupira l'avocat.

Je haussai les épaules.

Je partis en voiture acheter un petit cadeau pour Grace mais changeai d'avis avant même d'avoir atteint les limites de la ville. Danny ne l'avait pas agressée, j'avais fini par accepter cette idée. Cela signifiait que le coupable courait toujours. Ce pouvait être Zebulon Faith, ou peut-être pas. Mais ce n'était pas en faisant du shopping que j'y verrais plus clair.

Je songeai à la femme du canoë bleu. Elle s'était trouvée en compagnie de Grace quelques minutes seulement avant l'agression. Peut-être avait-elle vu quelque chose... Comment s'appelait-elle déjà ?

Sarah Yates.

Je m'arrêtai près de la première cabine téléphonique que je rencontrai. Quelqu'un avait déchiré la couverture du bottin et de nombreuses pages avaient été arrachées mais je trouvai la liste des Yates. Ils occupaient moins d'une page. Je parcourus les colonnes à la recherche d'une Sarah Yates. En vain. Je lus les noms une seconde fois, plus lentement. Il y avait une Margaret Sarah Yates dans la deuxième colonne. Je n'avais aucune intention de l'appeler.

Je me rendis jusqu'au quartier historique et me garai à l'ombre d'un arbre centenaire. La maison était toute en colonnes, volets noirs et glycines aux troncs gros comme le poignet. La porte, blindée par deux siècles de peinture au plomb, était ornée d'un heurtoir en cuivre représentant une tête de cygne. Lorsqu'elle s'ouvrit, on aurait dit que c'était le mur tout entier qui s'effaçait devant moi – l'ouverture mesurait au moins trois mètres cinquante de haut. La femme qui se tenait devant moi était plus proche du mètre cinquante. Une odeur d'écorce d'orange séchée me chatouilla les narines.

— Puis-je vous aider ?

L'âge avait voûté son dos mais ses traits étaient encore volontaires. Des yeux sombres me jaugèrent sous un maquillage léger et des cheveux blancs fixés par de la laque. Soixante-quinze ans, évaluai-je. D'apparence soignée, un tailleur, des diamants aux oreilles et au cou. Derrière elle, un tapis en soie ancien se fondait dans un riche décor.

— Bonjour, madame. Je m'appelle Adam Chase.

— Je sais qui vous êtes, monsieur Chase. J'admire ce que fait votre père pour protéger cette ville de la cupidité et de l'étroitesse d'esprit. Nous avons besoin d'hommes comme lui.

L'espace d'un instant, sa franchise me décontenança. Peu de femmes auraient osé s'adresser ainsi à un étranger qu'on avait un jour accusé de meurtre.

— Excusez-moi de vous déranger mais j'essaie de contacter une certaine Sarah Yates. Je pensais qu'elle habitait peut-être ici.

Son visage perdit soudain toute chaleur. Les yeux sombres se durcirent, les lèvres se crispèrent. Elle posa une main sur la porte.

— Il n'y a personne ici de ce nom-là.

— Votre nom, pourtant...

— Je m'appelle Margaret Yates.

Elle marqua une pause et ses paupières battirent légèrement.

— Sarah est ma fille.

— Savez-vous...

— Je n'ai pas parlé à Sarah depuis plus de vingt ans.

Elle fit mine de refermer la porte.

— Madame, je vous en prie, savez-vous où je peux trouver Sarah ? C'est important.

— Que lui voulez-vous ?

— Quelqu'un qui m'est cher a été agressé. Il est possible que Sarah ait vu quelque chose susceptible de m'aider à trouver le coupable.

Mme Yates réfléchit, puis agita vaguement la main.

— La dernière fois que j'ai entendu parler d'elle, elle habitait dans le comté de Davidson, de l'autre côté de la rivière.

C'était littéralement à portée de flèche de la ferme Red Water, sur l'autre rive, mais le comté de Davidson était immense.

— Vous n'avez vraiment aucune idée de son adresse exacte ? insistai-je. C'est très important.

— Si ce seuil était le centre de l'univers, monsieur Chase, alors Sarah s'en éloignerait le plus possible, jusqu'à l'endroit le plus reculé qu'elle puisse trouver, ajouta-t-elle.

— Un message à lui transmettre ? Enfin, si je la trouve.

Son corps frêle s'affaissa et l'émotion qui passa sur son visage fut aussi légère et furtive qu'un battement d'ailes de papillon. Puis son dos se raidit. De petites veines bleues gonflèrent sous sa peau parcheminée et les mots fusèrent aussi secs et brûlants qu'un incendie de brousse :

— Dites-lui qu'il n'est jamais trop tard pour se repentir.

Elle avança vers moi et je fus forcé de me retirer. Elle me suivit jusqu'à la sortie, le doigt tendu et les yeux soudain fiévreux.

— Dites-lui de supplier notre Seigneur Jésus-Christ de lui accorder son pardon !

Je descendis les marches.

— Dites-lui que l'Enfer est éternel !

Submergée par un trouble mystérieux, elle brandit un doigt vers mon œil droit et sa voix s'enflamma une dernière fois avant de s'éteindre.

— Dites-lui !

Puis elle retourna vers la porte massive. Lorsque cette gueule béante l'avala, elle avait subitement vieilli.

Je continuai mon chemin le long d'allées ombragées, laissant les maisons cossues derrière moi. Le gazon épais se transforma en mauvaises herbes terreuses tandis que je rejoignais les quartiers pauvres. Les maisons se firent moins hautes, plus étroites et plus décrépies. Passé ces quartiers, je me retrouvai sur de longues routes filant à travers la campagne. Je franchis le pont menant au comté de Davidson. Je distinguai les eaux lentes et brunâtres de la Yadkin, un homme en train de siroter une bière sur la berge et deux gamins aux lèvres barbouillées de noir qui cueillaient des myrtilles.

Je m'arrêtai dans une boutique de pêche, repérai une Sarah Yates dans le bottin et entrepris de localiser son adresse. La route coupait une bande de forêt, puis elle se poursuivait en une ligne droite qui descendait jusqu'à la rivière. Je traversai la forêt et aperçus un bus sous un chêne noueux, reposant sur des blocs de béton. La carrosserie mauve pâle était décorée sur les côtés de fleurs décolorées. Juste devant, six hectares de terrain avaient été dégagés et mis en culture.

Je descendis de voiture.

Le bus bougea en même temps que quelqu'un à l'intérieur. Un homme en sortit et fit quelque pas sur la terre nue. Il avait la soixantaine, portait un jean effrangé, des gros souliers aux lacets défaits. Il était mince, avait la peau tannée par le soleil avec des poils gris sur son torse nu et de petites mains calleuses aux ongles sales. De longs cheveux gris – humides ou gras – encadraient son visage bronzé.

— Salut, mec. Qu'est-ce qui se passe ? lança-t-il, un large sourire aux lèvres.

Il s'avança vers moi. Une odeur de marijuana flottait autour de lui.

— Adam Chase, me présentai-je en tendant la main.

— Ken Miller.

Nous échangeâmes une poignée de main. De près, l'odeur était plus forte : une odeur de terre, de sueur et d'herbe. Il avait les yeux rouges et des dents jaunes et larges, parfaitement alignées. Ses yeux allèrent de la voiture jusqu'à moi. Il venait de voir le mot gravé sur le capot, qu'il désigna.

— Pas de chance, mec !

— Je cherche Sarah Yates. Est-ce qu'elle est là ? demandai-je en montrant le bus.

Il éclata de rire.

— Hé, mec !

Son rire s'accentua. Il leva une main et, de l'autre, il se tint l'estomac.

— Tu te plantes, mec ! Sarah habite là-bas, dans la grande maison !

Il se ressaisit et pointa un doigt en direction d'une autre bande de forêt.

— Elle me laisse vivre ici, tu vois. Je m'occupe du jardin, je lui donne un coup de main de temps en temps. Elle me paie un peu et me laisse squatter ici.

Je jetai un coup d'œil au vaste carré de verdure.

— C'est beaucoup de boulot juste pour pouvoir dormir dans un bus...

— Non, c'est cool : pas de téléphone, pas d'emmerde-ments... La belle vie ! Mais si je suis là, c'est plutôt pour apprendre.

Je l'interrogeai du regard.

— Sarah est herboriste, expliqua-t-il.

— Elle est quoi ?

— Guérisseuse, si tu préfères.

Il agita la main en direction du champ et plus précisé-ment d'une longue rangée de plantes.

— Pissenlits, camomille, thym, sauge, herbe à chat...

— Je vois.

— La médecine holistique, tu vois.

Du doigt, j'indiquai l'autre côté de la clairière, un espace dégagé entre les arbres.

— Par là ?

— La grande maison. Tout droit.

Il s'agissait en fait d'une maison d'environ cent quarante mètres carrés, tout en rondins, couverte d'un toit de tôle verte aux angles rouillés. Les rondins avaient viré au gris et semblaient avoir été étanchéisés avec l'argile de la rivière. Je me garai derrière un fourgon dont le pare-brise arrière arborait un autocollant GODDESS BLESS.

Des ombres envahissaient le porche et je frissonnai en avançant jusqu'à la porte. Je frappai même si je doutais que Sarah fût chez elle. Le chalet semblait désert et aucun canoë n'était arrimé au ponton. J'observai les abords de la rivière en essayant de me faire une idée plus précise de l'endroit où je me trouvais. Deux ou trois kilomètres quelque part au nord de la ferme, probablement. Je marchai jusqu'au pon-ton.

J'y découvris un fauteuil roulant, qui me parut totale-ment déplacé. Je m'assis et attendis. Vingt minutes plus tard, elle surgit dans le virage au nord et dériva légèrement dans le courant avant de redresser son canoë d'un ferme coup de pagaie.

Je me levai et j'eus une nouvelle fois l'impression de la connaître. Sarah était une belle femme, avec un regard franc. Arrivée à quelques mètres de moi, elle ne me quitta plus des yeux, même lorsque le canoë vint se ranger le long du ponton.

J'attrapai la corde qu'elle tenait dans ses mains et l'enroulai autour d'un taquet. Elle posa sa pagaie et m'examina.

— Bonjour, Adam, lança-t-elle.

— Est-ce que je vous connais ?

— Non, répondit-elle en souriant avant d'agiter la main. Et maintenant pousse-toi.

En s'aidant de ses mains, elle se hissa sur le bord du ponton où elle s'assit. Ses jambes étaient repliées sous son corps, maigres et sans vie dans un jean délavé qui, par endroits, avait pris la couleur du sable. J'aperçus des plis de peau autour des chevilles.

— Est-ce que je peux vous aider ? proposai-je.

— Bien sûr que non !

La colère qui vibra dans sa voix me rappela sa mère. Elle recula en poussant sur ses bras. Elle traîna ses jambes inertes et, saisissant les accoudoirs du fauteuil roulant, elle se hissa sur le siège. Elle se pencha pour redresser une de ses jambes et me fusilla du regard.

— Tu n'es pas obligé de m'observer, jeune homme.

— Pardonnez-moi, dis-je en détournant les yeux à la recherche de quelque chose digne d'intérêt de l'autre côté de la rivière.

Je l'entendais derrière moi, en train d'installer ses jambes et ses pieds.

— Il n'y a pas de mal, tu sais. Je ne vois pas beaucoup de monde. J'ai tendance à oublier qu'il y a quelque chose à regarder.

— Vous manœuvrez le canoë mieux que beaucoup de gens.

— C'est mon seul véritable exercice. Voilà. C'est mieux.

Je me retournai. Elle était bien assise dans son fauteuil.

— Allons à la maison.

Ses mains agrippèrent les roues et elle partit sans attendre. Elle grimpa la pente en appliquant aux roues de grandes poussées énergiques et puissantes. Arrivée au chalet, elle le contourna.

— La rampe est derrière, expliqua-t-elle.

Une fois à l'intérieur, Sarah ouvrit le réfrigérateur et en sortit un pichet.

— Du thé ?

— Volontiers.

Tandis qu'elle s'acquittait de la tâche avec une remarquable économie de mouvements – les verres dans un meuble bas, les glaçons dans un congélateur à part –, je promenai mon regard dans la maison. Une vaste pièce centrale, dominée par une cheminée en pierres brunes et irrégulières qui provenaient probablement du terrain défriché derrière les arbres. L'endroit était propre et d'un ameublement spartiate. Elle me tendit un verre.

— Je ne supporte pas le sucre, précisa-t-elle.

— Ça me va très bien.

Elle roula jusqu'à l'entrée.

— Est-ce que tu as rencontré Ken Miller en venant ici ? questionna-t-elle par-dessus son épaule.

Je la suivis dehors et attrapai une chaise.

— Un homme intéressant, répondis-je en sirotant mon thé amer, sans sucre.

— À une époque, il gagnait plus d'argent que ce que tu pourrais imaginer. Des sommes à six zéros en moins d'un an, parfois. Et puis quelque chose a changé. Il a tout donné à ses enfants et m'a demandé s'il pouvait habiter ici quelque temps. C'était il y a six ans. Le canoë était son idée.

— Plutôt inhabituel comme lieu de vie.

— Il était là quand j'ai acheté le terrain. J'y ai moi-même vécu avant de faire construire le chalet.

Elle attrapa un joint dans la poche de sa chemise, l'alluma avec un briquet bon marché, aspira une grande bouffée et laissa la fumée flotter autour de ses lèvres pâles. Elle me le tendit mais je refusai.

— Comme tu veux, dit-elle.

Sarah aspira une série de petites bouffées et serra la mâchoire avant de souffler. Elle se cala plus profondément dans son fauteuil et se mit à contempler le monde alentour avec un air satisfait.

— Alors, vous connaissez Grace ? demandai-je.

— Une fille bien. On discute de temps en temps.

— Vous lui vendez de l'herbe ?

— Mon Dieu, non. Jamais je ne vendrais d'herbe à cette fille. Jamais de la vie !

Elle prit une autre bouffée. Lorsqu'elle se remit à parler, son timbre se voila.

— Je la lui donne, termina-t-elle avec un sourire. Oh, ne prends pas cet air si grave. Elle est assez grande pour savoir ce qu'elle fait.

— On l'a agressée l'autre jour, vous savez. Juste après votre dernière rencontre.

— Agressée ?

— Violemment battue. Ça s'est passé à environ huit cents mètres du ponton. J'espérais que vous auriez vu quelque chose. Un homme dans une barque. Ou sur le sentier. N'importe quoi de ce genre.

Son sourire s'évanouit brusquement.

— Est-ce qu'elle va bien ?

— Ça va aller mieux. Elle est à l'hôpital.

— Je suis partie vers le nord. Je n'ai rien vu d'inhabituel.

— Est-ce que Ken Miller sait qui elle est ?

— Oui.

— Vous le connaissez bien ?

— Il est inoffensif.

Elle tira une dernière fois sur son joint mais, lorsque la fumée quitta ses poumons, elle emporta avec elle une bonne partie de sa vitalité.

— Jolie voiture, murmura-t-elle.

Sarah était ailleurs – la voiture se trouvait seulement dans son champ de vision.

— Comment me connaissez-vous ? demandai-je.

Elle croisa mon regard sans répondre.

— Dis-moi plutôt comment tu m'as trouvé, répliqua-t-elle.

— Votre mère m'a dit que vous habitiez peut-être dans le coin.

— Ah ! lâcha-t-elle d'un ton alourdi par la mémoire d'un passé douloureux.

— Comment me connaissez-vous, Sarah ? insistai-je en déplaçant ma chaise de façon à lui faire face.

Mais elle planait, les yeux brillants et vides. Elle contemplait quelque chose que je ne pouvais voir et ses pensées dérivaient.

— Il y a en ce monde des choses dont je ne parle pas, souffla-t-elle. Des promesses, des promesses...

Elle écrasa le joint et le laissa tomber sur le plancher poussiéreux. Ses paupières s'abaissèrent légèrement mais une étincelle de vie animait encore ses pâles iris verts, un éclair de sagesse, quelque chose de si farouche que je ne pus m'empêcher de m'interroger sur ce qu'elle voyait. Du doigt, elle me fit signe d'approcher. Elle saisit mon visage entre ses mains et m'embrassa sur la bouche. Ses lèvres étaient douces, entrouvertes, elles avaient le goût du joint qu'elle venait de fumer. Ce baiser n'était ni chaste ni vraiment charnel. Ses mains retombèrent et elle me sourit avec tant de mélancolie qu'un profond sentiment de perte me submergea.

— Tu étais un garçon si charmant, murmura-t-elle.

17.

Sarah me quitta sans rien ajouter, elle poussa son fauteuil à l'intérieur et referma la porte. Je montai dans ma voiture, franchis à nouveau la bande de forêt et pensai à la mère de Sarah et à son message, que je n'avais pas transmis. Leur famille n'était plus que cendres et avec le temps, les liens du sang s'étaient distendus jusqu'à n'être plus rien. Peut-être était-ce pour cela que, songeant aux liens précieux parfois réduits à néant, je me sentis proche d'elles.

Je ralentis alors que Ken Miller, émergeant de l'ombre, me faisait signe de m'arrêter. Il s'accouda à ma fenêtre.

— Tout va bien ? s'enquit-il. Elle a besoin de quelque chose ?

Il affichait un air indifférent mais je savais que son expression pouvait être trompeuse. Les gens vous montrent généralement ce que vous avez envie de voir.

— Vous connaissez Grace Shepherd ? demandai-je.

— Je sais qui elle est. Sarah en parle, quelquefois.

— Elle a été agressée ; elle a failli mourir. Vous êtes au courant ?

Sa réaction fut spontanée.

— Je suis désolé. Elle a l'air d'être une fille bien.

Il semblait sincère.

— Il se peut que la police vienne interroger Sarah.

Un éclair d'inquiétude passa sur son visage et il jeta un coup d'œil sur sa gauche, vers le bus mauve. C'était sans doute là qu'il planquait ses provisions.

— J'ai pensé que vous apprécieriez de le savoir.

— Merci.

De retour à Salisbury, j'allumai mon téléphone portable, qui sonna presque immédiatement. C'était Robin.

— Je ne suis pas sûr d'avoir envie de te parler, dis-je.

— Ne sois pas stupide, Adam. Tu nous as menti. Il fallait qu'on te pose ces questions. Et il valait mieux que je sois là.

— Tu m'as dit que c'était dans mon intérêt si vous m'aviez emmené au Poste de police de Salisbury au lieu du Bureau du shérif. Tu le pensais ?

— Bien sûr. Pour quelle autre raison, autrement ?

Elle parlait avec franchise et je me détendis un peu.

— Je suis dans une situation délicate, Adam. Tu dois comprendre que j'essaie de faire ce qui est juste.

— Qu'est-ce que tu veux ?

— Où es-tu ?

— En voiture.

— Je dois te voir. Ça ne prendra qu'une minute.

J'hésitai.

— S'il te plaît.

Nous nous retrouvâmes sur le parking d'une église baptiste. À côté du clocher, aiguille blanche à l'assaut du ciel bleu, nous paraissions minuscules. Elle alla droit au but.

— Je comprends que tu sois en colère. L'interrogatoire aurait pu mieux se passer.

— En effet.

Son ton se durcit soudain.

— Tu as choisi de nous induire en erreur, Adam, alors ne joue pas les gardiens de la morale. En tant que flic, j'ai des responsabilités.

— Tu n'aurais jamais dû être mêlée à ça.

— Laisse-moi t'expliquer une chose. Tu m'as quittée, compris ? Tu... m'as... quittée. Tout ce qui me restait, c'était mon boulot. Pendant cinq ans, je n'avais rien d'autre, et je me suis donné un mal de chien. Tu sais combien de femmes ont réussi à devenir inspecteur ces dix dernières années ? Trois seulement, et je suis la plus jeune de toute l'histoire du Poste. Tu n'es rentré que depuis quelques jours, tu comprends ? Je suis ce que je suis parce que tu m'as quittée. C'est ma vie... Je ne vais pas la mettre en veilleuse juste en claquant des doigts. Et d'ailleurs, ce n'est pas ce que tu attends de moi. Car c'est *toi* qui m'as faite telle que je suis.

Elle était sur la défensive. Je réfléchis à ce qu'elle venait de dire.

— Tu as raison, reconnus-je. C'est juste que rien ne va comme ça le devrait.

— Ça pourrait s'arranger.

— Comment ?

— Grantham veut me retirer l'affaire. Il est furieux.

Un grand corbeau alla se percher au sommet du clocher. Il ouvrit ses ailes puis s'immobilisa.

— C'est parce que tu m'as dit la vérité pour Grace ?

— Il soutient que je suis partiale vis-à-vis de toi et de ta famille.

— La vie devient bien compliquée...

— Et j'ai l'intention de la compliquer encore plus. J'ai fait mon enquête. Grace avait un petit ami.

— Qui ?

— Personne n'a pu me donner son nom. La fille à qui j'ai parlé ne savait presque rien. Pour une raison quelconque, Grace gardait le secret. Mais il y avait un problème. Quelque chose qui la contrariait.

— Qui t'a raconté ça ?

— Charlotte Preston. Elle était dans la classe de Grace. Elle travaille au drugstore maintenant.

— Tu as interrogé Grace à ce sujet ?

— Elle nie tout en bloc.

— Et la bague de Danny ? Et le message ? Ces pistes ne confirment pas vraiment la théorie du petit ami frustré.

— Je suis certaine que Grantham y travaille.

— Pourquoi tu me parles de ça ?

— Parce que je suis en colère, moi aussi. Parce qu'il s'agit de toi et parce que je ne sais vraiment plus où j'en suis.

— Autre chose ?

— Le corps est celui de Danny Faith. Les empreintes dentaires le confirment.

— J'en étais sûr.

— Tu savais qu'il avait appelé chez toi ? demanda-t-elle en surveillant ma réaction. Cela apparaît dans le registre de ses appels. On vient juste de l'obtenir. Tu lui as parlé ?

Elle voulait que je réponde par la négative. Cela m'accusait trop clairement et de son point de vue, il n'y avait aucune explication possible. Ça tombait très mal. J'hésitai et Robin le remarqua. Aussitôt, le flic reprit le dessus.

— Je lui ai parlé il y a trois semaines, avouai-je.

— Selon l'autopsie, la mort de Danny remonte à environ trois semaines.

— Oui, je sais. Bizarre.

— De quoi avez-vous parlé, Adam ? Qu'est-ce qui se passe, bon sang ?

— Il voulait que je lui rende un service.

— Quel service ?

— Il voulait que je revienne et qu'on en parle. Je lui ai répondu que je ne reviendrais pas et il s'est énervé.

— Qu'est-ce qui t'a décidé, alors ?

— C'est personnel, fis-je, et je le pensais sincèrement.

Je voulais retrouver ma vie, et cela incluait Robin. Mais elle ne me facilitait pas la tâche. Elle était flic avant tout et, même si je le comprenais, j'avais du mal à l'accepter.

— Parle-moi, Adam.

— Robin, j'apprécie ce que tu as fait mais je ne sais pas très bien où nous en sommes. Jusqu'à ce que j'en sois sûr, j'agirai de la manière qui me semblera la plus juste.

— Adam...

— Grace a été agressée, Danny assassiné et tous les flics du comté ont les yeux braqués sur moi et sur ma famille. Qu'est-ce qui est à mettre sur le compte de ce qui s'est passé il y a cinq ans ? Je l'ignore. Mais il y a une chose dont je suis certain : je ferai tout pour protéger les gens que j'aime. Je connais encore cette ville et tous ses habitants. Si les flics n'ont pas l'intention d'aller chercher au-delà de la ferme Red Water, il va bien falloir que je le fasse moi-même.

— Tu commettrais une erreur.

— J'ai déjà été banni une fois. Je refuse que ça se reproduise. Pour moi ou quiconque de la famille.

Mon téléphone sonna. C'était Jamie, en pleine crise de panique.

— Les flics ! haleta-t-il.

— Quoi, les flics ?

— Ils sont en train de fouiller la maison de Dolf !

Je dévisageai Robin tandis que Jamie hurlait dans mon oreille.

— C'est une putain de descente, mec !

Lentement, je coupai mon téléphone sans quitter Robin des yeux.

— Grantham est en train de fouiller la maison de Dolf, annonçai-je avec du dégoût dans la voix. Tu étais au courant ?

— Oui, fit-elle calmement.

— Et c'est pour cette raison que tu m'as appelé ? Pour que Grantham puisse faire son sale boulot en mon absence ?

— Je pensais qu'il valait mieux que tu ne sois pas là pendant la perquisition. Donc oui.

— Pourquoi ?

— Il ne sortirait rien de bon d'un nouvel affrontement entre toi et Grantham.

— Donc, tu m'as menti pour me protéger de moi-même ? Pas pour aider Grantham ?

— Parfois, on peut faire d'une pierre deux coups, répliqua-t-elle en haussant les épaules, sans manifester le moindre remords.

Je m'approchai d'elle. Elle parut très petite.

— Parfois peut-être. N'empêche… tu ne pourras pas éternellement jouer un double jeu. Un jour, tu vas devoir choisir ce qui est le plus important à tes yeux. Ton boulot ou moi.

— Tu as peut-être raison, Adam. Mais, comme je te l'ai dit, c'est toi qui m'as quittée, et aujourd'hui mon boulot est toute ma vie. Cette vie je la connais, je sais que je peux lui faire confiance. J'aurai sans doute un choix à faire un de ces jours mais là, je n'y suis pas prête.

Ses traits refusaient de s'adoucir. Je soupirai et fis demi-tour. J'avais envie de taper dans quelque chose.

— Bon Dieu, Robin, mais qu'est-ce qu'ils cherchent ?

— Danny a été tué par un .38. Le seul revolver enregistré chez quelqu'un de la ferme est celui de Dolf Shepherd. Un .38 justement. Voilà ce que cherche Grantham.

— Alors j'ai un problème.

— Quel problème ?

— Ce pistolet est couvert de mes empreintes, expliquai-je après quelques secondes d'hésitation.

Robin m'étudia pendant un long moment. Elle eut la délicatesse de ne pas me demander pourquoi.

— Tes empreintes sont dans le fichier central. Ça ne prendra pas longtemps.

J'ouvris la porte de ma voiture.

— Où vas-tu ?

— Chez Dolf.

— Je te suis, fit Robin en se dirigeant vers la sienne.

— Et Grantham ?

— Je ne travaille pas pour Grantham, rétorqua-t-elle.

Quatre voitures bloquaient la route. Je me garai donc dans un champ et terminai à pied. Robin trébucha derrière moi sur les barres en acier de la grille à bétail. De la boue sèche s'effrita sous mes pieds. Comme je ne voyais pas Grantham, je supposai qu'il se trouvait à l'intérieur. Un adjoint en uniforme montait la garde devant l'entrée de la maison et un autre près des voitures. La porte était maintenue ouverte par un fauteuil à bascule calé contre le mur. Dolf, mon père et Jamie se tenaient côte à côte près du pick-up de Dolf. Les deux premiers paraissaient furieux, et Jamie, qui se rongeait les ongles, m'adressa un signe de tête. Je cherchai des yeux Parks Templeton et le repérai dans sa luxueuse voiture. Il avait un téléphone portable collé à l'oreille et une jambe qui se balançait par la portière ouverte de la voiture. En nous apercevant Robin et moi, il raccrocha, incrédule. Nous rejoignîmes mon père en même temps.

Parks pointa un doigt accusateur sur Robin.

— Dites-moi que vous ne lui avez pas parlé.

— Je sais ce que je fais.

— Non, vous ne le savez pas.

— Si on discutait une minute ? suggérai-je

Robin grimpa les marches menant à la véranda. Je me tournai vers Parks.

— Vous pouvez faire quelque chose ? l'interrogeai-je en désignant la maison.

— On a vérifié, intervint mon père. Ils ont un mandat de perquisition.

— Ils sont là depuis combien de temps ?

— Vingt minutes.

— Parlez-moi de ce mandat, demandai-je à Parks.

— Inutile de...

— Dis-lui ! ordonna mon père.

— Il est limité. Ce qui est plutôt positif. Il donne à la police le droit de saisir toute arme de poing ou munition qui se trouverait sur les lieux.

— C'est tout ?

— Oui.

— Ça n'aurait dû prendre que deux minutes. Ils cherchent un calibre .38. Il se trouve juste là, dans l'armoire à fusils.

L'avocat me fit signe de baisser le ton.

— Comment savez-vous qu'ils recherchent un .38 ?

— Parce que c'est avec ça qu'on a tué Danny. C'est elle qui me l'a appris, précisai-je avec un geste en direction de Robin.

Je soutins le regard de l'avocat jusqu'à ce qu'il soit contraint de baisser les yeux. Il s'agissait d'une information de première main.

— Ils auraient dû l'avoir trouvé, repris-je. Ils devraient déjà être repartis.

— Je l'ai caché, avoua Dolf.

— Quoi ?

Jamie se laissa glisser du capot du pick-up où il était assis. Il bouillait de colère :

— Tu l'as caché ? Mais il n'y a aucune raison de planquer un revolver ! À moins d'avoir quelque chose à cacher !

L'inquiétude s'évapora du visage de Dolf pour laisser la place à une expression de lassitude résignée. Jamie s'approcha de lui.

— Je te réponds toujours, moi, poursuivit-il. Tu es toujours dans mon dos en train de me surveiller. Alors pourquoi tu ne me réponds pas, toi ? Il n'y a qu'une seule raison de cacher un pistolet, Dolf. C'est assez clair, pourquoi ne pas nous le dire, tout simplement ?

— Qu'est-ce que tu en penses ? demanda mon père.

Dolf toisa Jamie d'un regard lourd de regrets.

— Danny était quelqu'un de bien, dit-il, et je sais que tu l'aimais beaucoup, mon garçon…

— Non, tu ne sais pas ! Et ne m'appelle pas « mon garçon ». Contente-toi de t'expliquer. Je ne vois qu'une seule raison de cacher ce revolver : tu savais qu'ils allaient venir le chercher.

— Tu es ivre, rétorqua Dolf. Et tu parles sans savoir.

Parks les interrompit, d'une voix suffisamment forte pour que Jamie se taise.

— Alors éclaire-nous, suggéra-t-il à Dolf.

Dolf se tourna vers mon père, qui acquiesça. Il cracha par terre, cala ses pouces dans sa ceinture et regarda Parks. Puis il se tourna vers Jamie.

— Ce n'est pas la seule raison de cacher un pistolet, espèce de grand con ! On peut aussi cacher un revolver pour empêcher quelqu'un de s'en servir, pour empêcher un homme intelligent de commettre un acte stupide.

Dolf me regarda, et je compris qu'il pensait à la nuit où j'avais pris le revolver dans sa commode et failli tuer Zebulon Faith. Il l'avait caché dans mon intérêt.

— C'est vrai, reconnus-je, soulagé. C'est une bonne raison.

— Et si vous nous expliquiez ça ? me lança Parks.

— Il n'a rien à expliquer, s'interposa mon père. Il a déjà vécu ça il y a cinq ans et il n'a pas à le refaire. Pas ici et plus jamais.

Je sentis sur moi le regard de mon père, le poids de ses paroles et de leur signification. C'était la première fois qu'il prenait ma défense depuis que Janice avait affirmé m'avoir vu couvert de sang. Parks se raidit et s'empourpra.

— Tu es en train d'entraver l'aide que je pourrais vous apporter, Jacob.

— À trois cents dollars de l'heure, je peux décider des règles. Adam te dira ce qu'il jugera bon de te dire. Je refuse qu'on l'interroge.

Parks tenta de soutenir le regard de mon père mais perdit son sang-froid au bout de quelques secondes.

— Très bien, fit-il avec un geste agacé.

Il partit, et je le suivis des yeux tandis qu'il retournait à sa voiture. Soudain, mon père parut embarrassé par cette attitude protectrice. Il tapota l'épaule de Dolf et observa Jamie.

— Tu es ivre ? l'interrogea-t-il.

Jamie était encore furieux et cela se voyait.

— Non. J'ai la gueule de bois.

— Eh bien, maîtrise-toi, mon garçon !

Jamie grimpa dans son pick-up, s'affala sur le siège et alluma une cigarette. Je restai donc seul avec Dolf et mon père. Celui-ci nous emmena à l'écart.

— Il n'est pas comme ça d'habitude, bredouilla-t-il avant de se tourner vers Dolf. Ça va ?

— Il en faudrait davantage pour me gâcher la journée.

— Où as-tu caché le revolver ? intervins-je.

— Dans une boîte à café de la cuisine.

— Ils vont certainement le trouver.

— Ouais.

— Y a-t-il une possibilité pour qu'on relie ce revolver à la mort de Danny Faith ?

— Je ne vois pas comment.

— Tu as des armes de poing, toi ? demandai-je à mon père.

Il fit signe que non et son regard se perdit au loin. Ma mère s'était suicidée avec l'une de ces armes. C'était une question stupide et indélicate. Pourtant, lorsqu'il reprit la parole, son visage était de marbre.

— Quel gâchis ! soupira-t-il.

Il avait raison et je songeai à la manière dont toutes ces pièces s'emboîtaient. La mort de Danny, désormais considérée comme un homicide, l'agression de Grace, Zebulon Faith, la centrale nucléaire et tout le reste. Je contemplai la maison de Dolf, remplie d'étrangers. Du nouveau se préparait et il y avait peu de chances pour que ce soit de bonnes choses. Mon père me sembla vieux.

— Je dois y aller, déclarai-je. Parks a raison sur un point : ils cherchent un coupable pour la mort de Danny et, pour une raison que j'ignore, on dirait que Grantham s'intéresse à nous. Ça signifie qu'il va s'intéresser particulièrement à moi.

Personne ne me contredit.

— Je dois parler à quelqu'un.

— À qui ?

— Quelque chose m'est venu à l'esprit. Ce n'est peut-être pas grand-chose mais je dois en avoir le cœur net.

— Tu peux nous éclairer ? demanda Dolf.

Je réfléchis. Jusqu'à ce qu'on découvre le corps de Danny au fond de ce trou, tout le monde le croyait en Floride. Son père. Jamie. Il devait y avoir une explication à cela et je pensais pouvoir la trouver au Faithful Motel. C'était au moins un point de départ.

— Plus tard, répondis-je. Si ça se révèle intéressant.

Je fis deux pas et m'arrêtai avant de me tourner vers mon père. Il paraissait triste et abattu. Mes paroles vinrent du fond de mon cœur.

— J'ai apprécié ce que tu as dit à Parks.

— Tu es mon fils, répliqua-t-il en hochant la tête.

— Explique-lui pourquoi tu as caché le revolver, Dolf, si tu veux bien. Il n'y a aucune raison de garder ça secret.

— Très bien.

Je montai dans la voiture, curieux de savoir ce que mon père ressentirait lorsqu'il apprendrait que j'avais été si près de tuer Zebulon Faith. Étant donné nos sentiments pour Grace, je pensai que, probablement, il me comprendrait.

Je quittai le bas-côté et m'engageai sur le bitume lisse de la route qui étincelait au soleil.

Au Faithful Motel, je trouvai Manny derrière le comptoir.

— Manny, c'est ça ?

— Emmanuel.

— Ton patron est là ?

— Non.

— L'autre fois, quand je suis venu, tu m'as parlé de Danny. Tu as dit qu'il s'était disputé avec sa petite amie et qu'il était parti en Floride quand elle avait porté plainte.

— *Sì*.

— Tu connais le nom de la fille ?

— Non, mais maintenant, elle a une cicatrice là, fit-il en traçant du doigt un trait imaginaire sur sa joue droite.

— À quoi elle ressemble ?

— Blanche, un peu grosse. Vulgaire. Danny coucherait avec n'importe qui.

— Ils se disputaient à propos de quoi ?

— Il voulait rompre avec elle.

J'eus soudain une intuition.

— C'est toi qui as appelé la police la première fois que je suis venu ?

Un sourire fendit son visage bronzé, sillonné de rides.

— *Sì*.

— Tu m'as probablement sauvé la vie.

— J'ai besoin de ce boulot, je déteste le patron... C'est la vie.

— Est-ce que la police est venue perquisitionner ? demandai-je en pensant à la drogue.

— Ils ont fouillé, ils n'ont rien trouvé. Ils ont cherché M. Faith et ils n'ont rien trouvé.

J'attendis la suite. En vain.

— Tu as précisé que Danny était en Floride. Comment tu le sais ?

— Il a envoyé une carte postale.

— Tu l'as toujours ?

— Oui, je crois.

Emmanuel disparut dans la pièce à l'arrière et revint, une carte postale à la main. Il me la tendit et je la saisis avec précaution. Elle représentait une mer bleue bordée de sable blanc. Le nom de la plage se trouvait dans le coin en haut à droite et un slogan en lettres roses ornait le bas de la carte : IL Y A DES JOURS OÙ TOUT EST PARFAIT.

— Elle était épinglée au tableau d'affichage, m'expliqua Emmanuel.

Une phrase manuscrite s'étalait à l'arrière : « C'est le pied. Danny. »

— Quand l'avez-vous reçue ?

— Il s'est disputé avec la fille, puis il est parti, répéta Emmanuel en réfléchissant. Peut-être quatre jours après. Il y a deux semaines, deux semaines et demie, quelque chose comme ça.

— Il a emporté quelque chose de particulier ?

— Je ne l'ai plus vu après l'épisode de la fille.

Je posai encore quelques questions mais elles ne menèrent nulle part. J'hésitai à l'informer de la mort de Danny Faith mais décidai de n'en rien faire. Il le découvrirait bien assez tôt dans les journaux.

— Écoute, Emmanuel, si la police trouve M. Faith, il se pourrait qu'il soit absent un bout de temps.

Je marquai une pause pour m'assurer qu'il comprenait.

— Il se pourrait que tu aies intérêt à trouver un nouveau boulot.

— Mais Danny...

— Danny ne reprendra pas le motel. Il est probable qu'on le fermera.

— C'est vrai ce que vous dites ? demanda-t-il, visiblement secoué.

— Oui.

Il acquiesça et fixa le comptoir pendant un si long moment que je crus qu'il ne relèverait jamais les yeux.

— La police a cherché partout, finit-il par dire, mais il y a aussi un entrepôt, près de l'autoroute. C'est celui avec les portes bleues. Il y avait une femme de chambre avant, Maria. Elle est partie mais il lui a fait signer des papiers. L'entrepôt est à son nom. Numéro trente-six.

— Est-ce que tu sais ce qui se trouve dans cet entrepôt ?

— De la drogue, répondit-il, honteux.

— Combien ?

— Beaucoup, je crois.
— Maria et toi, vous étiez ensemble ?
— *Sì*, parfois.
— Pourquoi est-elle partie ?
Emmanuel eut une grimace de dégoût.
— C'est M. Faith. Elle a signé les papiers à sa place et, juste après, il l'a menacée.
— Menacée d'appeler les services d'immigration ?
— Si elle disait un seul mot sur l'entrepôt, il la dénoncerait. C'était une clandestine... elle a eu peur. Elle est en Georgie, maintenant.
Je montrai la carte postale.
— J'aimerais la garder.
Emmanuel haussa les épaules.

J'appelai Robin depuis le parking. Même si je doutais encore de sa loyauté, elle détenait des informations dont j'avais besoin et je pensais avoir quelque chose à offrir en échange.
— Tu es toujours chez Dolf ?
— Grantham m'a très vite éloignée. Il était passablement énervé.
— Tu connais l'entrepôt qui se trouve près de l'autoroute, sur la voie d'accès au sud de la sortie soixante-seize ?
— Oui, je le connais.
— Retrouve-moi là-bas.
— Donne-moi une demi-heure.
Je retournai en ville et passai faire une copie de la carte postale dans une boutique à deux pâtés de maisons de la place. Je demandai un sac en plastique à la vendeuse. Elle finit par m'apporter un sachet à fermeture zippée au fond d'un tiroir. Je repliai la copie dans ma poche revolver, glissai la carte postale dans le sachet et le refermai soigneusement. Le sable blanc paraissait étinceler à travers le plastique. Le slogan retint soudain mon attention.
IL Y A DES JOURS OÙ TOUT EST PARFAIT.
Je repartis en voiture jusqu'à l'entrepôt et me garai sur le bas-côté boueux de la voie d'accès. Je sortis et m'assis sur

le capot. Des voitures filaient à toute vitesse sur l'autoroute au-dessus de moi et le passage des gros semi-remorques produisait des vibrations assourdissantes. Je contemplai l'entrepôt, de longues rangées de bâtiments trapus qui brillaient au soleil. Ils étaient nichés dans une légère dépression au bord de l'autoroute. Les longues façades étaient percées de portes en métal peintes en bleu. La clôture, surmontée de fils barbelés et fermée par une chaîne, disparaissait dans les hautes herbes.

En attendant, je regardai le soleil amorcer son lent déclin vers la fin d'après-midi. Il fallut une heure à Robin pour arriver. Lorsqu'elle descendit de voiture, le vent fit voltiger ses cheveux et les enroula autour de son visage. Lorsqu'elle les repoussa, son geste me toucha avec une intensité qui me surprit. Il me rappela ce jour venteux que nous avions passé au bord de la rivière sept ans plus tôt. Nous étions sur une couverture et venions de faire l'amour. Une bourrasque de vent avait plaqué ses cheveux devant ses yeux. J'avais repoussé les mèches et l'avais attirée contre moi. Sa bouche était douce et son sourire paisible.

Cela remontait à une éternité.

— Désolée, s'excusa-t-elle. Du boulot de flic.

— Quel boulot ?

— Le Poste de police de Salisbury et le Bureau du shérif utilisent le même laboratoire médicolégal. Ils ont analysé la balle qui a tué Danny Faith. Une plaie à la poitrine. Ils n'attendent plus qu'un élément de comparaison. Il ne leur faudra pas longtemps, ajouta-t-elle sans ciller.

— C'est-à-dire ?

— Ils ont trouvé le .38 de Dolf.

Même si j'avais su à l'avance qu'ils le trouveraient, un gouffre s'ouvrit dans mon estomac. J'attendis qu'elle en dise plus. Un papillon jaune voleta au-dessus des hautes herbes.

— Est-ce que ton ami de l'analyse balistique va te donner un coup de main ? demandai-je finalement.

— Il me doit un service.

— Tu accepterais de me répéter ce qu'il te dira ?

— Tout dépendra de ce qu'il m'apprendra.

— Je peux te livrer Zebulon Faith, avançai-je, ce qui retint son attention. Je peux te le servir sur un plateau.

— Si je partage mes informations ?

— Je veux savoir ce que sait Grantham.

— Je ne peux pas faire de promesses les yeux fermés, Adam.

— J'ai besoin de savoir. Je ne crois pas qu'il me reste beaucoup de temps... mes empreintes sont sur le revolver.

— Revolver qui pourrait aussi ne pas être l'arme du crime.

— Grantham sait que j'ai parlé à Danny juste avant qu'il meure. Ça suffit pour un mandat d'arrêt. Il m'arrêtera et fera tout pour m'enfoncer, exactement comme la dernière fois.

— Tu étais à New York quand Danny a été tué. Tu as un alibi, des gens qui prouveront que tu te trouvais là-bas au moment de sa mort.

Je secouai la tête.

— Qu'est-ce que tu veux dire ?

— Pas d'alibi, dis-je. Pas de témoin.

— Comment est-ce possible ?

— Ça faisait cinq ans, Robin. Tu dois comprendre ça avant tout. J'avais enterré cet endroit si profondément que je n'y pensais même plus. Ç'a été ma manière de survivre : j'ai oublié. J'en ai fait tout un art. Mais tout ça a changé après l'appel de Danny. Ç'a été comme s'il avait réveillé les vieux démons dans ma tête. J'entendais une voix qui ne cessait de m'appeler, qui voulait que je rentre. Elle me disait que le temps était venu. Si j'essayais d'y réfléchir calmement, j'entendais cette voix ; quand je fermais les yeux je voyais cette ville... Cela me rendait fou, Robin. Jour après jour. Je pensais à toi, à mon père, à Grace et au procès. Je pensai à ce garçon assassiné et à la manière dont cette ville m'avait dévoré puis recraché. Brusquement, ma vie m'est devenue insoutenable. Complètement vide. Une foutue mascarade : la voix de Danny a anéanti tout ce que j'avais construit. Je ne suis plus allé travailler, j'ai arrêté de voir mes amis, je me suis enfermé. Tout ça a continué de me ronger jusqu'à ce que je me retrouve sur la route.

Je levai les bras et les laissai retomber.

— Personne ne m'a vu, Robin.

— Des démons dans la tête et pas d'alibi... Ne songe même pas à répéter ça. Grantham a déjà déposé une requête auprès de la police de New York. Ils vont enquêter sur toi, et ils le feront consciencieusement. Ils sauront où tu travaillais, ils découvriront que tu as démissionné et quand. Réfléchis, tu dois absolument te trouver un alibi. Grantham va se demander si tu n'es pas venu jusqu'ici tuer Danny. Il ne te lâchera pas, il va te cuisiner jusqu'à ce que tu te grilles tout seul, s'il le peut.

Je soutins son regard.

— Je n'ai tué personne.

— Pourquoi es-tu revenu, Adam ?

Dans ma tête, j'entendis la réponse. *Parce que tout ce que j'aime dans ce monde se trouve ici. Parce que tu as refusé de me suivre.*

Pourtant, je restai silencieux. Je désignai les bâtiments en aluminium et répétai ce que m'avait avoué Emmanuel à propos de Zebulon Faith et de la drogue.

— Numéro trente-six. Il te donnera probablement tous les motifs dont tu as besoin.

— Bonne info, fit-elle d'une voix blanche.

— Il se peut qu'il ait fait le ménage. Il a eu le temps.

— Possible.

Elle détourna les yeux et le vent souleva un nuage de poussière sur la route. Quand elle me regarda à nouveau, ses traits s'étaient adoucis.

— Il y a autre chose que je dois te dire, Adam. C'est important.

— Je t'écoute.

— Ça s'annonce mal pour le coup de téléphone. Le timing ne fait qu'empirer les choses. Les empreintes sur le revoler, ces événements violents, ces coïncidences, l'absence d'alibi...

Robin me parut soudain beaucoup plus fragile. Sa voix se voila :

— Tu as sans doute raison pour le mandat d'arrêt...

— Continue.

— Tu as dit que je devais faire un choix. Le boulot ou toi.

Le vent vint à nouveau caresser ses cheveux. Elle semblait hésiter.

— Je me suis retirée de l'enquête, avoua-t-elle. Je n'avais jamais abandonné une seule affaire auparavant.

— Tu as fait ça parce que Grantham cherche à me coincer ?

— Je l'ai fait parce que tu avais raison quand tu as dit que je devais choisir.

L'espace d'un instant un sentiment de fierté éclaira son visage, puis ses traits se décomposèrent. Je sentais que quelque chose était en train de se passer mais j'étais troublé et lent à comprendre. Ses épaules s'affaissèrent et une larme brilla sur sa joue. Lorsqu'elle releva la tête, je vis qu'elle pleurait. Sa voix se brisa :

— Tu m'as manqué, Adam.

Elle se tenait au bord de la route, à bout de nerfs, et je compris enfin la profondeur de son déchirement. Seules deux choses comptaient à ses yeux : la personne qu'elle était devenue, et ce qu'elle pensait avoir perdu. Sa vie de flic, et nous deux. Elle avait essayé de garder les deux, de trouver un équilibre mais la réalité l'avait finalement rattrapée : il lui avait fallu choisir.

Et c'est ce qu'elle avait fait. Elle m'avait choisi, moi.

Elle s'était mise à nu dans le froid et je savais qu'elle n'ajouterait plus un mot sans un signe de ma part. Je n'eus même pas à y réfléchir, pas une seule seconde. Je lui ouvris mes bras et elle se blottit dans ce petit refuge comme si elle ne l'avait jamais quitté.

Nous rentrâmes chez elle et, cette fois, tout me parut différent, comme si l'endroit était trop petit pour nous contenir. Nous étions dans une pièce, puis, l'instant d'après dans une autre, semant des vêtements derrière nous tandis que nous enfoncions les portes et nous écrasions sur les murs. Des émotions oubliées nous brûlaient le corps et d'autres, nouvelles, nous submergeaient.

Des souvenirs de mille autres fois.

Je la maintins contre le mur et ses jambes s'enroulèrent autour de ma taille. Elle m'embrassa si intensément que je crus saigner mais je m'en fichais. Puis elle saisit mes cheveux et les tira en arrière. Je contemplai ses lèvres enflées. Je me perdis dans ses yeux kaléidoscopiques. Elle tremblait et respirait fort. Ses paroles ne furent plus qu'un murmure sauvage :

— Ce que j'ai dit l'autre jour… que c'était fini, que nous n'avions plus rien à faire ensemble…

Elle baissa un instant les yeux.

— C'était un mensonge.

— Je sais.

— Dis-moi seulement que je ne rêve pas.

Je le lui dis et nous échouâmes sur le lit comme nous aurions pu le faire sur le sol ou sur la table de la cuisine. Ça n'avait pas d'importance. Elle était renversée sur le dos, les doigts crispés dans les draps et je vis qu'elle pleurait encore.

— Ne t'arrête pas, supplia-t-elle.

— Tout va bien ?

— Fais-moi oublier.

Elle parlait de la solitude, de ces cinq longues années de néant. Je m'agenouillai et parcourus des yeux ses courbes voluptueuses. Elle était mince et musclée, un lutteur brisé. J'embrassai ses joues humides et caressai tout son corps, sentant sous mes doigts la tension de sa nuque. Ses bras s'élevèrent, vidés de toute force, animés seulement par la grâce et l'ardeur qu'elle paraissait porter au plus profond de son être. Je glissai un bras dans le creux de ses reins et la pressai contre moi avec la force brute d'un homme qui croit pouvoir ainsi chasser tous les démons. Elle était petite et légère mais elle trouva son rythme et la force de se soulever sous mon corps.

18.

Je m'endormis, la tête de Robin sur mon torse. C'était une sensation de chaleur familière, naturelle – c'en était presque effrayant. Je ne voulais pas la perdre à nouveau. Ce fut peut-être pour cela que je rêvai d'une autre femme. J'étais debout devant une fenêtre en train de regarder Sarah Yates, pieds nus sur une pelouse éclairée par la lune. Elle parlait et tenait ses chaussures à la main, une robe blanche flottant autour d'elle. Des reflets argentés brillèrent sur sa peau lorsqu'elle leva les yeux et tendit la main, comme si elle tenait une pièce dans sa paume. Je m'éveillai dans un silence sans couleurs.

— Tu dors ? murmurai-je.

La tête de Robin remua sur l'oreiller.

— Je réfléchis, dit-elle.

— À quoi ?

— Grantham.

— Il m'en veut, n'est-ce pas ?

— Tu n'as rien fait de mal.

Elle essayait de se convaincre que c'était aussi simple que ça. Mais nous savions tous les deux que c'était faux. Des innocents étaient condamnés tous les jours.

— Personne ne veut croire à une justice de riches mais c'est ce que les gens voient. Ils veulent que quelqu'un paie.

— Ça ne se passera pas comme ça.

— Je suis un coupable commode.

Elle bougea contre moi, pressant sa cuisse ferme contre la mienne. Cette fois, elle ne me contredit pas. Ses mots se glissèrent entre nous.

— Est-ce que tu as pensé à moi pendant toutes ces années à New York ?

Je réfléchis et lui avouai la pénible vérité.

— Au début, sans arrêt. Puis j'ai essayé d'oublier. Ça m'a pris un moment mais j'ai fini par enterrer cet endroit. Il fallait que toi aussi, tu disparaisses. C'était la seule façon.

— Tu aurais dû m'appeler. Peut-être que je t'aurais rejoint finalement.

Elle roula sur le côté. Les draps glissèrent, découvrant son épaule.

— Robin…

— Tu m'aimes encore ?

— Oui.

— Alors aime-moi encore.

Elle posa ses lèvres sur mon cou et descendit. Je sentis la caresse légère de sa main. Nous nous laissâmes porter doucement, dans l'ombre de ces mots et la grisaille menaçante de l'aube timide.

À 10 heures, je raccompagnai Robin à sa voiture. Elle se pressa contre moi, ses doigts mêlés aux miens. Elle paraissait étrangement vulnérable – sans doute l'était-elle.

— Je ne fais jamais rien à moitié, Adam. Surtout quand cela concerne des décisions importantes. Pour nous, ou pour toi, ajouta-t-elle en posant la main sur ma joue. Je suis de ton côté. Quoi qu'il m'en coûte.

— Je ne peux pas m'engager à rester dans le comté de Rowan, pas tant que je ne sais pas où j'en suis avec mon père. J'ai besoin d'aplanir les choses, et je ne sais même pas comment m'y prendre.

— Considère que mon choix est fait, répéta-t-elle en m'embrassant.

— Je serai à l'hôpital, dis-je en la regardant s'éloigner.

Miriam se trouvait dans la salle d'attente. Seule, les yeux clos. Ses vêtements bruissaient à chacun de ses mouvements. Elle se raidit lorsque je m'assis près d'elle.

— Tout va bien ? demandai-je.

Elle acquiesça.

— Et toi ?

Miriam était devenue une très belle femme mais il fallait y regarder à deux fois pour s'en apercevoir. Sous de nombreux aspects, elle paraissait plus petite qu'elle ne l'était réellement. C'était compréhensible : pour certains, la vie était difficile, tout simplement.

— Je suis content de te voir, répondis-je. Tu es sûre que tu vas bien ?

— Je n'en ai pas l'air ?

— Si. Est-ce que quelqu'un est avec Grace ?

— Papa. Il pensait que ma présence pourrait aider Grace. J'y suis déjà allée une fois.

— Comment va-t-elle ?

— Elle crie dans son sommeil.

— Et papa ?

— Il se comporte comme une femme.

Je ne sus que répondre.

— Écoute, Adam, je suis désolée qu'on ne se soit pas beaucoup parlé. J'aurais bien voulu mais c'était...

— Bizarre, oui. Tu l'as déjà dit.

Elle frotta ses mains sur ses cuisses et se redressa, si bien que sa silhouette rappela un peu moins un point d'interrogation.

— Je suis contente de te revoir. D'après George, tu penses que ce n'est pas le cas. Je ne veux pas que tu croies ça.

— C'est devenu un homme bien, remarquai-je.

Elle haussa les épaules et désigna le couloir de sa main aux ongles rongés.

— Tu penses que ça va s'arranger, pour elle ?

— Je l'espère.

— Moi aussi.

Je posai une main sur son bras. Elle tressaillit avant de se dégager brusquement.

— Excuse-moi. Tu m'as fait peur, dit-elle, l'air penaud.

— Tu es sûre que ça va ?

— Cette famille est en train de s'écrouler. Il y a des fissures partout, soupira-t-elle en fermant les yeux.

Mon père sortit de la chambre de Grace. Il se dirigea lentement vers nous et m'adressa un signe de tête en s'asseyant.

— Bonjour, Adam.

Il se tourna vers Miriam.

— Tu veux bien aller t'asseoir près d'elle un moment ?

Elle me lança un regard et disparut dans le couloir. Mon père me tapota le genou.

— Merci d'être là.

— Où est Dolf ?

— On se relaye.

— Comment va-t-elle ? demandai-je avec un geste en direction de Miriam. Elle paraît...

— Sombre.

— Pardon ?

— Sombre. Elle est comme ça depuis la mort de Gray Wilson. Il était un peu plus âgé et un peu brusque dans ses manières mais ils étaient proches, ils fréquentaient la même bande à l'école. Quand on t'a accusé du meurtre, le groupe l'a rejetée. Elle est restée très solitaire depuis. Elle n'a pas supporté l'université : elle a quitté Harvard au bout de six mois, et ça n'a fait qu'empirer les choses. Grace a essayé plusieurs fois de la sortir de là. Nous avons tous essayé, d'ailleurs. Mais elle est tellement...

— Sombre.

— Et triste.

Une infirmière passa devant nous, puis un homme assez grand traversa le couloir en poussant un lit à roulettes.

— Tu as une idée de qui aurait pu tuer Danny ? demandai-je.

— Aucune.

— Il jouait beaucoup. Son père est un trafiquant de drogue.

— Je n'aime pas voir les choses comme ça.

— Qui est Sarah Yates ?

— Pourquoi cette question ? m'interrogea-t-il, visiblement nerveux.

— Grace lui a parlé peu de temps avant l'agression. J'ai eu l'impression qu'elles étaient amies.

— Amies ? J'en doute, répliqua-t-il en se détendant un peu.

— Tu la connais ?

— Personne ne connaît vraiment Sarah Yates.

— C'est plutôt vague comme réponse.

— Sarah Yates est une marginale. Elle a toujours été comme ça : elle peut se montrer chaleureuse un jour et aussi fourbe qu'une vipère le lendemain. Pour autant que je sache, il n'y a pas grand-chose dont Sarah Yates se soucie vraiment.

— Donc tu la connais.

— Assez pour savoir que je n'ai pas envie de parler d'elle, rétorqua-t-il sèchement.

— Elle m'a dit que j'étais un garçon charmant.

Mon père se retourna sur son siège et se redressa.

— Est-ce que je la connais ? insistai-je.

— Tu devrais te tenir à l'écart de cette femme.

— Qu'est-ce que tu veux dire ?

— Que tu devrais te tenir à l'écart de cette femme !

Je partis faire quelques courses pour Grace. J'achetai des fleurs et des magazines. Rien de tout cela ne me semblait très naturel et une fois de plus la réalité s'imposa à moi – je ne connaissais plus vraiment Grace. Troublé, je décidai de rouler au hasard. Chaque route possédait son lot de souvenirs, un réseau si dense que le passé me paraissait presque palpable – une autre conséquence de mon retour au pays.

Mon téléphone sonna alors que j'étais à deux pas de l'hôpital. C'était Robin.

— Où es-tu ? demandai-je.

— Regarde dans ton rétroviseur.

J'aperçus sa voiture à quelques mètres derrière moi.

— Gare-toi. Il faut qu'on parle.

Je pris à gauche dans un quartier résidentiel calme qui datait des années 1970. Des maisons basses, avec de petites fenêtres et, devant chacune, des courettes propres et bien entretenues. J'aperçus deux gamins à bicyclette deux pâtés de maisons plus loin. Robin était là pour le boulot.

— J'ai passé la matinée à mener une enquête discrète, commença-t-elle. J'ai appelé des gens en qui j'ai confiance, je les ai priés de me tenir au courant. Je viens de recevoir un coup de fil d'un ami inspecteur qui était sur le point de témoigner au tribunal supérieur quand Grantham a débarqué pour parler au juge.

— Le juge Rathburn ?

— Lui-même. Rathburn a demandé un report et a emmené Grantham dans une salle privée. Dix minutes plus tard, il annulait toutes les audiences de la journée.

— Tu sais pourquoi, n'est-ce pas ? questionnai-je.

— Cette info me vient de l'un des greffiers. C'est une source sûre. Grantham a présenté au juge une déclaration écrite faite sous serment, justifiant l'émission d'un mandat d'arrêt. Le juge l'a signé.

— Un mandat d'arrêt contre qui ?

— Je l'ignore mais, compte tenu de ce qu'on sait, je suppose que c'est ton nom qui est inscrit dessus.

Un rire résonna au loin – les éclats de voix d'enfants en train de jouer. Les yeux de Robin trahissaient l'inquiétude.

— J'ai pensé que tu aimerais appeler ce fameux avocat.

Garce dormait quand je revins à l'hôpital. Miriam était partie et mon père se tenait dans la chambre, les yeux fermés. Je déposai les fleurs près du lit et les magazines sur une table. Je restai un moment à contempler Grace en réfléchissant à ce que Robin venait de m'annoncer. La situation devenait critique.

— Tout va bien ? s'enquit mon père.

Il avait les yeux rouges de sommeil. J'indiquai la porte et ressortis tandis qu'il m'emboîtait le pas. Il passa une main sur son visage.

— J'attendais que tu reviennes, expliqua-t-il. J'ai dit à Janice que je voulais tout le monde à la maison pour le dîner ce soir. Je veux que tu sois là.

— Je parie que Janice n'a pas apprécié.

— C'est normal de dîner en famille, et elle le sait.

Je regardai ma montre. Déjà l'après-midi.

— Il faut que je parle à Parks Templeton, annonçai-je.

Le visage de mon père se crispa sous l'effet de l'inquiétude.

— Qu'est-ce qui se passe ?

— Robin pense que Grantham a un mandat d'arrêt contre moi.

— Parce qu'ils ont identifié tes empreintes sur le revolver de Dolf..., comprit-il immédiatement.

J'acquiesçai.

— Peut-être que tu devrais partir.

— Pour aller où ? Non, je ne m'enfuirai pas une seconde fois.

— Qu'est-ce que tu vas faire ?

Je lançai un nouveau coup d'œil à ma montre.

— Allons prendre un verre. Sous la véranda, comme avant.

— Je vais appeler Parks depuis la voiture.

— Dis-lui de faire au plus vite.

— Il y a encore une chose que j'aimerais que tu saches, ajoutai-je tandis que nous nous dirigions vers le parking.

— Quoi donc ?

— Je veux parler à Janice. En privé. J'aimerais que tu le lui demandes.

— Est-ce que je peux savoir pourquoi ?

— Elle a témoigné contre moi au tribunal. Nous n'en avons jamais parlé. Je crois que nous avons besoin de mettre le sujet à plat une fois pour toutes. Mais je ne suis pas sûr qu'elle ait envie d'avoir cette conversation.

— Elle a peur de toi, mon fils.

— Et comment tu crois que je me sens, moi ? répliquai-je sentant une colère familière m'envahir.

De retour dans ma voiture, je sortis de ma poche la carte postale dans son sachet plastique. Danny n'était jamais arrivé en Floride. J'en étais certain. J'étudiai la photo. Du sable trop blanc pour être vrai, et de l'eau assez pure pour laver un homme de ses péchés.

IL Y A DES JOURS OÙ TOUT EST PARFAIT.

La personne qui avait tué Danny Faith avait posté cette carte pour tenter de dissimuler son crime. Elle pouvait très bien porter des empreintes. Pour la centième fois, je me demandai si je devais en parler à Robin. Pas encore, décidai-je, principalement dans son propre intérêt. Mais il y avait plus que ça. Quelqu'un, pour des raisons inconnues, avait assassiné Danny Faith. Quelqu'un avait braqué un pistolet sur lui et avait appuyé sur la détente ; cette même personne avait ensuite jeté Danny dans un grand trou obscur.

Avant de me rendre à la police, je devais savoir qui.

Au cas où il s'agirait de quelqu'un que j'aime.

Nous nous rassemblâmes tous dans la véranda. Malgré la qualité de la boisson choisie pour l'occasion, tout cela sonnait faux, tout comme les paroles de réconfort que nous échangions. Aucun de nous ne pensait réellement que tout irait bien et, chaque fois qu'un silence s'installait – ce qui arrivait souvent –, j'en profitais pour étudier les visages mis à nu par la lumière du soleil déclinant.

Dolf alluma une cigarette et des brins de tabac tombèrent sur sa chemise. Il s'en débarrassa d'une pichenette, manifestement indifférent. Pourtant, il portait le fardeau de ses soucis comme il portait ses bottes : comme quelque chose dont il ne pouvait se passer. Vu sous cet angle, mon père lui ressemblait, tel un frère. Tous les deux paraissaient lessivés et complètement abattus.

George Tallman couvait ma sœur des yeux, comme s'il craignait qu'un morceau d'elle ne se brisât et qu'il lui fallût de bons réflexes pour rattraper les morceaux. Il gardait un bras autour d'elle et se penchait tout près quand elle parlait. De temps à autre il regardait mon père, et je lus de l'admiration sur son visage.

Jamie, l'air sombre, était assis près d'une rangée de bouteilles vides. Les coins de sa bouche retombaient irrémédiablement et de larges cernes assombrissaient ses yeux.

— Ce n'est pas juste, grommela-t-il.

Je supposai qu'il parlait de Grace mais quand je l'interrogeai, il secoua la tête avant d'avaler une gorgée de la bière sur laquelle il avait jeté son dévolu.

Janice aussi semblait au supplice. Ses ongles étaient rongés jusqu'au sang, ses yeux révélaient de profonds cernes. Son attitude était pire que la dernière fois. Elle s'exprimait avec volubilité – avec des paroles aussi brusques que le reste de sa personne. Elle s'efforçait de jouer le rôle que mon père lui avait imposé, celui de maîtresse de maison. La scène était pitoyable, et il y avait peu d'indulgence dans le regard de mon père. Lorsqu'il l'avait informée de ce que je désirais, elle n'avait pas apprécié. À présent, tout son être le trahissait.

Je gardais un œil sur la route, guettant un nuage de poussière dans l'espoir que l'avocat arriverait le premier – même si je m'attendais à voir débarquer à tout moment Grantham et ses adjoints. Un ami magistrat m'avait dit un jour qu'il était facile de détester les avocats, jusqu'au jour où l'on avait besoin d'eux. À l'époque, j'avais pris cela pour des paroles en l'air.

Aujourd'hui, mon ami me paraissait particulièrement fine mouche.

Le soir tombait et notre conversation s'épuisait. Il y avait du danger dans les mots, des pièges et des non-dits qui, formulés, pouvaient faire beaucoup de mal. Parce que la réalité d'un meurtre allait bien au-delà de sa simple évocation... C'était le cadavre décomposé d'un homme que nous avions tous connu. Des questions qui nous taraudaient, des hypothèses que chacun de nous avait tournées et retournées dans son esprit sans jamais en discuter. Il avait été tué ici même, là où la famille vivait et respirait, et ce seul danger suffisait... Il y avait Grace, aussi.

Et puis moi. Personne ne savait que penser de moi.

Quand Janice m'adressa la parole, sa voix était trop forte et ses yeux fixaient un point au-dessus de mon épaule.

— Alors, quels sont tes projets, Adam ?

Les glaçons tintèrent bruyamment dans le verre en cristal qu'elle tenait entre ses doigts crispés et, lorsque nos regards finirent par se croiser, il me sembla que l'espace qui nous séparait grésillait d'électricité.

— J'aimerais avoir une discussion avec toi, répondis-je d'un ton involontairement plein de défi.

Son sourire disparut brusquement, de même que la couleur sur son visage. Elle voulut regarder mon père mais se retint.

— Très bien.

Sa voix était glaciale. Elle lissa sa jupe et se leva, comme mue par une force invisible. Elle se pencha mécaniquement vers mon père pour l'embrasser sur la joue et se tourna vers la porte, plus calme que jamais.

— Dans le petit salon ? suggéra-t-elle.

Je la suivis le long du long couloir frais. Elle ouvrit la porte du petit salon et me fit signe de passer devant. Je distinguai des teintes pastel et aperçus de riches tentures, un sac contenant des ouvrages de broderie inachevés qui gisait sur ce que ma mère aurait appelé une « méridienne ». Je fis trois pas dans la pièce et regardai Janice refermer doucement la porte. Lorsqu'elle prit appui sur le chambranle, ses doigts fins se déployèrent sur le bois foncé ; puis elle se retourna et me gifla. La douleur me brûla avec l'instantanéité d'une flamme.

Son doigt se dressa entre nous et du vernis écaillé brilla sur son ongle.

— Ça, c'est pour avoir demandé à ton père de me faire la morale sur le sens du mot « famille », déclara-t-elle d'une voix tremblante avant de pointer un doigt en direction de la véranda. Pour m'avoir insultée dans ma propre maison.

J'ouvris la bouche mais elle couvrit ma voix.

— Pour m'avoir convoquée de la sorte devant ma propre famille, comme si j'étais une vilaine petite fille.

Elle baissa la main, tira sur les pans de sa veste en soie jaune pâle et, brusquement, elle se mit à trembler. Ses paroles tombèrent alors dans la pièce comme les pétales d'une fleur fanée.

— Je refuse d'être menacée et je refuse d'être manipulée. Par toi ou par ton père. Que ça ne se reproduise plus jamais.

Maintenant, je monte me reposer. Si tu dis à ton père que je t'ai giflé, je nierai.

La porte se referma avec un léger clic. Je songeai à la suivre mais n'en fis rien, car mon téléphone vibra dans ma poche. Je reconnus le numéro de Robin ; elle était hors d'haleine.

— Grantham vient de partir avec trois adjoints. Ils comptent exécuter le mandat d'arrêt.

— Ils viennent ici ?

— C'est ce qu'on m'a dit.

— Quand sont-ils partis ?

— Il y a un quart d'heure. Ils seront là d'une minute à l'autre.

Je respirai profondément. Tout recommençait.

— Je suis en route, ajouta Robin.

— J'apprécie l'intention, Robin, mais quoi qu'il arrive, tout sera fini depuis longtemps quand tu arriveras.

— Est-ce que ton avocat est là ?

— Pas pour l'instant.

— Fais-moi plaisir, Adam. Ne fais rien de stupide.

— Comme quoi ?

— Ne résiste pas, dit-elle après un bref silence.

— Je ne résisterai pas.

— Je suis sérieuse, Adam, ne le provoque pas.

— Bon sang, je...

— Bien. Je fais au plus vite.

J'éteignis mon téléphone et renversai un vase posé sur une tablette en traversant le couloir. Je sortis dans la tiédeur du soleil couchant et aperçus Parks Templeton qui gravissait les marches de la véranda. Je tendis un doigt vers lui, puis vers mon père.

— Je dois vous voir tous les deux. Maintenant.

— Où est ta mère ? demanda mon père.

— Belle-mère, corrigeai-je par réflexe. Il ne s'agit pas d'elle.

— De quoi s'agit-il ? s'enquit Parks.

Je parcourus la véranda du regard. Tous les yeux étaient braqués sur moi et je compris que rester discret n'avait aucun sens. Tout allait arriver bientôt, et ici même. Lorsque je levai à nouveau les yeux vers l'horizon, je sus qu'il ne nous restait effectivement que quelques secondes.

Trois voitures. Gyrophares allumés mais sirènes éteintes. Je croisai le regard de l'avocat.

— Vous allez mériter votre salaire aujourd'hui, annonçai-je.

Je lui montrai alors les gyrophares qui brillaient de plus en plus à mesure que le jour s'assombrissait. Ils étaient proches – deux cents mètres tout au plus. Le bruit des moteurs, qui nous parvenait déjà, enfla tandis que la famille se levait autour de moi. J'entendis le bruit des cailloux projetés contre le métal, le crissement assourdi des pneus sur le gravier. Dix secondes, et la voiture de tête éteignait ses lumières ; l'autre suivit.

— Ils sont ici pour exécuter un mandat d'arrêt, expliquai-je.

— Vous en êtes sûr ?

— Certain.

— Laissez-moi leur parler, commença l'avocat, mais je savais qu'il ne pourrait pas m'aider.

Grantham n'aurait que faire de ses subtilités. Il avait son mandat d'arrêt et ça lui suffisait. Je sentis une main presser fermement mon épaule – mon père. Aucun mot ne lui vint.

— Ça va aller, le rassurai-je.

C'est ainsi que Grantham nous trouva : en rang serré. Il cala ses mains sur ses hanches et ses adjoints l'entourèrent – un mur de polyester brun et de ceintures noires alourdies du côté de leur arme.

Parks s'avança dans la cour et je lui emboîtai le pas, suivi par Dolf et mon père.

— Que puis-je faire pour vous, inspecteur Grantham ? s'enquit l'avocat.

— Bonjour, monsieur Templeton. Monsieur Chase, répondit Grantham en nous regardant par-dessus ses lunettes.

— Qu'est-ce que vous voulez ? lança mon père.

Je regardai Grantham. Ses yeux brillaient derrière ses lunettes épaisses et sales. Ils étaient quatre, le visage impassible et je savais qu'il était impossible de les arrêter.

— Je suis ici en toute légalité, monsieur Chase, avec un mandat en poche.

Il chercha mon regard et leva les mains, doigts écartés.

— Je ne veux pas de scandale.

— J'aimerais voir ce mandat, dit Parks.

— Tout de suite, répliqua Grantham sans me quitter des yeux.

— Est-ce que tu peux arrêter ça ? demanda mon père à l'avocat à voix basse.

— Non.

— Bon Dieu, Parks !

— Notre heure viendra, Jacob. Sois patient. (Puis il s'adressa à Grantham :) Votre mandat a intérêt à être parfaitement en règle.

— Il l'est.

— Finissons-en, intervins-je en faisant un pas en avant.

— Très bien, fit Grantham.

Il se tourna vers ma gauche.

— Dolf Shepherd, vous êtes en état d'arrestation pour le meurtre de Danny Faith, annonça-t-il en sortant une paire de menottes.

Les menottes en acier étincelèrent lorsqu'elles se refermèrent sur les poignets du vieil homme, qui chancela sous leur poids.

Tout allait de travers. En presque trente ans, je n'avais jamais vu Dolf ne serait-ce que lever la main ou élever la voix. J'avançai vers lui mais les adjoints me repoussèrent. Je criai le nom de Dolf et les matraques apparurent. J'entendis mon nom, mon père me criant de me calmer, de ne pas leur donner de bonne excuse. Quand ses mains, épaisses et couvertes de taches brunes, agrippèrent finalement mes épaules, je me laissai tirer en arrière. Ils poussèrent Dolf dans l'une des voitures du shérif.

Les portières claquèrent, les gyrophares s'allumèrent et je fermai les yeux. Un grondement envahit mon crâne et, lorsqu'il se dissipa, Dolf était parti pour de bon.

Il n'avait pas levé les yeux une seule fois.

19.

J'appelai Robin depuis la voiture. Elle voulait nous retrouver à la prison mais je l'en dissuadai. Elle était déjà trop impliquée dans cette histoire. Elle insista et plus nous en discutions, plus j'en étais convaincu. Elle m'avait choisi, moi, et je n'allais pas la laisser regretter ce choix. Nous convînmes de nous retrouver le lendemain, lorsque j'aurais une idée plus claire de ce qui était en train de se passer.

Parks, mon père et moi nous rendîmes en ville au centre de détention du comté de Rowan. Jamie déclara qu'il ne s'en sentait pas capable, ce que je compris – les barreaux, l'odeur... Personne n'essaya de le convaincre. Il s'était montré d'humeur maussade tout l'après-midi et son peu d'affection pour Dolf n'était pas entamé. Le bâtiment se dressait sur un ciel bas. Nous nous frayâmes un chemin à travers la circulation, gravîmes les marches et traversâmes la zone sécurisée. La première pièce sentait la colle chaude et le détergent. La porte se referma toute seule derrière nous ; au plafond, des ventilateurs brassaient un air tiède. Quatre personnes attendaient sur des chaises orange alignées le long du mur. Je les étudiai rapidement : deux Hispaniques dans des vêtements tachés de terre, une vieille dame portant des chaussures de prix et un jeune homme qui se rongeait les ongles jusqu'au sang.

Parks se distinguait par son costume immaculé mais, manifestement, cela n'impressionnait personne, et surtout pas l'agent assis derrière la vitre pare-balles rayée. Parks se rengorgea et demanda à voir Dolf Shepherd.

— Non.

La réponse était sans équivoque, lâchée avec l'indifférence due aux années d'expérience.

— Je vous demande pardon ? s'étonna l'avocat, l'air sincèrement offensé.

— Il est en interrogatoire. Personne ne peut le voir.

— Je suis son avocat, insista Parks.

L'homme indiqua la rangée de chaises.

— Asseyez-vous, dans ce cas. Ça prendra un moment.

— J'exige de voir mon client sur-le-champ !

L'agent se renversa sur sa chaise et croisa les bras. Les rides profondes de son front et son ventre gros comme une valise trahissaient le passage des ans.

— Vous élevez la voix encore une seule fois et je vous mets personnellement à la porte de cet établissement ! avertit-il. Sauf contrordre, personne ne pourra le voir. Ce sont les ordres du shérif. Maintenant, asseyez-vous ou allez-vous-en !

L'avocat recula mais la crispation de sa bouche ne s'effaça pas.

— Nous n'en avons pas fini ! menaça-t-il.

— Si, rétorqua l'agent.

Puis il se leva de sa chaise et alla au fond de la pièce se servir un café. Il s'accouda au comptoir et nous dévisagea à travers la vitre.

— Assieds-toi, Parks, dit mon père en posant une main sur son épaule.

Parks s'éloigna à grandes enjambées au fond de la pièce et mon père toqua à la vitre. L'agent posa son café et s'approcha. Il se montra plus respectueux à l'égard de mon père.

— Oui, monsieur Chase ?

— Pourrais-je parler au shérif ?

L'expression de l'homme s'adoucit. En dépit des événements de ces dernières années, mon père restait un personnage important dans le comté et beaucoup le respectaient.

— Je vais le prévenir que vous êtes là mais je ne peux rien vous promettre.

— C'est tout ce que je demande.

Mon père s'écarta et l'agent décrocha le téléphone. Ses lèvres bougèrent à peine, puis il raccrocha et regarda mon père.

— Il sait que vous êtes là.

Nous nous regroupâmes dans un coin de la pièce. Parks parla à voix basse.

— C'est intolérable, Jacob. Ils n'ont pas le droit de priver un client de son avocat. Même ton shérif devrait savoir ça.

— Il a dû se passer quelque chose.

— C'est-à-dire ?

Je lus de la frustration dans le regard de Parks. Mon père le payait trois cents dollars de l'heure et il se révélait incapable de passer l'obstacle du bureau d'accueil.

— Il y a quelque chose qui cloche, repris-je.

— Vous ne nous aidez pas beaucoup, Adam, répliqua Parks en pâlissant.

— Et pourtant...

— Quoi, à ton avis ? demanda mon père.

Je lui fis face et remarquai qu'il était à deux doigts de flancher. Dolf était comme un frère pour lui.

— Je ne sais pas. Dolf sait que Parks est ici. Et Parks a raison : même ce shérif n'oserait pas interroger un suspect pendant que son avocat piétine dans la salle d'attente. (Je me tournai vers l'avocat :) Qu'est-ce qui nous reste comme solution ?

Parks recouvra son calme et jeta un coup d'œil à sa montre.

— Il est trop tard pour demander un recours au tribunal. Non pas qu'ils puissent y changer quelque chose : le mandat d'arrêt semblait tout à fait légal. À part le fait qu'il ne peut m'interdire d'entrer, le shérif est dans son bon droit.

— Pouvez-vous nous en dire plus sur le mandat d'arrêt ?

— En version courte ? Le .38 de Dolf est l'arme qui a servi à assassiner Danny Faith. Ils l'ont saisi après avoir fouillé la maison. L'analyse balistique a confirmé que c'était l'arme du crime. Si l'on en croit le mandat d'arrêt, elle porte les empreintes de Dolf.

— Les empreintes de Dolf ? répétai-je.

Pas les miennes ?

— Les siennes, oui, confirma l'avocat.

Et soudain, je compris. Dolf était quelqu'un de méticuleux. Il avait sans doute nettoyé le pistolet avant de le ranger dans le meuble. Il avait essuyé mes empreintes et laissé les siennes.

— Ils ne peuvent pas le condamner en se fondant uniquement sur l'arme du crime, observai-je. Ils auront besoin de plus que ça pour le procès. Le mobile, les occasions...

— Pour l'occasion, ça ne sera pas un problème, fit remarquer Parks. Danny travaillait à mi-temps pour ton père. Cinq cents soixante-dix hectares. Dolf aurait eu maintes occasions de le tuer. Le mobile, en revanche, c'est une autre affaire. Le mandat d'arrêt est d'ailleurs assez vague à ce sujet.

— Alors quoi ? demanda mon père. On se contente d'attendre ici ?

— Je vais passer quelques coups de fil, reprit Parks.

Mon père me regarda.

— On attend, dis-je. Et on parle au shérif.

Nous patientâmes pendant plusieurs heures. Parks appela l'un de ses assistants chez lui et lui demanda de rédiger une requête pour l'annulation de preuves en se fondant sur le refus du droit à un avocat. C'était tout ce qu'il pouvait faire, ce qui ne servait pas à grand-chose. À 21 h 15, le shérif apparut à la porte de la zone sécurisée, flanqué d'un adjoint en armes. Il leva la main et parla avant que Parks n'ait le temps de se lancer dans une tirade.

— Je ne suis pas venu débattre de quoi que ce soit, déclara-t-il. J'ai été mis au courant de vos réclamations.

— Vous savez donc que c'est une violation constitutionnelle que d'interroger mon client en dehors de ma présence.

Le shérif s'empourpra et toisa l'avocat de toute sa hauteur.

— Je n'ai rien d'autre à vous dire, commença-t-il avant de marquer une pause. Vous êtes hors sujet.

Puis il s'adressa à mon père :

— Avant de te mettre en colère, Jacob, tu ferais mieux de m'écouter. Dolf Shepherd est accusé du meurtre de

Danny Faith. On lui a rappelé ses droits à une aide juridique mais il l'a refusée.

Il se tourna vers Parks et sourit.

— Vous n'êtes pas son avocat, monsieur Templeton, déclara-t-il. Il n'y a donc eu aucune violation constitutionnelle. Vous n'irez pas plus loin que cette salle d'attente.

— Il ne veut pas d'avocat ? explosa mon père.

Le sourire s'élargit au-dessus de l'uniforme.

— Contrairement à certains, M. Shepherd ne semble pas désireux de se cacher derrière des avocats et leurs petites combines.

Il braqua ses yeux sur moi et mon estomac se retourna. Toujours cette sensation familière.

— Qu'est-ce que vous êtes en train de raconter ? reprit Parks. Qu'il a avoué ?

— Je n'ai rien à vous dire, répliqua le shérif. Je pensais avoir été assez clair à ce sujet.

— Qu'est-ce que tout ça signifie ? s'emporta mon père.

Le shérif soutint son regard et se tourna lentement vers moi, son sourire disparaissant dans l'obscurité.

— Il veut vous voir, annonça-t-il, impassible.

— Moi ?

— Oui.

— Et vous allez permettre ça ? s'étonna Parks.

Le shérif l'ignora.

— Je peux vous y conduire dès que vous serez prêt.

— Attendez une minute, Adam, intervint Parks. Vous avez raison, ça n'a pas de sens.

— Vous voulez le voir ou pas ? fit le shérif en haussant les épaules.

Parks agrippa mon bras et m'attira à l'écart.

— Dolf est en garde à vue depuis trois ou quatre heures, me souffla-t-il à voix basse. Il a refusé toute aide juridique et, pourtant, il a demandé à vous voir. C'est pour le moins inhabituel... Mais, le plus inquiétant reste le fait que le shérif ait accepté. Quelque chose, décidément, ne tourne pas rond.

— Mais quoi ?

— Je ne vois pas, soupira-t-il en secouant la tête.

— Ça ne change rien. Je ne peux pas refuser.

— Vous devriez, pourtant. Légalement parlant, je ne vois pas ce qu'il y a à gagner.

— Il ne s'agit pas que de légalité.

— Je vous le déconseille, maintint Parks.

— Papa ? interrogeai-je.

— Il veut te voir.

Il enfonça les mains dans ses poches et son expression ne laissa aucun doute : il était hors de question que je refuse. Je revins vers le shérif et le scrutai à la recherche d'un indice. Rien. Un visage de marbre.

— D'accord, déclarai-je. Allons-y.

Le shérif fit demi-tour et quelque chose passa fugitivement sur les traits de son adjoint. Je jetai un dernier coup d'œil à mon père, qui leva la main. Parks se pencha vers moi.

— Écoutez ce qu'il a à vous dire, Adam, mais n'ouvrez pas la bouche. Vous n'avez aucun ami là-dedans. Pas même Dolf.

— Qu'est-ce que vous voulez dire ?

— On a déjà vu des accusations de meurtre monter des amis les uns contre les autres. Ça arrive tout le temps. Le premier à passer un accord est le premier libéré. Tous les procureurs du pays jouent à ce petit jeu et aucun d'eux ne l'ignore.

— Dolf n'est pas comme ça, répliquai-je fermement.

— Vous n'avez pas idée de tout ce que j'ai pu voir.

— Pas cette fois.

— Faites attention, c'est tout ce que je dis, Adam. Vous détenez le record d'accusations dans la plus grosse affaire de meurtre du comté. Ça fait cinq ans que ça ronge le shérif. Votre acquittement l'a atteint sur le plan politique et je suis prêt à parier qu'il en a perdu le sommeil. Il veut votre peau, encore aujourd'hui. C'est la nature humaine, alors souvenez-vous : sans moi dans la pièce, aucun privilège avocat-client ne pourra protéger votre conversation. Considérez qu'on vous écoute et qu'on enregistre vos paroles, quoi qu'ils en disent.

Un avertissement inutile. J'avais déjà franchi cette porte et je ne me faisais aucune illusion. Miroirs sans tain, micros, questions piège... Je m'en souvenais très bien. Le shérif s'arrêta à l'entrée. Un bip retentit et la porte se déverrouilla.

— Ça te rappelle quelque chose ? ricana-t-il.

J'ignorai son sarcasme et entrai. Après cinq longues années, j'étais aujourd'hui de retour dans cette pièce. J'avais passé beaucoup de temps ici et je connaissais l'endroit aussi bien que ma propre maison : les odeurs, les recoins, les gardiens au sang chaud et à la matraque facile. Les couloirs sentaient encore le vomi, l'antiseptique et l'humidité.

J'avais juré ne jamais revenir dans le comté de Rowan. Et voilà que je me retrouvais à nouveau dans l'arène. Mais cette fois, c'était pour Dolf, et je n'étais pas en garde à vue.

Nous croisâmes des détenus en combinaison, tongs aux pieds. Certains se déplaçaient librement, d'autres traversaient les couloirs, menottés et surveillés par des gardiens. La plupart gardaient les yeux baissés mais certains me dévisageaient, me défiaient, et je soutenais leur regard. Je connaissais les règles de la vie de prisonnier. J'avais appris à repérer les prédateurs. Ils étaient venus me trouver dès le premier jour. J'étais riche, blanc et je refusais de baisser les yeux. Cela leur suffisait et ils avaient très tôt décidé de me passer à tabac.

J'avais dû endurer trois bagarres la première semaine. Il avait fallu une main cassée et une commotion cérébrale pour que je gagne ma place dans le lot des coriaces. Pas en tête, certes. Néanmoins on m'avait jugé assez costaud pour être laissé tranquille.

Alors, effectivement, je m'en souvenais.

Le shérif me conduisit à la plus grande salle d'interrogatoire et s'arrêta devant la porte. J'aperçus Dolf à travers les petites fenêtres vitrées, puis le shérif me bloqua la vue.

— Voilà comment ça marche, expliqua-t-il. Tu y vas seul et tu as cinq minutes. Je resterai ici. On ne vous écoutera pas, quoi qu'en dise ton avocat.

— Vraiment ?

Il se pencha si près que je pus voir la sueur qui perlait sur son visage et la peau rouge de son crâne sous les cheveux gris coupés ras.

— Oui, vraiment. Ça ne devrait pas être trop difficile. Même pour toi.

Je jetai un coup d'œil à travers la vitre. Dolf se tenait courbé, les yeux rivés sur la table.

— Pourquoi faites-vous ça ? demandai-je.

Il grimaça et ferma à demi ses paupières grasses. Puis il glissa une clé dans la large serrure et la fit tourner d'un geste expert. La porte s'ouvrit.

— Cinq minutes ! annonça-t-il avant de me laisser passer.

Dolf ne leva pas la tête. Un frisson me parcourut lorsque je pénétrai dans la pièce. Et quand la porte claqua derrière moi, j'eus l'impression que ma peau brûlait. Ils m'avaient cuisiné pendant trois jours dans cette même salle ; je revoyais la scène comme si c'était hier.

Je pris la chaise en face de Dolf, côté flic. Elle racla le sol de béton lorsque je la tirai vers moi. Il était immobile et, bien que sa combinaison fût trop grande pour lui, ses poignets paraissaient toujours aussi épais et ses mains larges et agiles. La pièce était éclairée d'une lumière plus crue qu'à l'extérieur – les flics ne voulaient pas de secrets – mais les couleurs semblaient éteintes et la peau de Dolf paraissait aussi jaune que le linoléum du couloir. Il avait la tête penchée. Je distinguai la bosse de son nez, ses sourcils blancs. Des cigarettes et un cendrier en aluminium traînaient sur la table.

Il leva les yeux lorsque je prononçai son nom. Je ne sais pas pourquoi mais je m'attendais à trouver de la distance, un obstacle entre nous ; il n'en fut rien. Il n'y avait en lui que chaleur et noblesse, et un sourire fatigué qui me surprit.

— Quelle histoire, hein ?

Il alluma une cigarette avec une allumette, se cala sur son siège et désigna la pièce d'un geste de la main.

— C'était comme ça, pour toi ?

— Ça y ressemble fort.

— Combien ils sont, là derrière ? demanda-t-il en montrant le miroir sans tain.

— C'est important ?

— J'imagine que non, répondit-il sans sourire. Ton père est là ?

— Oui.

— Il est contrarié ?

— Parks est contrarié. Mon père, lui, est bouleversé. Tu es son meilleur ami. Il a peur pour toi.

Je marquai une pause et attendis un indice de ce qui l'avait poussé à vouloir me parler.

— Je ne comprends pas pourquoi je suis là, Dolf. Tu devrais être en train de parler avec Parks. C'est l'un des meilleurs avocats de Caroline du Nord et il est ici pour toi.

— Les avocats..., dit-il sur un ton évasif.

— Tu as besoin de lui.

— C'est drôle.

— Quoi donc ?

— La vie.

— C'est-à-dire ?

Il m'ignora et écrasa sa cigarette dans le cendrier bon marché. Il se pencha en avant ; ses yeux étincelaient.

— Tu veux savoir la chose la plus belle que j'aie jamais vue ?

— Tu es sûr que ça va, Dolf ? m'inquiétai-je. Tu as l'air... je ne sais pas... ailleurs.

— Je vais bien... La chose la plus belle, tu veux savoir ?

— Bien sûr.

— Tu l'as vue, toi aussi, même si je ne pense pas que tu l'aies appréciée à sa juste valeur à l'époque.

— Quoi donc ?

— Le jour où ton père a plongé dans la rivière pour repêcher Grace.

Je ne sais pas ce que mon visage exprima – de la surprise, de l'étonnement... Je ne m'étais pas attendu à ça. Le vieil homme hocha la tête.

— N'importe qui aurait fait la même chose, rétorquai-je.

— Non.

— Je ne comprends pas.

— À part ce jour-là, tu as déjà vu ton père dans la rivière ou même dans une piscine ?

— De quoi est-ce que tu parles, Dolf ?

— Ton père ne sait pas nager, Adam. J'imagine que tu ne l'as jamais su.

— Non, jamais, répondis-je, sous le choc.

— Il a peur de l'eau ; cela le terrifie depuis qu'il est tout petit. Pourtant il y est allé sans hésiter, la tête la première dans une rivière encombrée de débris, si tumultueuse qu'elle en devenait dangereuse. C'est un miracle qu'ils ne se soient pas noyés tous les deux. C'est la chose la plus belle que j'aie jamais vue, sans l'ombre d'un doute. Un acte totalement désintéressé.

— Pourquoi tu me racontes ça ?

Il se pencha en avant et saisit mon bras.

— Parce que tu es comme ton père, Adam. Et parce que je veux que tu fasses quelque chose pour moi.

— Quoi ?

— Je veux que tu laisses les choses se faire.

— Que je laisse faire quoi ?

— Pour moi, pour tout... N'essaie pas de me sauver, ne te mets pas à fouiller, ne te mêle pas de ça.

Sa voix était confiante. Il lâcha mon bras.

— Laisse faire, c'est tout.

Puis Dolf se leva et fit quelques pas rapides en direction du miroir sans tain. Il se retourna, les yeux encore brillants et la voix brisée.

— Et prends soin de Grace, ajouta-t-il tandis que des larmes se mettaient à couler sur les rides de son visage. Elle a besoin de toi.

Il gratta la vitre et se détourna en baissant la tête. Je me levai, cherchai quelque chose à dire mais restai silencieux. La porte s'ouvrit en claquant et le shérif entra, des adjoints sur ses talons.

— Une seconde ! protestai-je en levant la main.

Le rouge monta aux joues du shérif. Grantham apparut derrière son épaule, pâle et distant.

— Terminé ! coupa-t-il. À présent vous devez vous en aller.

J'observai Dolf, son dos droit et sa nuque courbée, et son bras, sous le tissu orange, qui essuyait sa bouche alors qu'il était secoué d'une toux soudaine. Il appuya sa main sur la vitre et leva la tête pour apercevoir mon reflet. Ses lèvres bougèrent et je l'entendis à peine.

— Pars, maintenant.

— Allez, Chase.

Le shérif tendit la main comme si ce seul geste pouvait me faire sortir de la pièce. Trop de questions, aucune réponse. Et la demande de Dolf qui résonnait dans mon crâne. J'entendis un raclement de plastique et deux policiers apportèrent une caméra sur son trépied.

— Qu'est-ce qui se passe ? m'enquis-je.

Le shérif m'attrapa par le bras et me tira vers la porte. La pression cessa lorsque la porte claqua derrière moi. Je me dégageai et il me laissa regarder à travers l'étroite fenêtre tandis que ses hommes installaient les caméras. Dolf s'assit à la table et me regarda. Puis il leva les yeux vers l'objectif tandis que le shérif verrouillait la porte.

— Qu'est-ce que c'est que ça ?

— Des aveux.

— Non !

— Pour le meurtre de Danny Faith, précisa le shérif avant de marquer une pause. Et tout ce que j'ai eu à faire, c'est de le laisser vous parler.

Je le dévisageai.

— C'était son unique condition.

Je compris enfin. Le shérif savait combien je tenais à Dolf et il avait voulu que j'assiste à tout ça : Dolf face à la caméra, sa propre satisfaction devant la silhouette effondrée du vieil homme. Parks avait eu raison.

— Espèce de salopard ! crachai-je.

Le shérif sourit et se rapprocha de moi.

— Bienvenue dans le comté de Rowan, espèce de petit enfoiré de meurtrier.

20.

Nous quittâmes le centre de détention. Le vent apportait une odeur de pluie. Des éclairs silencieux fendirent le ciel et le tonnerre gronda tel le tir d'un canon. Tous voulaient savoir ce que m'avait dit Dolf. Dominant mon émotion, je leur racontai presque tout mais je gardai pour moi sa demande – je me sentais incapable de laisser Dolf Shepherd pourrir en prison. Plutôt mourir. Je leur expliquai qu'en quittant la cellule j'avais vu Dolf s'asseoir face à une caméra.

— Ça n'a pas de sens, déclara finalement mon père. C'est Dolf qui t'a emmené au rocher, Adam. Il a même tenu la corde pour t'aider à descendre. Tu n'aurais jamais découvert le corps sans lui.

— Ton père a raison, intervint Parks. À moins qu'il n'ait voulu qu'on trouve le corps.

— C'est absurde ! s'exclama mon père.

— La culpabilité pousse parfois à faire de drôles de choses, Jacob. J'en ai été le témoin. Des tueurs en série qui avouent brusquement tous leurs crimes, des violeurs qui demandent à être castrés, des maris jamais soupçonnés qui clament soudain avoir assassiné leur épouse des dizaines d'années plus tôt... Ce sont des choses qui arrivent.

J'entendis la voix de Dolf : *En général, les coupables finissent par payer pour leurs péchés.*

— Foutaises ! s'écria mon père tandis que Parks haussait les épaules.

Les bourrasques se firent plus violentes. Les premières gouttes tombèrent bruyamment. La pluie froide et dense se mit à marteler les marches. En quelques secondes, l'averse redoubla d'intensité jusqu'à faire gémir le béton du sol.

— Tu peux y aller, Parks, on parlera plus tard, fit mon père.

— Je serai à l'hôtel si vous avez besoin de moi, dit-il avant de foncer vers sa voiture.

Nous nous réfugiâmes dans un espace abrité derrière nous. L'orage était au plus fort. La pluie tombait si violemment qu'une brume froide s'éleva sous l'abri.

— Nous sommes tous coupables de quelque chose, commençai-je. Mais je n'arrive pas à croire que Dolf ait pu assassiner Danny.

Mon père scruta les rideaux de pluie comme s'ils pouvaient apporter des réponses. Puis il se tourna vers moi :

— Maintenant que Parks est parti, pourquoi ne pas me raconter le reste ?

— Je n'ai rien à ajouter.

— Il avait certainement une raison de vouloir te parler. Tu n'as pas encore dit laquelle. Je comprends que tu ne l'aies pas fait devant Parks mais tu peux me parler, à présent.

Une partie de moi désirait garder le silence mais une autre pensait que mon père pourrait peut-être m'éclairer.

— Il m'a demandé de laisser faire.

— C'est-à-dire ?

— De ne pas chercher plus loin. Il craint que je tente de découvrir la vérité sur ce qui s'est réellement passé. Et, pour une raison que j'ignore, il ne veut pas que je le fasse.

Mon père se détourna et fit quelque pas. Un de plus et la pluie l'engloutirait complètement. Je guettai sa réaction.

— J'ai vu son visage quand on a trouvé le corps de Danny. Il ne l'a pas tué, repris-je tandis qu'un grondement de tonnerre couvrait mes paroles. Il protège quelqu'un.

Tout cela était insensé. Mon père parla par-dessus son épaule et ses paroles m'atteignirent en plein cœur.

— Il est en train de mourir, Adam. Le cancer le ronge...

J'eus du mal à digérer ces derniers mots. Je repensai à ce que Dolf m'avait raconté, à sa bataille contre un cancer de la prostate.

— C'était il y a des années, bafouillai-je.

— Ce n'était que le début. Depuis, ça s'est propagé dans tout son corps. Poumons, os, rate... Il lui reste six mois à peine.

Une douleur intense me submergea.

— Il devrait être en train de se faire soigner !

— À quoi bon ? Pour gagner un mois supplémentaire ? Il est condamné, Adam. Les médecins sont formels. Quand je lui ai dit qu'il devait se battre, il m'a répondu de ne pas en faire tout un plat. Une mort digne, si Dieu le veut. C'est ce qu'il souhaite.

— Mon Dieu... Grace est au courant ?

— Je ne crois pas.

Je ravalai mon émotion : il me fallait à tout prix garder mon sang-froid... Soudain, tout s'éclaircit.

— Tu le savais ! Tu as tout compris dès l'instant où j'ai parlé de ses aveux !

— Non, Adam. Tout ce que je savais c'était que Dolf Shepherd était incapable de tuer. J'ignore qui il protège mais je suis sûr d'une chose : il s'agit de quelqu'un qu'il aime.

Il se tut un instant.

— Alors quoi ? insistai-je.

— Alors peut-être que tu devrais faire ce qu'il te demande.

— Mourir en prison n'est pas ce que j'appelle une mort digne.

— Ça peut l'être. Tout dépend de ce qui la justifie.

— Je ne peux pas l'abandonner.

— Ce n'est pas à toi de lui dicter la façon de vivre ses derniers jours...

— Je ne le laisserai jamais mourir dans ce trou !

Mon père semblait partagé.

— Ce n'est pas seulement Dolf, repris-je. Il y a autre chose.

— Quoi ?

— Danny m'a téléphoné.

Mon père n'était plus qu'une silhouette vague dans la pénombre.

— Je ne comprends pas.

— Danny a retrouvé ma trace à New York. Il m'a appelé il y a trois semaines.

— Il est mort il y a trois semaines...

— C'est étrange, je sais. Son coup de fil venait de nulle part, en plein milieu de la nuit. Il était tout excité. Il a expliqué qu'il avait trouvé le moyen de réparer tout ce qui clochait dans sa vie. Il a précisé que c'était quelque chose d'important mais qu'il avait besoin de mon aide. Il insistait pour que je rentre. On s'est disputé.

— Ton aide pour quoi ?

— Il a refusé de me le dire au téléphone.

— Mais...

— Je lui ai répondu que jamais je ne rentrerais à la maison, que cet endroit était perdu pour moi.

— C'est faux ! protesta mon père.

— Vraiment ?

Il baissa la tête.

— Danny m'a demandé de l'aide et je la lui ai refusée.

— Je te vois venir... Tu as tort, mon garçon.

— Je la lui ai refusée et il est mort.

— Les choses ne sont pas toujours aussi simples, persista mon père.

— Si j'étais rentré pour l'aider, il n'aurait peut-être pas été assassiné. J'ai une dette envers lui. Et j'ai une dette envers Dolf.

— Que vas-tu faire ?

Je contemplai la pluie, comme si je pouvais extraire du vide un peu de vérité.

— Je vais sortir ces putains de squelettes du placard...

21.

En route vers la ferme, j'écoutai le raclement des essuie-glaces sur le pare-brise du vieux pick-up. Il coupa le moteur et nous restâmes un instant à l'arrêt. Un brouillard humide se formait sur le toit martelé par la pluie.

— Tu es sûr de toi, fils ?

Je ne répondis pas – je pensais à Danny. Non seulement j'avais refusé de l'aider mais j'avais douté de lui. À cause de la bague retrouvée près de Grace. Les choses m'avaient paru évidentes sur le moment. Il avait changé ; à cause de l'argent, sa part sombre avait pris le dessus. Son père voulait que le mien cède ses terres, et Danny avait suivi. Nom de Dieu ! J'avais tellement voulu le croire que j'en avais oublié toutes les fois où il m'avait défendu, et même l'homme que je connaissais – le plus injuste ! Mais à présent il était mort et je devais avant tout penser à ceux qui étaient encore là.

— Grace... Tout ça va la tuer, m'inquiétai-je.

— Elle est forte.

— Personne n'est aussi fort. Tu devrais appeler l'hôpital. Les journaux vont en parler. Peut-être faut-il le lui cacher au moins un ou deux jours. Il vaut mieux qu'elle l'apprenne par l'un de nous.

— Jusqu'à ce qu'elle aille mieux..., concéda mon père. Oui, un jour ou deux.

— Je dois y aller, annonçai-je mais il me retint par le bras.

Ma portière étant ouverte, l'eau tombait en cascade dans l'habitacle mais il s'en fichait.

— Dolf est mon ami depuis toujours, Adam. Depuis notre plus tendre enfance, avant même que je rencontre ta mère... Ne crois pas que ce soit facile pour moi.

— Alors tu devrais ressentir la même chose que moi. Il faut qu'on le sorte de là.

— L'amitié est aussi une histoire de confiance.

— La famille aussi.

— Adam...

Je descendis de la voiture et me penchai à l'intérieur tandis que la pluie martelait mon dos.

— Tu crois que j'ai tué Gray Wilson ? Là, maintenant... dis-le-moi. Est-ce que tu crois que je l'ai tué ?

— Non, mon fils, je ne crois pas que tu l'aies tué.

Quelque chose céda dans ma poitrine.

— Ça ne signifie pas pour autant que je te pardonne, repris-je. On a encore beaucoup de chemin à faire, toi et moi.

— C'est vrai.

À ma grande surprise, j'ajoutai :

— Je veux rentrer à la maison. Voilà la véritable raison de mon retour.

Ses yeux s'agrandirent mais je n'étais pas prêt à en dire davantage. Je claquai la porte et rejoignis ma voiture en pataugeant dans les flaques. Mon père sortit à son tour et grimpa les marches de la véranda. Puis il se retourna vers moi. Ses vêtements étaient trempés, de l'eau ruisselait sur son visage. Il leva une main et la maintint en l'air jusqu'à ce que je redémarre.

Je me rendis chez Dolf. Sa maison était plongée dans l'obscurité. Après m'être débarrassé de mes vêtements mouillés, je me laissai tomber sur son canapé. Hypothèses et contre-hypothèses s'affrontaient dans mon esprit. À vingt kilomètres de là, Dolf devait être allongé sur une couchette dure et étroite. Éveillé, sans doute. Effrayé aussi. Le cancer devait être en train de ronger ce qui lui restait de vie. Combien de temps encore avant qu'il ne l'emporte ? Six mois ? Deux ? Un seul ? Je n'en avais aucune idée. Quand ma mère était morte et que mon père avait sombré dans son chagrin, pendant des années, c'était Dolf Shepherd qui avait répondu présent. Je sentais encore sa lourde main sur mon épaule. Des années difficiles, interminables. Et c'était Dolf qui m'avait sorti de là.

S'il devait mourir, il fallait que ce soit au soleil.

Je repensai à la carte postale dans ma boîte à gants. Si Dolf n'avait pas tué Danny, alors la carte le disculperait. Mais qui était le coupable ? Quelqu'un qui aurait eu une raison de souhaiter la mort de Danny. Quelqu'un d'assez fort pour cacher son corps dans la crevasse au sommet du rocher. Peut-être était-il temps d'en parler à Robin. Quoi qu'il en soit, mon père disait vrai : Dolf devait avoir ses raisons et nous n'avions aucune idée de ce qu'elles pouvaient être. Je fermai les yeux et tentai de ne pas penser à ce qu'avait dit Parks. *Peut-être qu'il voulait qu'on retrouve le corps.* Puis, à nouveau la voix de Dolf : *En général, les coupables finissent par payer pour leurs péchés.* Ces sombres pensées accompagnèrent l'arrivée du tonnerre. Si Dolf avait tué Danny, il devait avoir un sacré bon mobile. Mais en était-il capable ? Était-ce seulement possible ? J'avais été absent longtemps : qu'est-ce qui avait changé ces cinq dernières années ? Qui ?

Je réfléchis ainsi jusqu'à ce que je trouve enfin le sommeil et, pour une fois, je ne rêvai ni de ma mère ni de sang, mais de dents et du cancer qui était en train de ronger quelqu'un de bien.

Je me réveillai avant 6 heures, avec l'impression de ne pas avoir fermé l'œil. Je trouvai du café dans un placard et mis la cafetière en route avant de sortir dans le jour gris et humide. Le soleil se lèverait dans une demi-heure, tout était immobile et silencieux. Les feuilles ployaient sous le poids de gouttes d'eau sombre et l'herbe avait été couchée par l'averse. Des flaques brillaient sur la route, noires et lisses comme du pétrole.

Une matinée calme.

Puis j'entendis les hurlements de chiens en chasse, la clameur d'une meute. Un son primal qui me donna la chair de poule. Il s'éleva au-dessus des collines, faiblit, s'éleva à

nouveau et finit par s'éteindre. Puis, des coups de feu écla-
tèrent et je compris que mon père était aussi nerveux que
moi.

Je tendis l'oreille une minute encore mais le hurlement
des chiens avait définitivement cessé et plus aucun coup
de feu ne retentit. Je retournai à l'intérieur.

En allant prendre ma douche, je m'arrêtai devant la
chambre de Grace. Rien n'avait changé. Je fis couler l'eau,
me lavai avec des gestes rapides et me séchai. De la vapeur
me suivit jusque dans le salon où je trouvai Robin assise à
l'endroit où j'avais dormi, la main posée sur l'oreiller. Elle
se leva, petite et pâle, ressemblant davantage à celle que
j'aimais qu'à un flic.

— On dirait que j'arrive toujours au moment où tu es
sous la douche.

— Rejoins-moi, la prochaine fois.

Je lui souris mais le jour était trop grave pour faire
preuve de légèreté. J'ouvris les bras et sentis le contact frais
de sa joue sur mon torse.

— Il faut qu'on parle, déclara-t-elle.

— Laisse-moi m'habiller.

À mon retour, elle avait servi le café. Nous nous assîmes
à la table de la cuisine tandis que le brouillard se dispersait
pour laisser place au soleil.

— J'ai appris pour les aveux de Dolf, commença-t-elle.

— Ce sont des conneries ! m'exclamai-je d'une voix plus
forte que je ne l'aurais voulu.

— Comment tu peux en être aussi sûr ?

— Je le connais.

— Ça ne suffit pas, Adam...

— Je le connais depuis que je suis né ! m'emportai-je. Il
m'a quasiment élevé !

— Tu ne m'as pas laissée finir, rétorqua calmement
Robin. Ça ne suffit pas si nous voulons l'aider. Il nous faut
trouver une faille dans son histoire, une piste qu'on pourrait creuser.

Je scrutai son visage et n'y décelai aucune trace de
contrariété.

— Je suis désolé.

— Parlons plutôt de ce que nous pourrions faire.

Elle voulait se rendre utile mais j'avais entre les mains une preuve matérielle. Peut-être la première d'une longue série.

— Pas nous, Robin. Moi.

— Qu'est-ce que tu veux dire ?

— Je ferai tout pour tirer Dolf de là, tu comprends ? N'importe quoi pour l'en sortir... Si tu m'aides, ta carrière pourrait bien ne pas y survivre. Et pas seulement ta carrière... Je ferai ce qu'il faut.

Je lui laissai le temps de réfléchir à mes paroles. Respecter la loi n'était pas dans mes priorités.

— Tu comprends ?

— Ça m'est égal.

— Robin, c'est moi que tu as choisi, pas Dolf. Je ne veux pas qu'il t'arrive quoi que ce soit. Tu ne lui dois rien.

— Tes problèmes sont aussi les miens.

— Que dirais-tu de m'aider sur des sujets qui ne sont pas dangereux pour toi ?

— Comme quoi ?

— Obtenir des infos.

— Rappelle-toi qu'on m'a retiré l'affaire. Je n'ai plus accès à grand-chose.

— Et sur le mobile ? Grantham doit avoir une théorie là-dessus.

— Seulement des rumeurs. Dolf n'a pas mentionné de mobile au cours de son interrogatoire. Ils ont essayé de l'y pousser mais il est resté vague. Il y a deux hypothèses. La première est simple : Dolf et Danny travaillaient ensemble. Ils ont eu un accroc et leur dispute a dégénéré. Ça arrive tous les jours. La deuxième aurait rapport à l'argent.

— C'est-à-dire ?

— Peut-être que c'était Dolf qui tuait du bétail et qui a mis le feu aux dépendances. Danny l'a peut-être surpris, et Dolf l'a tué pour l'empêcher de parler. C'est tiré par les cheveux, mais un jury s'en contenterait.

— Dolf n'y gagnerait rien.

De l'étonnement se peignit sur les traits de Robin.

234 La rivière rouge

— Bien sûr que si. Tout comme ton père et Zebulon Faith.

— C'est mon père le propriétaire. Cette maison et ces terres... tout est à lui.

Robin se recula sur son siège et posa les mains sur le bord de la table.

— Je ne crois pas, Adam, répliqua-t-elle en secouant la tête. Dolf est propriétaire de quatre-vingts hectares, dont la maison dans laquelle nous nous trouvons.

J'étais abasourdi. Robin parla lentement, comme si elle craignait que je ne comprenne pas bien.

— Si on se base sur la dernière offre de la compagnie, ça représente six millions de dollars. Une excellente raison de contraindre ton père à vendre.

— Ce n'est pas possible.

— Vérifie toi-même.

— Premièrement, Dolf ne peut pas être propriétaire d'une partie de cette ferme. Mon père ne ferait jamais ça. Deuxièmement... deuxièmement, il est en train de mourir. Il n'aurait que faire de cet argent.

Robin mesura combien me coûtaient ces allégations mais elle refusa de revenir sur ses propos.

— Peut-être le fait-il pour Grace, suggéra-t-elle en glissant sa main dans la mienne. Ou peut-être qu'il préférerait tout simplement mourir loin d'ici, sur une plage.

Je dis à Robin que j'avais besoin d'être seul. Elle posa ses lèvres douces sur mon visage et me suggéra de l'appeler plus tard. Ce qu'elle avait dit ne tenait pas debout. Mon père tenait à ces terres comme à sa propre vie. Il considérait de son devoir de les préserver, de les garder pour la famille, pour les générations futures. Ces quinze dernières années, il avait cédé des parts à ses enfants, mais dans le but de planifier la succession. Et il s'agissait seulement de parts dans l'entreprise familiale. Il gardait le contrôle, et je savais que jamais il ne se séparerait d'un seul hectare, même pour Dolf.

À 8 heures, je décidai d'aller demander des explications à mon père mais sa voiture n'était pas là. Encore en train de courir après les chiens, pensai-je. Je cherchai des yeux le pick-up de Jamie – pas là non plus. La maison était plongée dans un silence de mort et je remontai le couloir jusqu'au bureau de mon père. Je voulais trouver quelque chose qui puisse corroborer les affirmations de Robin. Un acte de vente, un titre de propriété, n'importe quoi... En essayant d'ouvrir le premier tiroir du meuble où il rangeait ses dossiers, je constatai qu'il était fermé à clé. Même chose pour les autres.

Je fus tiré de mes réflexions par une ombre qui passa derrière la vitre. Je marchai jusqu'à la fenêtre et aperçus Miriam dans le jardin. Elle portait une robe noire, à manches longues et col haut, et coupait des fleurs à l'aide du sécateur de sa mère. Elle s'agenouilla dans l'herbe humide – ce ne devait pas être la première fois car sa robe était mouillée au niveau des genoux. Le sécateur se referma sur une tige et une rose couleur soleil couchant tomba sur l'herbe. Elle la ramassa, l'ajouta au bouquet et, lorsqu'elle se redressa, elle esquissa un sourire, faible mais satisfait.

Elle avait relevé ses cheveux en un chignon haut et le col de sa robe, qui semblait dater d'une autre époque, flottait autour de son cou. Ses gestes étaient si fluides que j'eus l'impression d'observer un fantôme.

Elle s'approcha d'un autre massif, s'agenouilla encore et coupa une rose aussi pâle et translucide qu'un flocon de neige. J'entendis alors un bruit à l'étage – un objet tombant par terre. Ce devait être Janice.

Pour une raison que j'avais du mal à m'expliquer, j'avais encore besoin de lui parler. Je considérais sans doute que nous n'en avions pas fini. Je grimpai l'escalier, l'épaisse moquette étouffant mes pas. Le couloir de l'étage était baigné d'une lumière froide qui entrait par de hautes fenêtres d'où l'on pouvait voir la ferme et la route qui la traversait. De nombreuses toiles ornaient les murs et le sol était recouvert d'un tapis rouge sombre. La porte de la chambre de Miriam était entrouverte. Dans l'entrebâillement, j'aperçus Janice. Des tiroirs étaient ouverts et elle se tenait les mains sur les hanches, scrutant la pièce. Elle se dirigea vers le lit, souleva le matelas et parut trouver ce qu'elle cherchait. Un léger cri lui échappa lorsque, tenant le matelas d'une main, elle saisit quelque chose en dessous. Elle examina l'objet qui brillait comme un morceau de miroir.

— Bonjour, Janice, dis-je en entrant dans la pièce.

Elle fit volte-face et sa main se referma par réflexe. Elle la cacha dans son dos et se mordit la lèvre.

— Qu'est-ce que tu fais ? demandai-je.

— Rien, mentit-elle.

— Qu'est-ce que tu as dans la main ?

— Ça ne te regarde pas, Adam.

Ses traits se figèrent tandis qu'elle essayait de retrouver son sang-froid.

— Tu ferais mieux de t'en aller, ajouta-t-elle.

Je regardai son visage, puis le sol : du sang gouttait sur le plancher derrière elle.

— Tu saignes.

Quelque chose en elle parut céder. Elle ramena sa main toujours serrée devant elle, les articulations crispées en dépit de la douleur. Du sang s'était frayé un chemin entre ses doigts.

— Tu es blessée ? demandai-je.

— Qu'est-ce que ça peut te faire ?

— C'est grave ?

— Je ne sais pas.

— Montre-moi.

Ses yeux se posèrent sur moi : un regard plein de détermination.

— Ne lui dis pas que tu sais, m'intima-t-elle avant d'ouvrir la main.

Au creux de sa paume se trouvait une lame de rasoir. Le sang lui donnait un éclat mat. Janice s'était profondément coupée et du sang s'écoulait de deux plaies parfaitement symétriques. Je retirai la lame et la posai sur la table de nuit, puis je pris sa main et, de la mienne, je recueillis les gouttes qui continuaient de tomber.

— Viens dans la salle de bains. On va nettoyer la plaie et regarder ça de plus près.

Je fis couler de l'eau froide sur les coupures et enveloppai sa main dans une serviette propre. Durant toute la manœuvre, elle se tint raide, les yeux fermés.

— Serre fort, recommandai-je.

Elle s'exécuta et son visage pâlit davantage.

— Tu auras sans doute besoin de points de suture.

Lorsque ses yeux s'ouvrirent, je vis qu'elle était sur le point de s'effondrer.

— N'en parle pas à ton père. Il serait incapable de comprendre et elle n'a pas besoin de ça en plus. Il ne ferait qu'empirer les choses.

— Incapable de comprendre quoi ? Que sa fille est suicidaire ?

— Il ne s'agit pas de ça.

— De quoi s'agit-il alors ?

— Ça ne te regarde pas. Elle se fait aider. C'est tout ce que tu as besoin de savoir.

— Je pense que tu as tort, Janice. Viens, allons en parler en bas.

Elle accepta à contrecœur. En passant devant les fenêtres du couloir, j'aperçus Miriam qui démarrait.

— Où va-t-elle ? l'interrogeai-je.

Elle eut un rire plein d'amertume.

— Tu veux savoir ? Très bien. Elle va fleurir la tombe de Gray Wilson, comme chaque mois. Ironique, n'est-ce pas ?

Incapable de répondre, je restai muet et aidai Janice à descendre l'escalier.

— Emmène-moi dans le petit salon, commanda-t-elle.

Nous nous assîmes sur la méridienne.

— Rends-moi un dernier service. Va dans la cuisine et rapporte-moi de la glace et une autre serviette.

En allant vers la cuisine, j'entendis, incrédule, la porte du petit salon claquer et le lourd verrou se refermer.

Je frappai deux fois mais elle refusa d'ouvrir. J'entendis un son aigu – comme une sorte de lamentation.

Miriam était bien au cimetière. Elle était agenouillée, repliée sur elle-même et, de loin, elle ressemblait à un corbeau géant qui se serait posé sur la tombe. Le vent soufflait entre les stèles usées par le temps et gonflait sa robe. Il ne lui manquait que les plumes et le cri mélancolique. Ses doigts agiles arrachaient les mauvaises herbes ; le bouquet avait été délicatement posé contre la stèle. Lorsqu'elle m'entendit, elle leva les yeux et des larmes glissèrent sur ses joues.

— Bonjour, Miriam.

— Comment m'as-tu trouvée ?

— Ta mère.

— Elle t'a dit que j'étais ici ?

— Ça te surprend ?

Sa tête s'enfonça dans ses épaules et elle sécha ses larmes, laissant une trace de terre sombre sur sa joue.

— Elle n'approuve pas le fait que je vienne ici. Elle trouve que c'est morbide.

— Ta mère se soucie surtout du présent, je crois, fis-je en m'accroupissant près d'elle. Du présent et de l'avenir.

Elle contempla le ciel lourd, elle semblait accablée. Ses larmes s'étaient taries mais elle avait conservé son air maussade et renfermé. À côté d'elle, le bouquet coloré rayonnait de fraîcheur.

— Ça t'ennuie que je sois là ? demandai-je.

Elle se figea.

— Je n'ai jamais cru que tu l'avais tué, Adam, répondit-elle en posant sur ma jambe une main hésitante, qui se voulait sans doute réconfortante. Non, ça ne m'ennuie pas.

Je voulus mettre ma main sur la sienne mais, au dernier moment, je la posai sur son avant-bras. Elle sursauta et bascula en arrière tandis qu'un gémissement de douleur lui échappait. Une terrible certitude m'envahit alors. La même chose s'était produite à l'hôpital lorsque j'avais touché son bras. Elle avait prétendu que je lui avais fait peur... À présent, j'en doutais.

Elle baissa les yeux, le bras contre son corps, comme si elle craignait que je n'essaie de l'attraper à nouveau, et se détourna.

— Est-ce que je peux voir ? murmurai-je.

— Voir quoi ? rétorqua-t-elle avec méfiance.

— J'ai surpris ta mère en train de fouiller dans ta chambre, soupirai-je. Elle a trouvé la lame de rasoir.

Sa tête s'enfonça davantage dans ses épaules et elle se recroquevilla. Je songeai aux manches longues, aux jupes et pantalons longs qu'elle portait, même en plein soleil. Elle dissimulait sa peau. Au début, je ne m'étais pas arrêté à ce détail mais la découverte de la lame de rasoir me donnait un nouvel éclairage.

— Elle n'aurait pas dû faire ça. C'est une intrusion dans ma vie privée.

— Je suppose qu'elle s'inquiète pour toi.

J'attendis un instant, puis répétai ma question.

— Est-ce que je peux voir ?

— Ne dis rien à papa, bredouilla-t-elle faiblement.

— Ça va aller, la rassurai-je en tendant la main.

— Je ne le fais pas souvent.

Les yeux apeurés, elle avança son bras. Je pris sa main et la trouvai chaude et humide. Ses doigts se crispèrent lorsque je repoussai sa manche aussi doucement que possible. Je serrai les dents. Il y avait des plaies récentes et d'autres, en partie cicatrisées. Et puis il y avait des cicatrices, fines, blanches et terribles.

— C'était un mensonge, cette cure de remise en forme, n'est-ce pas ?

— Dix-huit jours de suivi quotidien, avoua-t-elle. Dans le Colorado. C'est censé être la meilleure clinique.

— Et papa n'est pas au courant ?

Elle secoua la tête.

— C'est à moi de régler ça. À moi et à maman. Si papa était au courant, ça ne ferait que rendre les choses plus difficiles.

— Il devrait être mis au courant, pourtant. Le cacher n'aide personne, Miriam.

— Je ne veux pas qu'il sache, répéta-t-elle en baissant un peu plus la tête.

— Pourquoi ?

— Il pense déjà que j'ai quelque chose qui cloche.

— Ce n'est pas vrai.

— Il me trouve trop émotive.

Elle avait raison. C'était précisément le mot qu'il avait employé. Je lui posai alors LA question, même si je savais que la réponse n'avait rien d'évident.

— Pourquoi, Miriam ?

— Ça atténue la douleur.

— Quelle douleur ?

Elle regarda la tombe et caressa les lettres gravées du nom de Gray Wilson.

— Je l'aimais, murmura-t-elle.

Ses paroles me prirent au dépourvu.

— Tu es sérieuse ?

— C'était un secret.

— Je pensais que vous étiez seulement amis. C'est ce que tout le monde croyait.

— Nous étions amoureux, murmura-t-elle en secouant la tête.

Ma bouche s'ouvrit toute seule.

— Nous allions nous marier.

22.

Miriam avait raison : elle n'avait jamais été ce que mon père avait souhaité qu'elle soit. Elle était belle à sa manière, pâle et réservée, mais elle se montrait parfois si secrète qu'on pouvait aisément oublier qu'elle se trouvait dans la pièce. Elle avait toujours été comme ça : sensible et discrète, se perdant facilement parmi les ombres. Peut-être étions-nous tous trop extravertis. Janice n'était sans doute pas la seule à avoir étouffé Miriam. Peut-être était-ce le résultat d'une action collective, involontaire mais cruellement efficace. Et je savais combien la faiblesse pouvait s'aggraver avec le temps. L'année de ses douze ans, des filles de la classe de Miriam avaient été malveillantes avec elle. Personne n'avait su exactement ce qui s'était produit mais j'avais présumé à l'époque qu'il s'agissait de méchanceté propre aux filles de cet âge. Elle était restée trois semaines sans dire un mot à personne. Mon père avait commencé par se montrer patient, puis son agacement s'était accentué. Un jour, incapable de se maîtriser davantage, il avait eu des paroles très dures, de celles qu'on a du mal à oublier. Elle s'était enfuie en pleurant et les excuses de mon père, un peu plus tard dans la soirée, n'avaient servi à rien.

Par la suite, il s'était senti très embarrassé mais parler aux femmes n'avait jamais été son fort. C'était un homme plutôt bourru, pas très bavard et qui, quand il s'exprimait, disait sans détour le fond de sa pensée. Il était incapable de délicatesse. Miriam était trop jeune pour comprendre ça. Les années suivantes, elle s'était renfermée de plus en plus. Elle avait consolidé sa carapace et s'y était littéralement barricadée. Elle se confiait parfois à sa mère et sans doute à Jamie, mais jamais à mon père et certainement pas à moi. Sa mélancolie avait débuté alors qu'elle était encore enfant et s'était progressivement développée jusqu'à ce qu'elle passe inaperçue.

Miriam était discrète. C'était seulement sa manière d'être.

Sa relation avec Gray Wilson avait dû lui être aussi précieuse que le souvenir d'un coucher de soleil pour un aveugle. Je comprenais facilement qu'elle ait pu avoir des sentiments pour ce garçon : il était loquace et audacieux, tout ce que Miriam n'était pas. Et je voyais très bien pourquoi ils en avaient gardé le secret. Mon père n'aurait pas approuvé, et Janice non plus. Miriam venait d'avoir dix-huit ans quand Gray avait été tué. Elle s'apprêtait à intégrer Harvard tandis que lui travaillait depuis trois mois à l'usine de camions du comté voisin. Mais je les imaginais assez bien ensemble. Il était aimable et facile à vivre, un beau jeune homme robuste. Ce qui se disait sur l'attirance des contraires était peut-être vrai. Il était grand, fort et pas très riche ; elle était petite, délicate et destinée à hériter d'une grande fortune. Dommage…

Avant de quitter le cimetière, je proposai à Miriam de rester avec elle, mais elle refusa.

— Parfois, j'ai juste envie d'être seule avec lui, tu sais. Seule avec mes souvenirs.

Aucun de nous ne mentionna George Tallman – et pourtant il était bien là : grand, bien réel et ennuyeux comme la pluie. George était amoureux de Miriam depuis toujours sans qu'elle lui laissât de chance. Il était resté malade d'amour, triste et désespéré ; il faisait souvent peine à voir. Aujourd'hui, elle s'était rangée – je le comprenais, maintenant. Se voyant seule et destinée à le rester, elle avait choisi la voie facile. Elle ne se l'avouerait jamais, même pas à elle-même, mais c'était un fait, tout comme la présence du ciel au-dessus de nos têtes. Je me demandai comment aurait réagi George s'il avait pu la voir là, vêtue de noir, le visage baigné de larmes, pleurant sur un rival enterré depuis cinq ans.

Je la laissai après une étreinte maladroite et la promesse de garder le silence sur ce que je venais d'apprendre. Mais j'étais inquiet – pis : j'étais effrayé. Elle s'automutilait ; le chagrin la torturait tellement qu'il lui fallait verser son propre sang pour se soulager. Je me demandai comment elle s'y prenait – une incision par heure ? Deux par jour ? Ou bien est-ce que cela s'imposait, sans schéma précis ? Une petite coupure dès que la vie lui jouait un mauvais tour ? Miriam était faible, aussi fragile que les pétales qu'elle avait répandus sur la tombe de Gray Wilson. Je doutais qu'elle possédât suffisamment de ressources pour venir à bout de son problème et me demandai si Janice avait adopté la bonne attitude. Elle n'en avait pas parlé à mon père ; était-ce pour protéger Miriam ou pour une autre raison ? Je ne pus m'empêcher de me poser une autre question : serais-je capable de tenir ma promesse et de ne rien dire ?

Tout en m'éloignant, je ressentis un terrible besoin de voir Grace. Ce n'était pas vraiment rationnel, il s'agissait plutôt d'une impulsion. Elles étaient si différentes. Élevées sur la même terre par deux hommes qui auraient pu être frères, et pourtant elles ne pourraient être plus dissemblables. Miriam était aussi fraîche et calme qu'une averse de printemps ; Grace avait la force sauvage de la chaleur de l'été.

Mais je me ravisai. Il y avait trop à faire et c'était Dolf qui avait le plus besoin de moi pour le moment. Je dépassai donc l'hôpital et poursuivis jusqu'à la mairie. Je me garai et empruntai l'escalier jusqu'au deuxième étage. Grantham pensait tenir un mobile et il fallait que je vérifie ça.

Le bureau du cadastre était sur ma droite.

Je franchis une porte vitrée. À l'accueil, un long comptoir occupait toute la largeur de la pièce et sept femmes se tenaient derrière. Aucune d'elles ne m'accorda la moindre attention tandis que je consultais la gigantesque carte du comté de Rowan épinglée sur le mur. Je repérai la rivière

Yadkin et la suivis du doigt jusqu'à ce que j'identifie la longue courbe qui bordait les terres de Red Water. Je notai la référence de la zone et allai retirer la petite carte correspondante que j'étalai sur l'une des grandes tables. Je m'attendais à voir une parcelle de cinq cent soixante-treize hectares au nom de mon père, mais je découvris autre chose.

Les limites des terres de la ferme étaient clairement indiquées sur la carte : *Entreprise familiale Jacob Alan Chase*, quatre cent quatre-vingt-treize hectares. Pourtant, la parcelle la plus au sud de la ferme n'en faisait plus partie : un triangle approximatif avec un long segment de berge. *Adolfus Boone Shepherd*, quatre-vingts hectares.

Robin avait raison. Dolf possédait quatre-vingts hectares, maison comprise. « Six millions de dollars selon l'offre la plus récente », avait-elle dit.

Je n'en croyais pas mes yeux.

Je notai la référence et le numéro de page sur un bout de papier et replaçai la carte sur son étagère. Je me rendis au comptoir et m'adressai à l'une des femmes. Elle était d'âge moyen, rondelette, et une épaisse couche de fard bleu recouvrait ses paupières jusqu'aux sourcils.

— J'aimerais consulter l'acte de vente pour cette parcelle, dis-je en posant mon papier sur le comptoir.

Elle ne se donna même pas la peine de le regarder.

— Il faut aller au registre des ventes, mon chou.

Je la remerciai et me rendis au bureau en question. Là, j'expliquai à une autre employée ce que je désirais.

— C'est là-bas, dit-elle en indiquant l'extrémité du comptoir. Ça me prendra une minute.

Elle réapparut, un livre volumineux sous le bras. Elle le laissa tomber sur le bureau, glissa un doigt entre deux pages et l'ouvrit. Après avoir trouvé la bonne page, elle le fit pivoter vers moi.

— C'est ça que vous cherchez ? vérifia-t-elle.

C'était un acte de transfert de propriété conclu dix-huit ans plus tôt. Je le lus en diagonale. Mon père avait transféré quatre-vingts hectares de propriété à Dolf.

— Intéressant, fit remarquer la femme.

— Quoi donc ?

— Il n'y a pas de timbre fiscal.

— Pardon ?

Elle soupira, comme si la question lui paraissait incongrue, puis elle retourna quelques pages en arrière pour me montrer un autre acte de transfert. Quelques timbres colorés étaient collés sur le coin supérieur.

— Quand on achète un terrain, il faut payer une taxe et coller des timbres fiscaux sur l'acte. Pas de timbre, confirma-t-elle après être revenue à la page initiale.

— Qu'est-ce que ça signifie ?

— Ça veut dire qu'Adolfus Shepherd n'a pas acheté ces terres.

J'ouvris la bouche pour l'interroger mais elle leva la main, m'intimant de me taire. Elle se pencha à nouveau sur le registre et lut un autre nom.

— C'est Jacob Chase qui les lui a données.

Dehors, la chaleur me terrassa. Je laissai mon regard errer un peu plus loin, jusqu'à l'endroit où se trouvait le palais de justice, intemporel et sévère sous la lumière crue du soleil. Il fallait que je parle à Rathburn. Il s'était rendu à la ferme pour tenter de convaincre mon père de quelque chose. Et il était question de Dolf, aussi. Qu'avait dit mon père, déjà ? Je m'arrêtai, tendis l'oreille comme pour mieux me rappeler ses mots : *Et ne t'avise pas d'aller parler à Dolf. Ce que je dis vaut aussi pour lui.*

Quelque chose de ce genre.

Je poursuivis mon chemin et passai devant la prison. Elle se dressait, anguleuse et austère, avec des fenêtres aussi étroites que des visages féminins. Tout en songeant à Dolf qui moisissait à l'intérieur, je grimpai les marches du palais de justice. Le bureau du juge était situé au deuxième étage. Je n'avais pas de rendez-vous et les huissiers savaient parfaitement qui j'étais. Aussi me firent-ils passer trois fois au détecteur de métaux, et subir une fouille si méticuleuse que je n'aurais jamais pu introduire au palais une agrafe cachée dans mes sous-vêtements. J'encaissai, feignant l'indifférence. Ils hésitèrent encore mais le palais de justice étant un lieu public, ils n'avaient aucun droit de m'en interdire l'accès.

Le bureau du juge, en revanche, fut une autre histoire. Il était facile à trouver – en haut de l'escalier, après le bureau du procureur – mais y entrer était nettement plus difficile. Les bureaux n'avaient rien de public. Vous pouviez y pénétrer seulement si le juge acceptait de vous recevoir. La porte était faite d'acier et de verre pare-balles. Les deux douzaines de gardes armés qui surveillaient le bâtiment n'hésiteraient pas à m'expulser manu militari si le juge le leur demandait.

J'inspectai le couloir. Derrière la vitre, une petite femme était assise à un bureau. Son visage avait la couleur du thé, ses cheveux étaient jaunes et ses yeux sévères. Lorsque je pressai le bouton de la sonnette, elle cessa de pianoter sur son clavier. Elle fronça les sourcils et leva un doigt avant de quitter la pièce aussi rapidement que ce que ses jambes enflées lui permettaient.

Rathburn n'avait pas changé – un peu moins transpirant, peut-être. Il m'étudia à travers la vitre. Après quelques secondes de réflexion, il murmura quelque chose à sa secrétaire qui posa la main sur le téléphone puis ouvrit la porte.

— Qu'est-ce que vous voulez ?

— Une minute de votre temps.

— À quel sujet ?

Les verres de ses lunettes brillèrent et il avala sa salive. Peu importait le verdict, Rathburn était convaincu que j'étais un assassin. Il s'avança, occupant à présent tout l'entrebâillement de la porte.

— Un problème ?

— J'aimerais savoir pourquoi vous êtes allé voir mon père l'autre jour ?

— Je vous accorde une minute, déclara-t-il.

Je le suivis sous le regard insistant de la petite femme aux yeux durs et m'arrêtai devant son bureau tandis qu'il poussait la porte.

— Elle n'attend qu'une bonne raison d'appeler les gardes, m'avertit-il. Ne lui en donnez pas.

Il s'assit et je l'imitai. Des gouttes de sueur se formèrent au-dessus de sa lèvre supérieure.

— À propos de quoi vous disputiez-vous avec mon père ? questionnai-je.

Il se renversa en arrière et gratta sa perruque du bout du doigt.

— Mettons d'abord les choses au clair. La loi, c'est la loi et le passé, c'est le passé. Vous êtes dans mon bureau et je suis le juge. Je ne traite pas les affaires personnelles dans mon bureau. Si vous vous avisez de franchir cette limite, je ferai venir les gardes avant même que vous ayez eu le temps d'y songer.

— Vous m'avez fait enfermer pour meurtre. Vous avez fait enfermer Dolf pour meurtre. Difficile de ne pas appeler ça une affaire personnelle.

— Dans ce cas, vous pouvez partir tout de suite. Je ne vous dois rien.

Je tentai de me calmer en me répétant que j'étais venu ici dans un but précis. Le visage du juge avait viré au rouge sombre. Une chaise grinça dans la pièce voisine. Je respirai un grand coup. Le sourire que Rathburn m'adressa me donna la nausée.

— Voilà qui est mieux. Je savais bien qu'un Chase pouvait se montrer raisonnable, ironisa-t-il en effleurant le dessus de sa table. Si seulement vous pouviez convaincre votre père de se montrer aussi sage...

— Vous voulez qu'il vende ?

— Je veux qu'il pense au bien de ce comté.

— C'est pour ça que vous êtes venu ?

Il se pencha en avant et, avec ses mains blanches, il forma une coupe imaginaire, comme s'il y conservait un joyau précieux.

— C'est une très belle opportunité, pour vous comme pour moi. Si seulement vous lui parliez...

— Il fait ce qu'il veut.

— Mais vous êtes son fils, il vous écoutera.

— C'est pour ça que vous avez accepté de me voir ? Pour que je parle à mon père ?

— Quelqu'un doit lui faire entendre raison, rétorqua-t-il en perdant son sourire.

— Raison…, répétai-je.

— Parfaitement.

Il tenta un dernier sourire, sans succès.

— Les choses sont allées de mal en pis pour votre famille. Il me semble que c'est l'occasion parfaite pour vous de lui faire prendre un nouveau départ. Gagner de l'argent, aider la communauté…

Mais je n'entendis rien de tout cela. Mon esprit avait calé.

— De mal en pis…, répétai-je.

— Oui.

— Qu'est-ce que vous voulez dire par là ?

Rathburn ouvrit les mains et leva la droite, paume ouverte.

— De mal… en pis…, ajouta-t-il en levant la main gauche.

Je montrai sa main droite tout en sachant qu'il se délectait de ma colère contenue.

— Commencez par le « mal », l'encourageai-je.

— Je vais commencer par le pire, répliqua-t-il avec un sourire. Une autre personne chère accusée de meurtre. Assassinats et agressions sur les terres de la ferme. Une ville en colère…

— Tout le monde ne pense pas de cette façon.

— Des investissements risqués…, poursuivit-il d'une voix plus forte.

— Quels investissements ?

— Votre père est endetté. Je ne suis pas sûr qu'il ait les moyens de rembourser.

— Je n'y crois pas.

— C'est une petite ville, Adam. Je connais beaucoup de gens.

— Quoi d'autre ? demandai-je.

Il adopta une expression peinée que je savais feinte.

— Ai-je vraiment besoin de le dire ?

Je me mordis la lèvre.

— Votre mère était une femme magnifique…

Il prenait plaisir à remuer le couteau dans la plaie. Mais il était hors de question que je rentre dans son jeu, aussi me levai-je. Il me suivit dans le bureau de la secrétaire.

— De mal en pis, répéta-t-il.

Je ne sais pas ce que sa secrétaire lut sur mon visage mais elle était en train d'appeler la sécurité quand je fermai la porte derrière moi.

23.

Seul dans la maison, mon père était soûl et abattu. Il me fallut plusieurs secondes pour m'en rendre compte, principalement parce que je ne l'avais jamais vu dans cet état. Sa religion, c'était le travail à l'excès. Tout le reste était accompli avec modération. Si bien que lorsqu'autrefois je rentrais à la maison ivre et en sang, sa déception était aussi vive qu'un feu sacré. Le spectacle que j'avais à présent sous les yeux était bien triste à voir. Les traits tirés, les yeux humides, mon père était avachi sur sa chaise comme une vieille loque. La bouteille était presque vide et son verre ne contenait plus qu'un demi-doigt de bourbon. Ses yeux étaient rivés sur sa main, des émotions étranges le traversaient, suscitant une succession d'expressions différentes qui flottaient telles des algues sur son visage. Colère, remords, joie retrouvée... Des fulgurances qui donnaient l'impression que son âme s'était libérée de son enveloppe de chair. Je restai dans l'entrée un long moment et il ne cilla pas une seule fois. Si j'avais fermé les yeux, j'aurais vu une tache jaune pâle au milieu de gris. Un vieil homme suspendu dans le temps. Je ne savais pas quoi lui dire.

— Tu as tué des chiens ce matin ?

Il se racla la gorge et leva les yeux. Puis il ouvrit le tiroir du bureau et y glissa l'objet qu'il tenait dans sa main.

— Laisse-moi te dire une chose à propos de ces charognards, Adam. Ce n'est plus qu'une question de temps avant qu'ils ne s'enhardissent davantage.

Parlait-il des chiens ou des gens qui le poussaient à vendre ? Des hommes comme Zebulon Faith ou Gilly le rat ? Je me demandai s'il avait subi de nouvelles pressions. Agression et meurtre, Dolf emprisonné, les dettes qui s'accumulaient... Quelles forces pouvaient bien conspirer contre mon père ? Me répondrait-il si je lui posais la question ou n'étais-je qu'une complication de plus ? Il se leva et chercha son équilibre. Son pantalon était fripé et boueux, sa chemise pendouillait d'un côté. Il revissa le bouchon de la bouteille de bourbon et alla la ranger dans le bar. Il était encore plus voûté qu'hier et avait la démarche d'un très vieil homme.

— Je buvais juste un verre en pensant à Dolf.

— Des nouvelles ?

— Ils ne veulent pas me laisser le voir. Parks est rentré à Charlotte. Il ne peut rien faire si Dolf refuse de prendre un avocat.

Il s'arrêta près du bar et le pâle duvet sur ses tempes retint si parfaitement la faible lumière jaune qu'en cet instant, il aurait très bien pu être la dernière touche de couleur restant au monde.

— Quelque chose a changé ? m'inquiétai-je.

— Il peut se passer de drôles de choses dans le cœur humain, Adam, soupira-t-il en secouant la tête. Et les forces en œuvre peuvent briser un homme... ça, j'en suis certain.

— On parle toujours de Dolf ?

— On ne fait que parler, fils, se ressaisit-il.

Il leva les yeux et redressa un cadre sur le mur : c'était une photo de Dolf, Grace et lui. Elle avait environ sept ans, des dents trop larges, un sourire fendait son visage jusqu'aux oreilles. Il la regarda et je compris.

— Tu as parlé à Grace, c'est ça ?

— Il fallait qu'elle l'apprenne par quelqu'un qui l'aime.

Brusquement, le désespoir me submergea. Dolf était tout ce que Grace avait, et aussi forte qu'elle prétendait être, elle n'était encore qu'une enfant.

— Comment va-t-elle ?

— Je ne l'ai jamais vue aussi étrangère à elle-même.

Il voulut prendre appui sur le bar mais sa main rata le bord. Il se rattrapa de justesse. Sans me l'expliquer, je songeai à Miriam et combien elle aussi était en équilibre au bord d'un gouffre obscur.

— Tu as parlé à Miriam ? demandai-je.

— Je ne peux pas. J'ai essayé mais nous sommes trop différents.

— Je me fais du souci pour elle.

— Tu ne sais rien, Adam. Ça fait cinq ans.

— Je sais en tout cas que je ne t'ai jamais vu dans cet état.

Une force soudaine sembla irriguer ses muscles – de la fierté, sans doute. Cela l'aida à se redresser et redonna un peu de couleur à ses joues.

— Je n'ai pas à me justifier auprès de toi, Adam.

— Vraiment ?

— Oui, vraiment.

Tout à coup, ce fut à mon tour d'être en colère. Une colère sourde qui se mêlait à un sentiment d'injustice.

— Cette terre a appartenu à notre famille pendant plus de deux siècles !

— C'est vrai.

— Héritée de génération en génération !

— En effet.

— Alors pourquoi as-tu donné quatre-vingts hectares à Dolf ? Comment tu expliques ça ?

— Tu es au courant ?

— Ils croient que c'est pour ça qu'il a tué Danny.

— Qu'est-ce que tu veux dire ?

— Le fait que Dolf possède des terres lui donne de bonnes raisons de vouloir que tu vendes. Si tu cèdes, il pourra vendre lui aussi. Grantham pense que c'est peut-être Dolf qui a abattu du bétail et incendié les dépendances, et peut-être même lui aussi qui a écrit les lettres de menace. Son mobile vaut plusieurs millions. Danny aussi travaillait à la ferme. S'il avait surpris la trahison de Dolf, Dolf aurait ainsi eu un mobile. C'est l'une des pistes qu'ils explorent.

— C'est ridicule, bredouilla-t-il.

— Je le sais, bon sang ! Mais ce n'est pas la question. Je veux savoir pourquoi tu as donné ce terrain à Dolf.

La force qui l'avait regonflé s'évanouit sur-le-champ.

— Dolf est mon meilleur ami et ne possédait rien. Il le méritait pourtant. Ça te suffit ?

Il leva son verre et avala la dernière gorgée de bourbon.

— Je vais m'allonger, déclara-t-il.

— Je n'ai pas fini !

M'ignorant, mon père quitta la pièce et s'éloigna. Dans l'opulence feutrée de cette immense maison, je sentis les marches de l'escalier vibrer sous ses pas. Quelle que soit la souffrance qui torturait mon père, elle était sienne et, dans des circonstances ordinaires, je ne m'en serais jamais mêlé. Mais les circonstances étaient loin d'être ordinaires. Je m'assis à son bureau et caressai le bois usé. Il avait été apporté d'Angleterre et appartenait à ma famille depuis huit générations. J'ouvris le premier tiroir.

Il était encombré d'un fatras de courrier, agrafes et papiers divers. Je cherchai un objet assez petit pour tenir dans la paume d'une main. Je trouvai deux choses. Un post-it beige, sur lequel était inscrit un nom : Jacob Tarbutton. Je le connaissais vaguement – un banquier ou quelque chose de ce genre. Jamais je n'aurais envisagé qu'il puisse être la source de l'angoisse de mon père s'il n'y avait eu les chiffres notés sous son nom. Six cent quatre-vingt-dix mille dollars. Les chiffres étaient suivis de deux mots, « premier rembour-sement », et une date – dans moins d'une semaine. Je fus soudain pris de nausées. Rathburn disait vrai : mon père était endetté. Je songeai à mon insistance pour qu'il me rachète ma part lorsqu'il m'avait chassé de la ferme. Trois millions de dollars transférés sur un compte à New York la semaine qui avait suivi mon départ. Puis je pensai aux vignes de Jamie et à ce que Dolf m'avait raconté. Faire venir les pieds de vigne avait coûté plusieurs millions. Il avait dû sacrifier une partie des cultures pour cela.

Je crus commencer à comprendre lorsque je découvris le deuxième objet, perdu tout au fond du tiroir. Mes doigts se refermèrent dessus presque par accident : un objet carré et rigide, aux angles pointus et à la texture satinée. C'était une vieille photo, doublée de carton et légèrement gondolée sur les bords. L'image aux couleurs passées représentait un groupe de personnes devant la maison de mon enfance, avant que Janice ne l'agrandisse. Sa silhouette modeste se dressait derrière le groupe avec une simplicité qui m'émut. J'examinai les personnes rassemblées au premier plan. Ma mère, pâle, portait une robe d'une couleur indéfinissable. Ses poings serrés étaient posés sur ses hanches et elle se tenait de profil. J'effleurai sa joue du bout du doigt. Elle avait l'air si jeune... La photo datait sans doute de peu de temps avant sa mort.

Auprès d'elle, mon père devait avoir la quarantaine – ou un peu moins. Il paraissait solide et en pleine santé ; ses traits étaient fins, il affichait un sourire réservé et son chapeau était relevé en arrière. Il avait posé sa main sur l'épaule de ma mère, comme pour la soutenir ou pour la maintenir dans le cadre. Dolf, qui se tenait près de mon père, arborait un large sourire, mains sur les hanches, l'air heureux. Derrière lui se tenait une femme, dont le visage était en partie masqué par son épaule. Elle était jeune – une vingtaine d'années peut-être –, elle avait les cheveux clairs et était visiblement très belle.

C'est grâce à ses yeux que je la reconnus. Sarah Yates. Ses jambes étaient parfaites.

Je remis la photo dans le tiroir et montai à l'étage pour retrouver mon père. Sa porte était fermée ; je frappai. Comme il ne répondait pas, je tournai la poignée : verrouillée. C'était une porte solide, haute de plus de deux mètres. Je frappai plus fort.

— Va-t'en, Adam.

— Il faut qu'on parle.

— J'ai assez parlé.

— Papa...

— Laisse-moi en paix, Adam.

J'entendis la supplication dans sa voix. Quelque chose le rongeait. Que ce fût Grace, ses dettes ou la disgrâce de Dolf, peu importait. Mon père était triste et seul. En me dirigeant vers l'escalier, j'aperçus une voiture depuis la fenêtre. Je me tenais déjà sur la route lorsque Grantham en sortit.

— Vous êtes venu me dire que vous avez trouvé Zebulon Faith ? ironisai-je.

Grantham posa la main sur le toit de sa voiture. Il portait un jean, des bottes de cow-boy poussiéreuses et une chemise tachée de sueur. Le vent soulevait ses cheveux fins et il arborait toujours le même badge à la ceinture.

— On le cherche encore.

— J'espère que vous cherchez bien.

— On cherche, répéta-t-il en s'appuyant contre la voiture. J'ai passé en revue votre dossier. Vous avez fait du mal à beaucoup de gens au fil des ans – vous en avez même envoyé quelques-uns à l'hôpital. Je ne sais pas comment j'ai fait pour rater ce détail.

Il soutint mon regard.

— J'ai aussi jeté un œil au dossier de votre mère. La mort de quelqu'un de cher, ça peut vous faire perdre la tête. Toute cette colère et aucun moyen de l'évacuer… Vous avez une idée de ce qui l'a poussée à faire ça ? ajouta-t-il après une courte pause.

— Mêlez-vous de vos affaires.

— Certaines personnes restent en deuil toute leur vie. C'est pareil pour la colère.

Je sentis le sang affluer dans mes veines. Il s'en aperçut et sourit comme s'il venait de faire une découverte.

— Toutes mes excuses, se rétracta-t-il. Vraiment.

Il semblait sincère mais il m'avait eu. L'inspecteur se posait des questions sur mon tempérament, et maintenant il savait.

— Qu'est-ce que vous voulez, Grantham ?

— J'ai entendu dire que vous étiez allé au bureau du cadastre ce matin. Je peux vous demander pourquoi ?

Je ne répondis pas. S'il était au courant que je vérifiais ses hypothèses de mobile, c'est qu'il savait aussi comment j'avais obtenu l'information.

— Monsieur Chase ?

— Je voulais consulter des cartes. Je songe à acheter du terrain.

— Je sais exactement ce que vous avez consulté, monsieur Chase, et j'en ai déjà parlé avec le chef de la police de

Salisbury. Vous pouvez être assuré que Robin Alexander sera définitivement écartée de cette affaire à partir de maintenant.

— On la lui a déjà retirée.

— Elle a dépassé les bornes. J'ai demandé sa mise à pied.

— Y a-t-il un motif à votre visite, inspecteur ?

Il ôta ses lunettes et pinça le haut de son nez. Une bourrasque de vent dessina des sillons dans l'herbe haute derrière les clôtures barbelées. Les arbres ployèrent, puis le vent tomba d'un coup et la chaleur s'abattit, écrasante.

— Je suis quelqu'un de rationnel, monsieur Chase. Je crois que toute chose possède sa propre logique. Il s'agit simplement de découvrir laquelle. Même la folie obéit à une logique, si l'on s'intéresse suffisamment aux détails qui comptent. Le shérif est satisfait des aveux de M. Shepherd.

Grantham s'interrompit en haussant les épaules. Je terminai à sa place.

— Mais pas vous.

— Le shérif ne vous aime pas, reprit Grantham, ni vous ni les autres. Je suppose que cela a à voir avec ce qui s'est passé il y a cinq ans… mais j'ignore pourquoi et, à vrai dire, ça m'est égal. Ce que je sais, c'est que M. Shepherd a été incapable de nous fournir un seul mobile valable.

— Peut-être qu'il ne l'a pas tué, répliquai-je. Vous avez interrogé l'ex-petite amie de Danny ? Elle a porté plainte contre lui. Ça paraîtrait assez logique.

— Vous oubliez que c'est l'arme de M. Shepherd qui a été utilisée.

— Sa maison n'est jamais fermée à clé !

Grantham me lança ce même regard impitoyable que je lui avais déjà vu, puis changea de sujet.

— Le juge Rathburn a appelé le shérif juste après que vous avez quitté son bureau. Il se sentait menacé.

— Ah.

— Le shérif m'a appelé.

— Vous êtes venu me demander de ne plus m'approcher du juge ?

— L'avez-vous menacé ?

— Non.

— Votre père est là ?

Ce revirement soudain me rendit nerveux.

— Il n'est pas disponible, répondis-je.

Le regard de Grantham se posa sur le pick-up de mon père, puis sur la maison.

— Ça vous ennuie si je vérifie par moi-même ?

Il se dirigea vers la porte tandis que je me représentais mon père en plein désarroi. Un instinct protecteur s'empara de moi et une sonnette d'alarme retentit dans ma tête.

— Oui, ça m'ennuie, décrétai-je en lui barrant le passage. Il a vécu des moments difficiles. Il est en état de choc. Ce n'est vraiment pas le moment.

Grantham s'arrêta et sa bouche se figea.

— Ils sont proches, n'est-ce pas ? M. Shepherd et votre père.

— Comme des frères.

— Il ferait n'importe quoi pour votre père.

Je compris ce qu'il insinuait.

— Mon père n'est pas un assassin, répliquai-je sur un ton glacial.

Grantham resta silencieux, les yeux rivés sur moi.

— Pour quelle raison mon père voudrait-il tuer Danny Faith ?

— Je ne sais pas. Quelle raison, selon vous ?

— Absolument aucune.

— Vraiment ?

Il attendit mais je n'ajoutai rien.

— Le différend qui oppose votre père à Zebulon Faith dure depuis des dizaines d'années. Ils possèdent tous les deux des terres dans le coin. Ce sont tous deux des hommes forts et capables, je crois, de violence. L'un veut vendre, l'autre pas. Danny Faith travaillait pour votre père. Il se retrouve entre les deux. La nervosité des deux côtés, l'argent en jeu… Il aurait pu se passer n'importe quoi.

— Vous avez tort.

— Votre père ne possède pas de revolver mais il a accès à la maison de M. Shepherd.

Je fixai Grantham dans les yeux.

— M. Shepherd s'oppose au détecteur de mensonges. Je trouve assez étrange qu'il avoue un meurtre et refuse un simple test qui pourrait corroborer sa version des faits. Cela m'oblige à reconsidérer ses aveux et ne me laisse pas d'autre choix que de chercher de nouvelles pistes.

— Mon père n'est pas un assassin ! répétai-je en m'approchant de lui.

Grantham leva les yeux au ciel, puis posa son regard sur les arbres, au loin.

— M. Shepherd a un cancer. Vous êtes au courant ?

— Venez-en au fait.

— J'ai été inspecteur à la Criminelle à Charlotte pendant vingt ans, poursuivit Grantham en ignorant ma remarque. J'ai eu affaire à tellement de meurtres qu'à la fin, je ne les comptais plus. Croyez-le ou non, il y avait de nombreux dossiers en cours sur ma table de nuit. Pas facile de s'occuper d'autant d'affaires. Pas facile de rester concentré sur chaque cas. J'ai fini par commettre une erreur en envoyant un innocent en prison. Il y a été poignardé trois jours avant que le véritable meurtrier n'avoue.

Il marqua une pause et soutint mon regard.

— Je suis venu ici parce que les crimes sont encore assez rares dans le comté de Rowan. Je peux prendre le temps de me consacrer aux victimes, le temps de faire les choses correctement.

Il retira ses lunettes et se pencha vers moi.

— Je prends mon travail très au sérieux et je ne tiens pas forcément compte de ce que pense mon chef.

— Qu'est-ce que vous êtes en train de me dire ?

— J'ai déjà vu un père s'accuser à la place de son fils, un mari à la place de sa femme et vice versa. Je n'ai encore jamais vu quelqu'un avouer un meurtre à la place de son ami mais je ne doute pas que cela puisse arriver.

— Ça suffit ! l'interrompis-je.

— En particulier si celui qui plonge à la place de l'autre est en train de mourir d'un cancer et n'a rien à perdre.

— Vous feriez mieux de partir.

Il ouvrit la porte de sa voiture.

— Une dernière chose, monsieur Chase. Ce matin, Dolf Shepherd a été placé sous surveillance dans le cadre du programme de prévention des suicides.

— Quoi ?

— Il est en train de mourir. Je ne veux pas qu'il se tue avant que j'aie eu le temps de creuser tout ça. Dites à votre père que j'aimerais lui parler dès qu'il se sentira mieux.

Grantham monta dans sa voiture et partit. Le pare-brise qui dissimulait son visage ne refléta que les nuages dorés du ciel bleu profond. Je regardai sa voiture disparaître au loin en songeant au désarroi de mon père et aux paroles qu'il avait prononcées avec tant de conviction.

Il peut se passer de drôles de choses dans le cœur humain, Adam. Et les forces en œuvre peuvent briser un homme.

Je ne comprenais toujours pas de quoi il parlait mais, inquiet, je détachai mes yeux de la voiture pour les lever vers la fenêtre de mon père, au deuxième étage. Elle était légèrement entrouverte, quelques centimètres tout au plus. Aucun mouvement. Tout était immobile. Puis les rideaux bougèrent légèrement, comme soulevés par une brise.

Une brise...

24.

Il fallait que je parle à Dolf. Tout ça n'avait pas de sens – les aveux de Dolf, les soupçons de Grantham... Envisager que mon père puisse être le vrai coupable était encore plus insensé que l'idée de Dolf tuant Danny Faith. Je me rendis donc au centre de détention où l'on me refusa le droit de voir Dolf. Les visites étaient autorisées mais seulement à certaines heures et uniquement si votre nom figurait sur la liste – ce qui n'était pas mon cas. Cela dépendait du prisonnier, me répondit-on.

— Et qui figure sur la liste de Dolf Shepherd ? m'enquis-je.

Grace était le seul nom inscrit. J'allais repartir quand je me ravisai.

— Il doit bien y avoir un moyen, insistai-je auprès du gardien qui semblait s'ennuyer.

— Non, fit-il sans s'émouvoir.

Frustré, je partis pour l'hôpital. Mon père avait appris la nouvelle à Grace au sujet de Dolf et j'imaginais fort bien quel pouvait être son état d'esprit. Dans sa chambre, je trouvai le lit défait et le journal du jour. L'arrestation de Dolf faisait la une. Au-dessus de sa photo figurait le gros titre : UN DEUXIÈME MEURTRE À LA FERME RED WATER.

L'article sur la mort de Danny contenait peu de faits mais les descriptions offraient un luxe de détails. *Le cadavre d'un homme en état de décomposition avancée a été découvert dans une profonde crevasse, lors d'une belle journée ensoleil-*

lée. Les aveux de Dolf étaient parmi les seuls faits établis. Bien que le shérif n'eût prévu de conférence de presse que le lendemain, des sources fiables avaient parlé et les spéculations allaient bon train. *Cinq ans plus tôt, un autre jeune homme trouvait la mort sur ces mêmes terres.* Une photo de moi apparaissait en page deux. Pas étonnant que mon père se soit soûlé.

Je refermai la porte de la chambre de Grace et me mis à la recherche du bureau des infirmières. À l'accueil, une femme séduisante m'informa sèchement que Grace avait signé une décharge moins de deux heures auparavant.

— Sous l'autorité de qui ?

— La sienne.

— Mais elle n'est pas prête à quitter l'hôpital ! m'écriai-je. J'aimerais parler à son médecin.

— Je vous prierais de baisser le ton, monsieur. Son médecin ne l'aurait pas autorisée à partir s'il l'avait jugée inapte à le faire. Il vous dira la même chose.

— Bon sang...

Je sortis et trouvai Grace assise au bord du trottoir, tête baissée, un sac de vêtements serré contre elle. Ses cheveux pendaient devant son visage et elle se balançait doucement tandis que les voitures passaient en trombe à moins de deux mètres d'elle. Je me garai le plus près possible et descendis de voiture. Elle ne leva pas la tête, même lorsque je m'assis tout près d'elle. Je me contentai donc de contempler le ciel et les voitures. J'étais passé par là moins d'une heure auparavant, nous avions dû nous rater de peu.

— Ils n'ont pas voulu me laisser le voir, murmura-t-elle.

— Ton nom est sur la liste, Grace. Tu es la seule qu'il ait envie de voir.

Elle secoua la tête.

— Il est sous surveillance, répondit-elle d'une voix morne.

— Grace...

— Prévention des suicides...

Sa voix se brisa. Elle recommença à se balancer et je maudis Grantham pour la centième fois. Elle voulait voir Dolf, qui voulait la voir. Elle aurait pu poser les questions que je ne pouvais pas poser mais Grantham l'avait placé sous surveillance : aucun visiteur autorisé. Je soupçonnais la décision de Grantham d'être autant liée à la volonté de le garder isolé qu'à celle de le maintenir en vie. C'était brillant. Et inhumain.

Le salaud.

Je pris la main de Grace ; elle était molle et sèche. Je sentis une surface glissante sur son poignet et constatai qu'elle n'avait même pas pris la peine de retirer le bracelet de l'hôpital. Son visage avait commencé à désenfler ; les bleus avaient en partie viré au jaune.

— Tu sais qu'il a un cancer ?

Elle tressaillit.

— Il n'en parlait pas beaucoup mais c'était toujours là entre nous, comme une troisième personne dans la maison. Il essayait de me préparer.

— C'est pour ça que tu n'es pas inscrite à l'université, n'est-ce pas ? réalisai-je soudain.

Elle se frotta vivement les yeux pour empêcher les larmes de jaillir.

— Nous sommes tout l'un pour l'autre.

— Viens, je vais te ramener.

— Je ne veux pas rentrer à la maison. Il faut que je fasse quelque chose. N'importe quoi.

— Tu ne peux pas rester là, et il n'y a pas grand-chose à faire.

Je ramenai Grace chez Dolf et, pendant tout le trajet, elle resta les bras serrés autour de son corps comme si une partie d'elle, profondément enfouie, s'était pétrifiée. Elle frissonnait de temps à autre. Lorsque je tentai de parler, elle me fit taire :

— Laisse-moi, Adam. Tu ne peux rien à ça.

C'était à peu près ce que j'avais répondu à Dolf après que mon père eut menacé de me tuer.

Une fois arrivés, je l'accompagnai à l'intérieur et l'aidai à s'asseoir sur son lit. Lâchant son sac, elle s'y effondra. Après avoir allumé la lampe, je m'assis près d'elle. Son teint était livide, ses paupières lourdes, les points de suture soulignaient de façon cruelle ses lèvres sèches et immobiles.

— Tu veux un peu d'eau ? proposai-je.

Lorsqu'elle secoua la tête, je remarquai que ses cheveux étaient parsemés çà et là de longs fils d'argent. Je passai un bras autour de ses épaules et l'embrassai sur le front.

— Je m'en suis pris à ton père quand il est venu à l'hôpital pour m'apprendre la nouvelle. Malgré tout, il a tenu à rester avec moi après ça, précisa-t-elle. Il m'a interdit de quitter l'hôpital. Je lui ai dit des choses horribles.

— Ne t'en fais pas. Il peut comprendre.

— Comment faire pour effacer tout ça ?

— Je ne sais pas, Grace. Mais ce dont je suis sûr, c'est que tu devrais aller te coucher.

— Je ne ferai rien d'utile dans mon lit, déclara-t-elle en se levant. Il doit bien y avoir quelque chose à faire.

Elle se mit à arpenter la pièce, puis s'arrêta brusquement.

— Il n'y a rien à faire…, se résigna-t-elle, accablée.

— Est-ce que tu as une idée de qui aurait pu souhaiter la mort de Danny Faith ? l'interrogeai-je, tout en la tirant doucement par la main pour la forcer à se rasseoir.

— Tu ne comprends pas, fit-elle en levant vers moi un regard douloureux.

— Qu'est-ce que je ne comprends pas ?

Ses mains serrèrent les miennes et ses yeux étincelèrent.

— Je crois que c'est peut-être lui le coupable.

— Quoi ?

— Je n'aurais pas dû dire ça, se reprit-elle aussitôt, se levant brusquement pour rejoindre un coin de la pièce. Oublie ça, je ne sais plus trop où j'en suis.

— Grace, tu peux me faire confiance. Qu'est-ce qui se passe ?

Lorsqu'elle se tourna vers moi, son expression était impitoyable.

— Je ne te connais plus, Adam. Je ne sais pas si je peux te faire confiance ou pas. Tu es amoureux d'un flic.

— Ce n'est pas…

— Ne nie pas !

— Je ne nie pas. J'allais te dire que ça n'avait rien à voir. Je ne ferais jamais rien qui puisse nuire à Dolf.

Grace se rencogna à l'autre bout de la pièce. Ses épaules se soulevèrent, comme pour protéger la partie exposée de son cou. Elle serra les poings.

— Je ne suis pas ton ennemi, Grace. Ni celui de Dolf. Pour vous aider, j'ai besoin de savoir ce qui se passe.

— Je ne peux pas...

Je m'approchai d'elle.

— Reste où tu es ! cria-t-elle, et je compris qu'elle était au bord de la crise. J'ai besoin de réfléchir pour tirer ça au clair.

— D'accord, calme-toi. Parlons-en ensemble.

Elle baissa les mains, ses épaules se détendirent, en même temps qu'une détermination nouvelle s'éveillait en elle.

— Il faut que tu partes.

— Grace...

— Va-t'en, Adam.

— Nous n'en avons pas fini.

— Va-t'en !

Je me dirigeai vers la porte et m'arrêtai, une main sur le chambranle.

— Réfléchis bien, Grace. Moi aussi, j'aime Dolf.

— Tu ne peux pas m'aider, Adam. Et tu ne peux pas aider Dolf.

Je ne voulais pas partir – il restait tant à dire – mais elle me claqua la porte au nez. Je me retrouvai face à la peinture bleue de cette porte que j'aurais voulu faire voler en éclats. J'aurais voulu ramener à la raison cette jeune femme à qui la peur faisait perdre tout bon sens. Mais Grace était comme la couche de peinture, si fine par endroits que l'on pouvait voir le bois au-dessous. Je caressai la peinture du plat de la main et elle s'écailla sous mes doigts.

Des événements dont j'ignorais tout étaient en train de se produire. Les choses avaient changé, les gens aussi, et mon père avait raison sur un point : cinq ans, c'était long...

Je téléphonai à Robin. Elle avait été appelée pour tapage diurne et m'expliqua qu'elle ne pouvait pas parler longtemps. Au loin, j'entendais une femme hurler des obscénités et un homme répéter inlassablement les mêmes mots, « ta gueule ».

— Tu es au courant pour Dolf ? demandai-je.

— Oui. Je suis désolée, Adam. Ils ne placent pas les prisonniers en prévention des suicides sans une bonne raison. Je ne sais pas quoi dire.

Les paroles de Grantham me revinrent à l'esprit : *Je ne veux pas qu'il se tue avant que j'aie eu le temps de creuser tout ça.* Impossible qu'il ait raison. Sur toute la ligne.

— Ce n'est pas pour ça que j'appelais. J'ai croisé Grantham. Il a l'intention de demander à ton chef de te mettre à pied. J'ai pensé qu'il valait mieux que tu le saches.

— Il lui a déjà demandé. Mon chef l'a envoyé se faire voir.

— Bien.

— Le tuyau que tu m'as donné sur l'entrepôt, c'était du solide. Ils ont fait une descente la nuit dernière et ils ont saisi pour plus de trois cent mille dollars de méthamphétamine. Zebulon Faith pourrait bien être un plus gros poisson que ce que nous pensions. En plus de ça, ils ont trouvé des caisses de médicaments contre le rhume. Ils pensent qu'ils ont été volés dans un centre de distribution près de l'aéroport de Charlotte.

— Des médicaments contre le rhume ?

— Oui, certains composants sont utilisés pour fabriquer la métamphétamine. C'est une longue histoire. Mais, attends, il y a autre chose...

Elle s'interrompit et j'entendis qu'elle élevait la voix. Ce n'était plus à moi qu'elle parlait.

— Asseyez-vous, monsieur ! Vous allez vous asseoir juste là. Bien, restez assis. Adam, il faut que j'y aille. Je voulais que tu saches que la Brigade des stups a envoyé ses gars vérifier ce que nous avions saisi. Il se peut qu'ils veuillent te parler. On se rappelle plus tard.

— Attends une minute.

— Fais vite.

— J'ai besoin du nom de la fille qui a porté plainte contre Danny Faith.

Robin resta silencieuse et j'entendis à nouveau la voix de l'homme. *Ta gueule. Ta gueule. Ta gueule.* Puis la femme, peut-être la sienne, se remit à hurler. *Ne me dis pas de fermer ma gueule, espèce d'enfoiré de menteur de fils de pute !*

— Pourquoi ? demanda Robin.

— Pour autant que je sache, elle est la dernière à avoir vu Danny vivant. Il faut que quelqu'un l'interroge. Si Grantham n'en a pas l'intention, je vais le faire.

— Ne te mets pas en travers de sa route, Adam. Je t'ai déjà prévenu... Il va te tomber dessus s'il le découvre.

— Tu comptes me le donner ?

— Elle s'appelle Candace Kane, soupira-t-elle. Ses amis l'appellent Candy.

— Tu plaisantes ?

Les voix s'élevèrent derrière Robin : deux amants furieux prêts à en venir aux mains.

— Il faut que j'y aille, répéta Robin. Elle est dans l'annuaire.

Dans la voiture, le cuir me parut doux, les odeurs familières et le moteur si silencieux que je l'entendais à peine. Je baissai les vitres pour évacuer la chaleur et me sentis pénétré par l'immensité du paysage. L'espace d'un instant, j'en fus réconforté mais cela ne dura pas. Il fallait que je parle à mon père.

Je remontai jusqu'à la maison de mon père. Son pick-up n'était plus là mais Miriam était assise sur la balancelle dans la véranda. Je la rejoignis. Elle leva vers moi des yeux dénués de toute expression. J'eus une vision de lames aiguisées et de cœurs blessés.

— Ça va ? demandai-je.

— Oui.

— Qu'est-ce que tu fais ?

— Est-ce que ça t'arrive, parfois, d'avoir envie de t'arrêter juste une seconde avant d'entrer dans une pièce ? Comme si tu avais besoin de prendre une dernière bouffée d'air avant de pouvoir affronter ce qu'il y a de l'autre côté ?

— Oui, sans doute.

— J'avais juste besoin de ça.

— Il se passe beaucoup de choses en ce moment.

Elle acquiesça et des mèches de ses cheveux s'échappè-rent de la pince qui les retenait.

— C'est effrayant, ajouta-t-elle.

Elle avait un air si triste que j'eus envie de la toucher, de l'enlacer. Mais je me retins. Je risquais davantage de lui faire mal ou de la surprendre que de la réconforter. Ces derniers jours avaient été durs pour tout le monde...

— Je suppose que papa n'est pas à la maison.

— Son pick-up n'est pas là. Il n'y a que maman, et ça fait un moment que je suis là.

— Miriam, as-tu une idée de qui aurait pu vouloir tuer Danny ?

Elle commença par secouer la tête, puis s'arrêta, la tête penchée sur le côté.

— Quoi ? l'encourageai-je.

— Eh bien il y a eu cette fois, il y a quatre mois environ. Quelqu'un l'a passé à tabac, assez violemment. Il a refusé d'en parler mais d'après George, il s'agissait sûrement d'un bookmaker de Charlotte.

— George connaissait ce bookmaker ?

— J'en doute. Il a simplement dit que Danny avait fina-lement eu ce qu'il méritait. Quand je lui ai demandé ce qu'il sous-entendait, il a répondu que Danny avait eu les yeux plus gros que le ventre et que ça avait fini par le rattraper.

— George a dit ça ?

— Oui.

— Sais-tu où est Jamie, en ce moment ?

— Non.

— Attends une seconde.

Je composai le numéro de Jamie sur mon portable. Après quatre sonneries, la messagerie s'enclencha.

— Jamie, c'est Adam. J'ai besoin des noms de ces book-makers. Appelle-moi quand tu auras ce message.

Je raccrochai et posai le téléphone sur la chaise à côté de moi. Miriam paraissait si fragile, comme si elle pouvait se briser d'une seconde à l'autre.

— Ça va aller, la rassurai-je.

— Je sais, mais c'est difficile. Papa est tellement triste. Maman ne va pas bien et Grace...

Nous restâmes silencieux un moment.

— Tu crois que Dolf aurait pu tuer Danny ?

— Je jure devant Dieu que je n'en ai aucune idée, Adam. Dolf et moi n'avons jamais été très proches et je ne connaissais pas du tout Danny. Il était plus âgé, employé à la ferme... on ne se fréquentait pas vraiment.

Soudain, une idée me vint. Selon Miriam, George avait qualifié de bien mérité le passage à tabac de Danny. Des paroles sévères, songeai-je en me remémorant la colère de George l'autre jour lorsque nous avions parlé de Danny.

Danny prétendait que j'étais une petite frappe. Il a dit à Miriam qu'elle ne devrait pas sortir avec moi.

Je lui avais répondu que Danny se souvenait peut-être d'un autre George Tallman.

Qu'il aille se faire foutre alors, voilà ce que j'en dis !

J'observai Miriam. Je ne voulais pas lui faire de la peine inutilement. Pour autant que je pouvais en juger, George Tallman n'était pas d'une nature violente. Il fallait néanmoins que je pose la question.

— Miriam, est-ce que George et Danny étaient brouillés ?

— Pas vraiment. Ils étaient amis avant. Mais l'un d'eux est devenu adulte et l'autre pas. Je ne crois pas que ça aille plus loin.

Elle avait raison. Danny avait le don de mettre les gens en colère. C'était son ego, rien de plus.

— Et papa et Danny ? Ils avaient des problèmes ?

— Pourquoi tu me demandes ça ?

— Les flics ont des doutes sur les aveux de Dolf. Ils pensent qu'il ment peut-être pour protéger papa.

— Je ne crois pas, fit Miriam en haussant les épaules.

— Est-ce que le nom de Sarah Yates te dit quelque chose ?

— Non.

— Et Ken Miller ?

— Ça devrait ?

Je la laissai sur la balancelle tout en me demandant si elle avait sur elle une lame de rasoir, et si son histoire de « dernière bouffée d'air » n'était que des paroles en l'air.

Je pris la direction de la ville, appelai les renseignements et obtins le numéro et l'adresse de Candace Kane. Je connaissais l'endroit – un ensemble d'appartements près de l'université. Je composai le numéro et laissai sonner dix fois avant de raccrocher. Je réessaierais plus tard. En arrivant à un embranchement, je me garai sur le bas-côté. Les flics n'avaient manifestement pas l'intention d'enquêter en dehors de ma famille pour trouver le meurtrier de Danny. Ce que je refusais d'accepter. Je disposai de deux pistes, deux personnes avaient eu des rapports violents avec Danny : Candace Kane, qui avait porté plainte pour coups et blessures, et celui qui avait tabassé Danny quatre mois plus tôt. Candy était absente et Jamie ne répondait pas au téléphone... Ne sachant où aller, je me sentis frustré.

Je cherchai en vain d'autres pistes. Zebulon Faith se planquait quelque part, Dolf refusait de me parler, mon père était parti. Je pestai.

Je me rabattis sur l'autre question qui me tourmentait – une question mineure, certes, mais qui me préoccupait malgré tout. Pourquoi Sarah Yates me paraissait-elle si familière ? Comment savait-elle qui j'étais ? Je redémarrai et pris la direction du comté de Davidson.

Et de la maison de Sarah Yates.

Je traversai la rivière. La forêt défila tandis que je luttais contre la sensation persistante de connaître cette femme. Je quittai la route et empruntai le chemin étroit qui menait au chalet près de la rivière. En sortant de la forêt, j'aperçus Ken Miller sur une chaise de jardin près du bus mauve. Il était en jean, les jambes étendues, pieds nus dans la terre, la tête renversée en arrière, comme pour avaler le soleil. Au bruit de la voiture, il se leva et abrita ses yeux du soleil avant de se planter sur la route pour me bloquer le passage. Il tendit les bras comme un crucifié et fronça les sourcils.

Lorsque je m'arrêtai, Miller se pencha pour regarder à l'intérieur et vint se poster à ma portière. Sa voix était teintée de colère.

— Vous ne pensez pas que vous en avez assez fait pour aujourd'hui ?

Ses doigts agrippèrent la poignée. Son cou était maculé de terre et quelques poils gris s'échappaient du col de sa chemise. L'un de ses yeux, très enflé et tuméfié, ne s'ouvrait qu'à moitié.

— Qui ça, « vous » ?

— Votre foutu père... les Chase, quoi !

— C'est lui qui vous a fait ça ? m'étonnai-je en désignant son œil blessé.

— Allez-vous-en ! Tout de suite !

— Il faut que je parle à Sarah, répliquai-je en redémarrant.

— J'ai un fusil à l'intérieur, menaça-t-il.

Je scrutai son visage – les lignes sévères de son menton, les veines gonflées de ses tempes. Il était à la fois effrayé et furieux. Un vilain mélange.

— Qu'est-ce qui se passe, Ken ? repris-je.

— Dois-je aller le chercher ?

Je m'arrêtai quand j'atteignis la route goudronnée. Elle était déserte, une longue courbe noire de trois kilomètres. Je pris la direction du pont et m'y engageai, vitre baissée et pied au plancher. En quittant le pont, je faisais du quatre-vingts kilomètres à l'heure. Si j'avais roulé plus vite, je l'aurais manqué.

Le fourgon de Sarah.

Il était garé sur le parking d'un bar de motards, le Hard Water Tavern, sur l'emplacement le plus éloigné, près d'une benne à ordures. Bien en évidence, il ne faisait aucun doute que c'était le sien. Même peinture marron, mêmes vitres teintées. Je ralentis, et je dus parcourir deux kilomètres avant de pouvoir faire demi-tour dans une allée gravillonnée. Je me rangeai à côté du fourgon et sortis. Seize Harley Davidson étaient alignées. Les chromes étincelaient au soleil, des clous brillaient sur les sacoches en cuir et les motos étaient garées avec une précision militaire selon un angle rigoureusement identique.

À l'intérieur, je découvris un plafond bas et une salle obscure. De la fumée flottait au-dessus de tables de billard et, sur ma gauche, un juke-box crachotait de la musique. J'allai m'accouder au bar et commandai une bière à une serveuse lasse à qui j'aurais donné soixante ans mais qui n'était sans doute guère plus âgée que moi. Elle décapsula une bouteille qu'elle posa sans ménagement sur le comptoir humide. Le geste fut si brusque que la mousse s'échappa du col. Je m'assis sur un tabouret pivotant en vinyle et attendis que mes yeux s'habituent à l'obscurité. De la lumière crue filtrait à travers le cadre de la porte.

Je pris une gorgée de bière. L'unique pièce du bar comportait trois tables, un sol en béton et un système de canalisations qui devaient servir autant à l'évacuation de l'alcool que du vomi ou du sang. À trois mètres de moi, une grosse femme en short dormait, la tête sur le comptoir. Rassemblés autour de deux tables de billard se tenait un groupe d'hommes aux barbes si noires qu'elles paraissaient lustrées. Ils manipulaient leurs queues de billard avec une aisance tranquille et m'observaient entre deux coups.

Sarah Yates était assise à une petite table au fond de la salle. Des chaises avaient été repoussées pour laisser place à son fauteuil roulant. Deux motards lui tenaient compagnie. Sur la table trônaient un pichet de bière, trois chopes et environ quinze verres à liqueur. Tandis que je les observais, la serveuse se fraya un chemin à travers la pièce pour leur apporter trois nouveaux verres remplis d'un liquide brun. Ils trinquèrent et dirent quelque chose que je ne pus entendre avant de les avaler d'un trait. Alors que les motards abattaient leur verre vide sur la table, Sarah reposa délicatement le sien.

Puis elle me regarda.

Une fois la surprise dissipée, elle me fit signe d'approcher. Les motards s'écartèrent légèrement pour me laisser passer. Des queues de billards me frôlèrent et je reçus de la fumée en plein visage. Un des hommes avait une larme tatouée au coin de l'œil gauche. Lorsque j'atteignis la table de Sarah, les parties de billard reprirent. Ses compagnons étaient plus âgés que la plupart des motards présents. Leur barbe était parsemée de poils blancs et leur visage sillonné de rides. Leurs biceps arboraient de nombreux tatouages – des souvenirs de prison qui avaient viré au gris. Ils portaient de grosses bagues et de lourdes bottes mais affichaient un air indifférent. Manifestement, ils attendraient un signal de Sarah. Elle m'étudia pendant trente secondes et, lorsqu'elle parla, ce fut d'une voix forte :

— Sais-tu que n'importe lequel de ces gars serait prêt à te fendre le crâne si je le lui demandais ? s'enquit-elle en embrassant d'un geste l'ensemble de la pièce.

— Parce que vous êtes leur dealer ?

— Parce que je suis leur amie, répliqua-t-elle en fronçant les sourcils.

— Je n'en doute pas une seule seconde, avouai-je.

— Je te pose la question parce que je ne veux plus de cirque comme celui que m'a fait ton père. Je ne le tolérerai pas.

— Quel cirque ?

— C'est pour ça que tu es venu ?

— En partie.

— Ça va aller, dit-elle en s'adressant aux deux motards.

Ils se levèrent – des géants qui sentaient la fumée, l'alcool, et le cuir tanné. L'un des deux pointa un doigt vers le bar et Sarah Yates acquiesça.

— Assieds-toi, m'invita-t-elle. Tu veux une autre bière ?

— Avec plaisir.

Elle appela la serveuse, leva le pichet et me montra du doigt. La serveuse apporta un verre propre et Sarah le remplit.

— D'habitude, je ne bois pas l'après-midi, mais ton père a fichu ma journée en l'air.

— Vous êtes une habituée ? demandai-je en jetant un coup d'œil alentour.

— Autrefois, répondit-elle en riant. Quand ton univers se limite à quinze kilomètres carrés pendant longtemps, tu finis par connaître pratiquement tout le monde.

J'observai les motards avec lesquels elle était en train de boire avant mon arrivée. Ils étaient adossés au bar, prêts à traverser la pièce en quelques secondes. Contrairement aux autres, ils ne nous lâchaient pas des yeux.

— Ils semblent tenir à vous, remarquai-je.

— On partage la même vision des choses. Et on se connaît depuis belle lurette.

— Est-ce qu'on peut parler ?

— Seulement si tu retires ta remarque sur le deal. Je ne suis pas un dealer.

— D'accord, je retire.

— De quoi veux-tu parler ?

En dépit du nombre de verres vides sur la table, elle ne semblait pas ivre. Son expression douce et mystérieuse était mâtinée d'une certaine dureté ; d'un éclat métallique qui aiguisait son sourire. La vie ne l'avait pas épargnée et elle avait dû faire des choix douloureux. Je le voyais dans son regard scrutateur et à sa manière de maintenir le contact avec les motards assis au bar. Ceux-ci observaient et attendaient.

— Deux choses, commençai-je. Comment me connaissez-vous et que voulait mon père ?

Elle s'agita dans son fauteuil. Ses doigts saisirent un petit verre et le firent tourner lentement sur la table.

— Ton père... un salopard têtu et imbu de lui-même. Un homme difficile à aimer mais facile à apprécier. Même quand il se comporte comme le dernier des salauds. Il ne voulait pas que je te parle, c'est pour ça qu'il est venu me voir ce matin. Il a débarqué tel le Christ vengeur. Il s'est mis à m'aboyer dessus comme s'il avait tous les droits. Comme je ne supportais pas son attitude, notre conversation s'est échauffée. Ken, le pauvre bougre, s'est interposé alors qu'il aurait mieux fait de rester à l'écart. D'abord parce que je n'avais pas besoin de lui, et ensuite parce que ton père ne tolère pas que quelqu'un lève la main sur lui.

— Il a frappé Ken ?

— Il aurait pu le tuer.

— Pourquoi était-il tellement en colère ?

— Parce que je t'avais parlé.

— Pourtant, vous parlez souvent à Grace.

— C'est différent.

— Pourquoi ?

— Parce que le nœud du problème, c'est toi, mon garçon.

Je reculai ma chaise, contrarié.

— Comment me connaissez-vous ? Qu'est-ce que ça peut lui faire qu'on se parle ?

— Un jour, je lui ai fait une promesse.

— J'ai trouvé une photo de vous dans le bureau de mon père. Elle date d'il y a un moment. Vous étiez avec Dolf et mes parents.

— Je m'en souviens, murmura-t-elle avec un faible sourire.

— Expliquez-moi, Sarah.

— Il s'agit de ta mère, soupira-t-elle en contemplant le plafond. Tout ça, c'est à propos de ta mère.

— C'est-à-dire ? la pressai-je tandis que mon estomac se tordait.

Les yeux de Sarah brillaient énormément dans l'obscurité. Sa main laissa échapper le verre et s'aplatit sur la table.

— Ta mère était une femme vraiment magnifique, reprit-elle. Nous étions différentes, et je ne pouvais pas tout admirer chez elle mais ce pour quoi elle était douée, elle le faisait à la perfection. Comme toi, par exemple. Je n'ai jamais vu de meilleure mère ni de femme aimer un enfant comme elle t'aimait. De ce point de vue, elle était née pour être mère. D'un autre, pas tellement.

— Qu'est-ce que vous voulez dire ?

Sarah avala le reste de sa bière.

— Elle n'arrivait pas à avoir d'enfant. Après toi, elle a fait sept fausses-couches. Les médecins n'ont pas réussi à régler le problème. Elle est venue me voir et je l'ai traitée.

— Est-ce que je vous ai déjà vue ? Votre visage m'est vaguement familier.

— C'est possible. Je venais généralement le soir, quand tu dormais. Mais je me souviens de toi. Tu étais un bon garçon.

Elle fit signe à la serveuse qui nous apporta deux petits verres comme si elle n'attendait qu'un signe de notre part. Sarah leva le sien et inclina la tête vers le deuxième. J'avalai la liqueur qui me brûla longtemps la gorge. À présent, les yeux de Sarah flottaient dans le vague.

— Mais ma mère... ?

— Elle voulait tellement un autre enfant... Elle en était malade. Mais les fausses-couches l'épuisaient, physiquement et nerveusement. Lorsqu'elle a fait appel à moi, elle était déjà dépressive. Pourtant, elle est enfin retombée enceinte, l'étincelle s'est ranimée.

Sarah se tut et scruta mon visage. Je n'avais aucune idée de ce qu'elle pouvait y voir.

— Tu es sûr de vouloir entendre ça ?

— Dites-moi...

— Cette grossesse a tenu jusqu'au deuxième trimestre. Et puis elle a fait une nouvelle fausse-couche. Elle a perdu le bébé et beaucoup de sang avec. Elle ne s'en est jamais remise. La dépression l'a rongée. Tu connais la suite.

— Et c'est ça que mon père refusait que je sache ?

— Certaines choses entre un homme et une femme ne regardent qu'eux. S'il est venu aujourd'hui, c'est parce qu'il ne voulait pas que je te mette au courant. Il voulait s'assurer que je me souvenais de ma promesse.

— Et pourtant, vous venez de me le dire.

Un éclair passa dans ses yeux.

— Puisqu'il ne me fait pas confiance, qu'il aille se faire foutre !

— N'empêche, ça n'a pas de sens, insistai-je en réfléchissant à ce qu'elle m'avait raconté. Pourquoi tient-il tellement à ce que je ne le sache pas ?

— Je t'ai dit tout ce que j'avais à dire.

Ma main s'abattit avec force sur la table. Son regard se durcit et je vis que ses amis se levaient.

— Attention..., m'avertit-elle d'une voix douce.

— Ça n'a pas de sens, répétai-je.

Elle se pencha vers moi, posa ses mains sur les miennes et baissa la voix.

— Ses difficultés venaient d'un premier accouchement difficile. Des complications quand tu es né. Tu comprends mieux, maintenant ?

Une main invisible se referma sur mon cœur.

— Elle s'est suicidée à cause de moi ?

Elle hésita et serra les poings.

— Voilà précisément ce que ton père redoutait que tu imagines.

— C'est pour ça qu'il ne voulait pas que je m'approche de vous ?

Elle se recula et balaya le bord de la table de la main. Si j'avais décelé la moindre compassion chez elle, elle avait à présent complètement disparu.

— C'est terminé.

— Sarah...

Elle leva un doigt et, en un instant, ses amis motards furent derrière moi. Je me sentis comme acculé.

— Tu devrais partir, maintenant, déclara Sarah, implacable.

Dehors, la lumière me brûla les yeux et me vrilla le crâne ; l'alcool se retourna dans mon estomac vide. Je me remémorai les paroles de Sarah et l'expression impitoyable de son visage.

En rejoignant ma voiture, j'entendis des pas derrière moi. Je fis volte-face, les mains en l'air – c'était le genre d'endroit où on pouvait s'attendre à ça. L'un des amis motards de Sarah se tenait non loin de moi. Il mesurait près d'un mètre quatre-vingt-dix, portait des pantalons en cuir et de larges lunettes noires. Les poils blancs de sa barbe paraissaient plutôt jaunes à la lumière du soleil. Il avait des traces de nicotine au coin de la bouche. Il devait avoir la soixantaine – soixante années farouches et brutales. La crosse chromée d'un revolver dépassait de son pantalon. Il me tendit une serviette en papier pliée.

— Elle veut que tu donnes ça au type qui est en tôle.

— Dolf Shepherd ?

— Qui tu veux.

Je pris le message. Trois lignes écrites avec une encre bleue qui bavait un peu s'y étalaient généreusement : *Les gens bien t'aiment et ceux-là se souviendront des valeurs que tu défendais. Je m'en assurerai.*

— Qu'est-ce que ça signifie ?

— Ce sont pas tes oignons, répliqua-t-il.

Je lançai un coup d'œil vers la porte. Voyant que je réfléchissais, il porta la main à son arme. Ses muscles se tendirent sous sa peau tannée.

— Ce n'est pas nécessaire, le rassurai-je.

— Tu as fait de la peine à Sarah. Ne t'avise pas de recommencer.

Comme je le toisai, sa main resta sur le revolver.

— Prends ça comme un avertissement !

J'entrai dans Salisbury tard dans l'après-midi. Ma tête me faisait mal et je me sentais vidé. J'avais besoin de réconfort, aussi appelai-je Robin, qui décrocha à la deuxième sonnerie.

— Tu as fini pour aujourd'hui ? lui demandai-je.

— Je suis en train d'emballer quelques trucs. Où es-tu ?

— En voiture.

— Ça va ? Tu as une voix bizarre.

— Je crois que je suis en train de devenir fou. Tu veux boire un verre ?

— À l'endroit habituel ?

— Je serai au bar.

Nous n'avions plus mis le pieds dans ce bar depuis cinq ans. L'endroit était quasi désert.

— Nous ouvrons dans dix minutes, m'expliqua la serveuse.

— Et si je reste au bar ?

Elle hésita et j'en profitai pour la remercier et aller m'asseoir. La femme derrière le comptoir ne parut pas s'émouvoir de devoir ouvrir quelques minutes plus tôt. Elle avait les cheveux longs, un grand nez et avait la main généreuse. J'éclusai deux bourbons bien tassés avant que Robin n'arrive enfin. Le bar était encore vide et elle m'embrassa avec fougue.

— Rien sur Dolf, me devança-t-elle. Qu'est-ce qui ne va pas ?

Trop de choses s'étaient passées. Trop d'informations. J'étais incapable de les digérer pour le moment.

— Tout. Rien dont j'aie envie de parler.

Elle prit un siège et commanda la même chose que moi. Elle semblait soucieuse et je devinai que sa journée n'avait pas non plus été une partie de plaisir.

— Est-ce que je te cause des ennuis ?

Elle haussa les épaules avec un peu trop d'empressement.

— Ce n'est pas si courant, des flics liés à deux personnes soupçonnées de meurtre… Ça complique les choses. J'avais oublié ce que ça faisait d'être tenue à l'écart. On me traite différemment – les autres flics, je veux dire.

— Je suis désolé, Robin.

— Ne t'en fais pas, me rassura-t-elle avant de lever son verre. Santé !

Nous terminâmes nos verres et rentrâmes chez elle. Une fois au lit, nous nous serrâmes l'un contre l'autre. J'en avais assez pour aujourd'hui et elle aussi. J'essayai de ne pas penser à Dolf et à sa solitude, ou à ce que Sarah m'avait appris. J'y parvins en grande partie. Ma dernière pensée avant de m'endormir fut pour Jamie, qui ne m'avait pas rappelé. Après ça, je basculai dans mes rêves. Des souvenirs affluèrent par vagues. Je vis du sang sur un mur et un cerf blanc qui détalait en entendant une pierre s'écraser contre quelque chose. Sarah Yates, souriante dans une nuit aussi claire que le jour. Ma mère sur le ponton, les yeux fiévreux. Un homme tout en cuir tenant un revolver en argent.

Je me réveillai, un cri bloqué au fond de la gorge. À moitié hors du lit, j'étais en train d'attraper l'arme coincée dans la ceinture du motard. Robin m'enlaça dans son sommeil et pressa ses seins doux et chauds contre mon torse. Je pris plusieurs grandes inspirations et me forçai à rester immobile. La sueur perlait sur ma peau et un vent violent ébranlait les fenêtres.

Elle s'est suicidée à cause de moi…

25.

Il faisait encore nuit quand Robin m'éveilla d'un baiser sur la joue.

— Le café est chaud, annonça-t-elle. Je dois y aller.

Je roulai sur le côté. Je distinguais mal son visage mais l'odeur de sa peau et de ses cheveux me chatouillait les narines.

— Où vas-tu ?

— Trouver Zebulon Faith.

— Tu es sérieuse ?

— On n'a pas cessé d'accumuler les problèmes, toi et moi. Maintenant il faut que quelque chose de bien se produise. Je suis restée en dehors de tout ça parce que c'est une affaire du comté, mais j'en ai assez d'attendre qu'ils règlent ça. Je préfère m'en occuper moi-même.

— Grantham va être furieux.

— Je commence à penser comme toi. Qu'il aille se faire foutre. Que tous ces politiques aillent se faire foutre.

— Tu crois que Zebulon Faith s'en est pris à Grace ?

— Au début, je n'en étais pas convaincue. C'était trop évident. À présent, je n'en suis plus certaine. Il y a beaucoup de questions auxquelles il doit répondre. Et pour commencer, je veux l'interroger. J'ai tendance à faire confiance à mon instinct.

— Et la Brigade des stups ?

— Ils ont examiné la drogue que nous avons saisie et ont confirmé le vol des médicaments. Ils vont poser des questions mais ils sont nuls à ce genre d'exercice.

Je me redressai et jetai un œil à l'horloge. 5 h 45.

— Il se cache, reprit-elle, mais je ne pense pas qu'il soit allé bien loin. Son fils est mort, sa drogue a été saisie et il sait que je le cherche. Par contre, il est stupide et sans scrupule, et il espère encore se tirer de là. Il possède douze hectares qui valent une somme à sept chiffres. À mon avis, il va rester en planque quelque part pas loin d'ici, au moins jusqu'à ce que la compagnie d'électricité retire son offre. Je vais commencer par mettre la pression sur ses associés connus.

— Tiens-moi au courant.

Robin partit et mon cerveau se mit en marche à toute vitesse, jusqu'à ce que le jour se lève. À 8 heures, j'étais dehors sous des nuages bas, et vis George Tallman sortir d'une voiture de patrouille à l'arrêt. Il paraissait ne pas avoir fermé l'œil de la nuit et son uniforme, d'ordinaire impeccable, était froissé. Il m'examina de ses yeux injectés de sang.

— Bonjour ! fis-je.

— Bonjour.

— Tu m'attendais ? Ou Robin, peut-être ?

— C'est toi que je voulais voir.

Son visage bouffi semblait pâle sous sa barbe de deux jours.

— Comment savais-tu que j'étais là ?

— Allons, Adam, tout le département de police en parle... et probablement toute la ville, aussi.

— Qu'est-ce que tu veux, George ? Il est tôt.

— C'est à propos de Miriam, dit-il en en prenant soudain un air grave. Elle m'a appris que tu étais au courant.

— Pour ses blessures ?

— Oui, fit-il en détournant la tête comme si le mot l'écorchait.

— C'est du sérieux, George... Je n'ose même pas imaginer ce qui la pousse à le faire. Est-ce que tu te sens capable de le supporter ?

— Miriam a besoin de moi, Adam. Elle est à la fois fragile et magnifique…

À nouveau, il fit mine de saisir une tasse imaginaire, puis écarta vivement ses doigts à la manière d'un prestidigitateur.

— Elle a des problèmes, mais qui n'en a pas ? Elle a une âme d'artiste et cela a un prix. Elle ressent la douleur plus intensément que la plupart d'entre nous.

Il avait l'air sincèrement secoué et je mesurais la profondeur de son affection pour elle.

— Sais-tu pourquoi elle fait ça, George ? le questionnai-je en songeant à Gray Wilson et au fait que Miriam se recueillait régulièrement sur sa tombe.

— Je me garderais bien de la forcer à m'en parler. Elle le fera quand elle sera prête.

— Il faudrait que mon père soit informé de la gravité de la situation.

— Il ne peut pas l'aider. Je l'aime beaucoup mais il en est incapable. C'est un homme dur et c'est de douceur dont elle a besoin. Il lui dirait de devenir adulte, d'être forte, et cela ne ferait qu'empirer les choses. Son avis est important pour elle. Elle a besoin de son approbation.

— Janice ne peut pas porter ça toute seule.

— Premièrement, Janice ne supporte pas ça toute seule : moi aussi, je m'en occupe. Et Miriam voit un psychiatre à Winston-Salem. Elle fait des séjours en clinique trois à quatre fois par an. Nous faisons ce qu'il faut.

— Prends bien soin d'elle, alors.

Il voulut parler mais je l'interrompis.

— Je suis sérieux, George. Ce n'est pas un jeu.

— Tu as un sacré culot de me dire ça ! s'indigna-t-il en se levant. Où étais-tu pendant tout ce temps ? Là-bas, à mener ta petite vie citadine en dépensant l'argent de ton père. Moi, j'étais là pour elle. J'ai consciencieusement recollé les morceaux. Je l'ai empêchée de s'effondrer.

— George…

— Tais-toi, Adam, ou c'est moi qui te ferai taire ! Je t'interdis de me juger.

— Je suis désolé, George, murmurai-je en prenant conscience de ma maladresse. Je ne me rends pas bien compte et je suis un peu à côté de mes pompes. Je suis inquiet, c'est tout. C'est ma sœur, je l'aime et je déteste la voir souffrir. Je n'ai aucun droit de juger la façon dont Janice et toi vous en occupez. Je suis sûr qu'elle est entre les mains des meilleurs spécialistes.

— Elle fait des progrès, Adam. J'ai besoin d'y croire.

— Tu as sûrement raison et, encore une fois, pardonne-moi. Qu'est-ce que je peux faire pour toi, George ? Pourquoi es-tu venu ?

Il prit une grande inspiration.

— J'aimerais que tu n'en parles pas à ton père, Adam. Nous n'avons pas dormi. Elle a pleuré toute la nuit.

— C'est Miriam qui veut ça ?

— Elle ne le veut pas, Adam, elle l'exige.

Je tentai d'appeler Jamie depuis la voiture mais tombai une fois de plus sur sa boîte vocale. Je laissai un message, d'une voix que je soupçonnais peu aimable. Il s'était montré inhabituellement distant et je devinais qu'il était ivre, ou qu'il avait la gueule de bois, ou encore qu'il m'évitait. Miriam avait raison : la famille était en train de s'écrouler. Mais je ne pouvais pas penser à Miriam pour l'instant, ni même à Grace. Avant tout je devais me concentrer sur Dolf. Il était en prison et refusait toujours de nous parler. Il se passait des choses que j'ignorais et sur lesquelles il fallait que je fasse toute la lumière... Et si possible avant que Grantham ne s'en charge. Aujourd'hui, décidai-je, Candace Kane me semblait un bon point de départ. Je la trouvai chez elle à 8 h 30.

Le vieil immeuble à deux étages, en brique rouge, avait un long balcon côté façade. Le lotissement n'était qu'à une rue de l'université : trente bâtiments accolés – des logements d'ouvriers pour la plupart. Quarante années de tessons de bouteilles de bière avaient été réduits en poussière sous le passage de milliers de pneus. Le lotissement semblait recouvert de paillettes qui scintillaient au soleil.

L'appartement de Candace se trouvait tout au bout, au deuxième étage. Je me garai et m'y rendis à pied. Mes chaussures raclèrent le béton brut tandis que je grimpais l'escalier. Depuis le balcon, j'aperçus la flèche de la chapelle de l'université et les superbes chênes qui surplombaient la cour intérieure. Les numéros des portes avaient disparu mais je distinguai la trace d'un vague « 16 » sur la peinture défraîchie. Du scotch desséché obstruait un judas artisanal. Un coin s'était racorni avec la chaleur et quelqu'un avait bouché le trou avec un mouchoir en papier avant de le recouvrir de scotch. Un sac-poubelle posé contre le mur sentait le lait tourné et la nourriture chinoise. Je frappai mais n'obtins pas de réponse, aussi réessayai-je une minute plus tard. En vain.

J'étais en train de retourner à ma voiture lorsque je remarquai une femme en train de traverser un parking à une soixantaine de mètres de là. Je l'observai : âgée d'environ vingt-cinq ans, elle portait un short rose et un tee-shirt trop étriqué pour contenir à la fois sa poitrine et le petit bourrelet de son ventre. Je me rappelai la description de Manny : « Blanche, un peu grosse. Vulgaire. » Ça ressemblait à ça. Elle tenait un sac en papier dans une main et une cigarette à moitié consumée dans l'autre. Des mèches décolorées s'échappaient de sa casquette de base-ball.

Ses tongs claquèrent et j'aperçus la cicatrice sur son visage.

Arrivée à quelques mètres de moi, elle sursauta. Sa bouche s'ouvrit et ses yeux s'écarquillèrent. Puis son visage se ferma et elle changea de direction juste à temps pour me contourner. Je l'appelai par son nom. De près, et en dépit de la cicatrice, elle était plus jolie que je ne l'avais imaginé. Des yeux bleu clair surmontaient un nez légèrement retroussé. Elle avait des lèvres pleines, la peau claire et sa cicatrice – mince, rose, brillante comme du vinyle – s'étalait sur presque huit centimètres, interrompue en son milieu par une marque verticale qui trahissait l'intervention d'un urgentiste fatigué.

— On se connaît ? demanda-t-elle.

Deux clés, accrochées à un anneau, dépassaient de son short. Son sac sentait le petit déjeuner.

— Vous êtes bien Candace ?

Sa peur s'était en partie envolée. Il était tôt et nous étions près d'une rue fréquentée. Cinq mille étudiants étaient rassemblés à peine une rue plus loin.

— Candy, corrigea-t-elle.

— Il faut que je vous parle de Danny Faith.

Je crus que son visage allait se figer mais, au lieu de ça, ses traits se détendirent. Ses lèvres laissèrent paraître une dent abîmée du côté droit. Ses yeux s'emplirent de larmes et son petit déjeuner tomba par terre. Elle couvrit son visage de ses mains, cachant ainsi la marque rose vif sur sa peau par ailleurs sans défaut, et se mit à sangloter.

Lorsqu'elle découvrit à nouveau son visage, il y avait des empreintes de doigts là où ses mains avaient pressé trop fort. Je ramassai le sac encore chaud et le lui tendis. Elle y piocha une serviette et se moucha.

— Excusez-moi, je n'ai appris sa mort qu'hier.

— Ça vous fait de la peine ? Pourtant, c'est lui qui vous a fait cette cicatrice... et vous avez porté plainte contre lui.

— Ça ne veut pas dire que je ne l'aimais pas, soupira-t-elle en essuyant ses yeux d'un coin de serviette. On peut toujours rattraper ses erreurs. Certaines personnes tournent la page, se remettent ensemble...

— Puis-je vous demander pourquoi vous vous êtes disputés ?

— Vous êtes qui, déjà ?

— Danny et moi étions amis.

— Vous êtes Adam Chase ! s'exclama-t-elle en faisant claquer sa langue. Il parlait beaucoup de vous. Il racontait que vous étiez amis, que vous n'auriez jamais tué ce garçon. Il lui arrivait même de se battre à cause de ça. Quand il était ivre, il se mettait en colère. Il disait tout le temps que vous étiez fantastique et que vous lui manquiez. Après ça, il partait à la recherche de gens qui bavaient sur votre compte. Je ne me souviens même plus du nombre de fois où il est revenu en sang. C'était fréquent... Ça me faisait peur.

— Le sang fait souvent cet effet-là.

— Ce n'est pas le sang qui me faisait peur – j'ai quatre frères – mais ce qui arrivait ensuite.

— C'est-à-dire ?

— Après qu'il se soit calmé et nettoyé, il s'asseyait et buvait en solitaire. Il restait seul dans le noir et se mettait à sangloter. Il ne pleurait pas vraiment, il avait juste l'air... pitoyable.

La pensée de Danny prenant ma défense me stupéfia. Après cinq années de silence, j'avais supposé qu'il avait tiré un trait sur notre amitié, qu'il avait vécu sa vie. Pendant que moi j'essayais d'enterrer tout ça, Danny protégeait ma mémoire. Je me sentis minable. J'avais vécu mon exil comme une obligation – n'importe quoi pourvu que le temps passe... Oublier ma famille, mes amis... m'oublier moi. Jamais je n'aurais dû douter de lui.

— Il m'a appelé, repris-je. Vous savez ce qu'il voulait ?

— Il ne m'en a jamais parlé. Une cigarette ? proposa-t-elle en reniflant, les yeux rouges mais secs.

Je refusai tandis qu'elle sortait un paquet froissé de la poche arrière de son short.

— Il a une photo de vous deux dans sa chambre. Il a son bras autour de vos épaules... Vous êtes couverts de terre, en train de rigoler.

— Les raids à vélo dans la boue, je m'en souviens.

Elle tira sur sa cigarette et son sourire disparut. Elle secoua la tête – un geste lourd de sens. Je crus qu'elle allait à nouveau fondre en larmes.

— Pourquoi vous êtes-vous disputés ? répétai-je.

Elle écrasa sa cigarette du bout de sa sandale en plastique vert ; je remarquai le vernis rose écaillé sur ses orteils. Elle ne leva pas les yeux.

— J'ai toujours su qu'il voyait d'autres filles. Mais quand il était avec moi, il l'était complètement, vous comprenez ? Ces filles n'avaient pas d'importance. Je savais que c'était moi qui comptais. Il m'avait dit que ça ne durerait pas avec les autres. Il était comme ça, c'est tout. Et je ne peux pas vraiment lui donner tort – il y avait quelque chose chez lui qui faisait que j'acceptais tout. Absolument tout.

— Tout quoi ?

— Les filles, l'alcool, les bagarres…, énuméra-t-elle. (Sa voix se brisa à nouveau :) Il en valait la peine. Je l'aimais.

— Il vous a frappée ?

— Non, avoua-t-elle d'une voix faible. C'est moi qui ai prétendu ça. J'étais furieuse.

— Qu'est-ce qui s'est passé ?

— Je voulais lui faire mal. Mais ne le dites pas aux flics, hein ? Ils m'ont posé la question l'autre jour et je leur ai répété qu'il m'avait frappée. J'ai eu peur de revenir sur mon histoire. Je voulais seulement lui montrer…

— Vous étiez en colère.

Lorsqu'elle releva la tête, j'entrevis l'abîme derrière ses yeux bleus.

— Il voulait me quitter, il disait que c'était fini. Ce que j'ai au visage… c'était ma faute, pas la sienne.

— Comment ça ?

— Il ne m'a pas frappée. J'ai menti aux flics. Il essayait de partir et je l'ai tiré par le bras. Lorsqu'il s'est dégagé, j'ai trébuché sur un tabouret et je suis passée à travers cette fenêtre.

— La plainte n'a plus d'importance aujourd'hui. Il n'est plus là.

Pourtant, la tête basse, elle pleurait à chaudes larmes.

— Je lui ai envoyé les flics, je l'ai forcé à se cacher… C'est peut-être à cause de ça qu'il s'est fait tuer.

— Est-ce qu'il avait des activités illégales ?

Elle secoua violemment la tête, soit pour répondre que non, soit pour refuser de répondre – impossible de savoir. Je l'interrogeai à nouveau, en vain.

— Il jouait ?

Elle acquiesça en fermant les yeux.

— C'est pour cette raison qu'il s'est fait tabasser ? Par les gens qui prenaient ses paris ? demandai-je.

— Vous êtes au courant ?

— Qui prenait ses paris, Candy ?

— Ils l'ont mis dans un état…

— Qui ? insistai-je.

— Je ne sais pas. Danny a dit qu'ils l'avaient cherché. Ils sont allés au motel, à la ferme… Il avait déjà disparu pendant un moment avant ça. Je crois qu'il les fuyait. Vous devriez demander à Jamie. C'est votre frère, non ?

— Pourquoi à lui ?

— Danny et lui traînaient pas mal ensemble. Ils allaient à des matchs de base-ball et fréquentaient les clubs de pari. Et aussi les combats de chiens et de coqs quelque part dans le comté... N'importe quoi pourvu qu'ils puissent parier. Une fois, ils sont rentrés avec une nouvelle voiture qu'ils avaient gagnée dans le comté de Davidson.

Elle eut un faible sourire.

— Un vrai tas de ferraille. Deux jours plus tard, ils l'ont échangée contre une bière et une mobylette. Ils étaient amis, mais Danny m'a confié un jour qu'il ne pouvait pas faire confiance à Jamie comme il vous faisait confiance à vous. Il prétendait que Jamie avait un fond méchant. Vous lui manquiez vraiment.

Elle pleura encore un peu, ce qui me laissa le temps de réfléchir à ce qu'elle venait de dire. Elle était la deuxième personne, après George Tallman, à affirmer que Jamie et Danny avaient été mêlés ensemble à des histoires de paris. Je songeai à ce que tout cela impliquait. Puis je lui posai la question la plus pénible.

— Pourquoi voulait-il rompre avec vous, Candy ?

Elle renversa la tête en arrière, si bien que je ne vis plus que sa casquette de base-ball et ses cheveux secs couleur de savon. Lorsqu'elle parla, je compris que ses mots la blessaient.

— Il était amoureux. Il voulait changer de vie.

— Amoureux de qui ?

— Je ne sais pas.

— Aucune idée ?

— Sûrement d'une pétasse, conclut-elle, impitoyable, tandis que sa cicatrice se tordait.

À peine Candace Kane eut-elle tourné les talons que j'appelai Robin. J'entendis des bruits de circulation quand elle décrocha.

— Comment ça va ?

— Tranquillement. La bonne nouvelle, c'est que les hommes du shérif ont effectivement cherché Zebulon Faith. J'ai parlé à plusieurs personnes qu'ils ont interrogées et je les ai rattrapés dans leurs investigations. La mauvaise nouvelle, c'est que j'arrive aux mêmes conclusions qu'eux. Quel que soit l'endroit où se planque Faith, c'est sous un faux nom ou hors des frontières.

— Comment le sais-tu ?

— J'ai vérifié auprès de la compagnie d'électricité pour le comté de Rowan et les comtés environnants et, pour autant que je sache, il ne possède aucune autre propriété – ou, en tout cas, aucune avec un téléphone ou une installation électrique. Mais j'ai d'autres pistes. Je te tiens au courant.

— Je viens de parler à Candace Kane.

— Grantham l'a interrogée hier.

— Qu'est-ce qu'elle lui a raconté ?

— Je ne suis plus sur l'affaire, tu te souviens ? Je suis la dernière personne à qui Grantham irait en parler. Tout ce que je sais, c'est qu'il est allé la voir chez elle.

— Elle a dit à Grantham que Danny l'avait frappée et qu'elle le détestait pour ça. Ce n'est pas tout à fait vrai. Elle l'aimait. Il l'a quittée juste avant de mourir. Ça pourrait être un mobile.

— Tu l'en crois capable ?

— De meurtre ?

Je levai les yeux vers Candace Kane, qui était en train de monter l'escalier. Ses longues jambes tressautaient sous son short rose en tissu-éponge, faisant trembloter ses bourrelets.

— Pas vraiment, mais elle a quatre frères. Ils pourraient bien ne pas avoir apprécié la cicatrice sur son visage.

— C'est un mobile valable mais encore une fois... c'était l'arme de Dolf. Je vais vérifier si l'un d'entre eux a un casier. Qui sait ? Peut-être qu'on aura de la chance.

Elle semblait sceptique et je la comprenais. On en revenait toujours à la question du revolver. Tout ça n'avait de sens que si Danny avait lui-même pris le revolver et en avait, d'une manière ou d'une autre, perdu le contrôle. C'était peu probable. Danny savait garder son sang-froid.

— Tu crois que Faith sait que son fils est mort ?

— Tout dépend de l'isolement de sa planque.

— Danny aurait pu être impliqué dans des histoires de paris. Il semble qu'il se soit fait salement tabasser il y a quatre mois... Probablement pour cette raison.

— Qui t'a raconté ça ?

— Candace Kane. George Tallman.

— George ?

Je perçus du dédain dans sa voix.

— Qu'est-ce que tu as contre lui ?

— C'est un imbécile.

— On dirait qu'il y a autre chose...

— Je ne lui fais pas confiance, reconnut-elle.

Je sentis qu'elle réfléchissait à ma remarque.

— Tu as une raison particulière ? insistai-je.

— C'est compliqué.

— Essaie.

— Ça fait un bout de temps que je suis dans la police. Je connais un paquet de flics et un paquet de criminels et, d'une certaine façon, les deux ne sont pas si différents. Si on cherche bien, les criminels ont leurs bons côtés, et les flics aussi ont leur part obscure. Tu comprends ? Les flics ne sont pas des saints, c'est impossible avec ce boulot. Il y a trop de salauds dans nos vies, trop de mauvais jours, de mauvaises décisions. Tout ça s'accumule. De la même façon, les criminels sont rarement mauvais vingt-quatre heures sur vingt-quatre. Ils ont des enfants, des parents – ils sont humains. En passant du temps avec les gens, tu finiras par voir les deux facettes de leur personnalité. C'est la nature humaine. Tu vois ce que je veux dire ?

— Je crois.

— J'ai travaillé pendant quatre ans avec George Tallman et je n'ai jamais vu son mauvais côté.

— Et alors ?

— Personne n'est aussi net, aussi équilibré. Encore moins un flic.

Elle avait tort. Je connaissais George Tallman depuis le lycée. Il était incapable de masquer ses sentiments. Je ne relevai pas et mis cela sur le compte du cynisme nourri par des années à devoir se protéger sous une armure.

— Et les paris ? Tu crois qu'il pourrait y avoir quelque chose là-dessous ? Un lien avec la mort de Danny ? Candace Kane m'a dit que ces bookmakers l'avaient cherché, qu'ils étaient allés au motel puis à la ferme – et Danny a été tué sur les terres de la ferme. Tu as vu quelque chose qui pourrait aller dans ce sens ?

— Il y a quelques gros poissons de ce type à Charlotte. C'est une activité très rentable et tout à fait illégale. S'il a dépassé les bornes, ça a effectivement pu mal tourner.

— Est-ce que quelqu'un a l'intention de fouiller de ce côté ?

— Dolf a avoué. Personne ne va aller chercher une autre explication. N'importe quel juré du comté le condamnerait.

— Grantham a des doutes sur le mobile, rétorquai-je.

— Ça ne dépend pas de Grantham, ça dépend du shérif. Ce dernier n'a pas l'intention de gaspiller du temps et de l'argent alors qu'il a déjà obtenu ce qu'il voulait.

— Grantham pense que Dolf a peut-être avoué pour protéger mon père.

Robin resta silencieuse.

— Stupide, non ?

— Grantham n'est pas idiot, avança-t-elle prudemment après un nouveau silence. J'essaie de voir ça de son point de vue. Je réfléchis.

— Eh bien réfléchis à haute voix.

— La personne qui a tué Danny devait connaître la crevasse en haut du rocher.

— Ça pourrait être n'importe qui. On faisait des fêtes là-bas, des tirs au pigeon d'argile. Je peux te donner le nom d'une centaine de personnes qui sont allées là-haut.

— Je me fais juste l'avocat du diable, Adam... Le meurtrier de Danny devait être assez fort pour jeter le corps dans le trou. Ton père ne possède pas d'arme de poing mais il a accès à l'armoire à fusils de Dolf. Danny travaillait pour lui de temps à autre : autant d'opportunités pour que naisse un éventuel différend. Est-ce qu'il avait une raison d'en vouloir à Danny ?

— Aucune idée.

Immédiatement, Jamie et ses paris me vinrent à l'esprit. Danny avait une mauvaise influence. La famille manquait d'argent.

— Alors je ne sais pas quoi te dire. Rien n'a de sens sans un mobile.

— Pour l'instant, je vais partir de l'hypothèse que la mort de Danny a un lien avec les projets de la compagnie d'électricité ou avec le jeu. Ceux qui prenaient ses paris l'ont déjà agressé une fois. Il faut que je cherche de ce côté-là.

— Ne fais pas ça. Pas à Charlotte. Ce ne sont pas des petits gangsters et ils n'aiment pas les gens qui se mêlent de leurs affaires. Si une fois là-bas tu tombes sur le mauvais type, tu vas t'attirer de sérieux ennuis. Je ne plaisante pas… Et je ne pourrai pas t'aider.

Je songeai à Danny en train de chercher la bagarre puis de rentrer se soûler tout seul ; à Dolf dans sa cellule ; à Grace rongée de l'intérieur ; aux insinuations de Grantham à propos de Dolf qui mentirait pour protéger mon père… Il manquait une pièce au puzzle et quelqu'un, quelque part, savait quoi. Je n'avais d'autre choix que de creuser là où je pouvais. Au fond d'elle-même, Robin devait bien le reconnaître.

— Il faut que je fasse quelque chose.

— N'y va pas, Adam, je t'en supplie.

— Je vais y réfléchir, concédai-je et j'enchaînai avant qu'elle n'ait pu relever ce mensonge. Tu vas interroger les frères de Candace ?

— Oui.

— Autre chose que je devrais savoir ?

— Je ne sais pas si c'est important mais je doute que Candy Kane ait été la seule femme à se faire larguer par Danny.

— Qu'est-ce que tu veux dire ?

— Danny vivait dans un motel. Nous avons fouillé sa chambre après la découverte de son corps. L'une des vitres était brisée, bouchée avec le carton d'une boîte à chaussures. Sur une commode, nous avons trouvé un bout de papier jaune, déplié, maintenu à plat par un caillou. On

La rivière rouge

aurait dit que quelqu'un avait enveloppé la pierre avec le morceau de papier et l'avait lancée à travers la fenêtre. L'élastique était encore dessus. Le Mexicain, Emmanuel, pensait se souvenir que c'était arrivé peu de temps avant la disparition de Danny.

— Que disait la note ?

— « Toi aussi, va te faire foutre. »

— Comment sais-tu que ça venait d'une femme ?

— Il y avait des marques de rouge à lèvres en guise de signature. Rouge vif.

— Parfait.

— Il semble que Danny faisait le grand ménage.

26.

J'appelai Jamie et tombai une fois de plus sur sa boîte vocale. Je laissai un nouveau message. Appelle-moi. Tout de suite. Il faut qu'on parle. Je raccrochai, fis quelques pas et réessayai. Je brûlais de rage et c'était en partie à cause de Jamie. Candace Kane m'avait confié qu'ils jouaient toujours, Danny et lui. Il m'avait donc menti. Il aurait dû me rappeler la veille. Cette fois-ci, il décrocha à la deuxième sonnerie. J'entendis d'abord sa respiration, puis sa voix, maussade et irritée.

— Qu'est-ce que tu veux, Adam ?

— Pourquoi tu ne m'as pas rappelé ?

— J'avais des trucs à faire.

— Bon, je vais aller droit au but, Jamie. J'ai trouvé la petite amie de Danny.

— Laquelle ?

— Celle qui a porté plainte. Candace Kane.

— Candy ? Je me souviens de cette fille.

— Selon elle, tu joues toujours. Elle affirme que Danny et toi pariiez sur n'importe quoi. Tu m'as menti, donc.

— Premièrement, je n'ai pas à te répondre. Deuxièmement, ça n'avait rien de sérieux, une centaine de dollars ici ou là. C'était juste un moyen de sortir et de passer le temps.

— Donc tu ne joues plus.

— Non.

— J'attends toujours les noms de ces bookmakers.

— Pourquoi ?

— Danny s'est fait tabasser il y a quelque temps. Tu te rappelles ?

— Il ne m'en a pas parlé mais de toute façon c'était difficile de passer à côté. Il n'a pas pu marcher pendant une semaine. Et je ne suis pas sûr que son visage s'en soit jamais remis.

— Il faut que je parle à celui qui a fait ça. Peut-être qu'il lui devait encore de l'argent. Peut-être qu'ils sont venus le trouver.

— Eh bien...

— Je veux ces noms maintenant.

— Qu'est-ce que ça peut te faire, Adam ? Dolf a avoué qu'il avait tué Danny. Il va payer pour ça. Qu'il aille se faire foutre, point barre.

— Comment tu peux penser une chose pareille ?

— Je sais que tu es persuadé qu'il pisse de l'eau bénite mais moi, je ne l'ai jamais porté dans mon cœur et c'est réciproque. En fait, il m'a toujours emmerdé. Danny était un pote à moi. Dolf a déclaré l'avoir tué. Pourquoi tu cherches la merde ?

— Est-ce que je dois venir te chercher en personne ? Parce que je le ferai s'il le faut, je le jure devant Dieu ! Je ne te lâcherai pas.

— Adam, calme-toi, nom de Dieu ! Qu'est-ce qui te prend ?

— Je veux ces noms.

— Je n'ai pas vraiment eu le temps de les chercher.

— Ne te fous pas de ma gueule, Jamie ! Où es-tu ? J'arrive. On va aller les voir ensemble.

— OK, OK ! Reste où tu es et laisse-moi réfléchir.

Il attendit une longue minute avant de me donner un nom.

— David Childers.

— Noir ou blanc ?

— Rouge. Il a un pistolet dans le tiroir de son bureau.

— Il est à Charlotte ?

— C'est un gars du coin.

— Où ?

— Tu es sûr que c'est vraiment ce que tu veux ?

— Dis-moi où je peux le trouver, Jamie.

— C'est le propriétaire de la laverie automatique près du lycée. Il a un bureau à l'arrière.

La laverie automatique occupait un espace ombragé entre un immeuble clôturé par un solide grillage et une grande maison délabrée. Petite et quelconque, il était facile de la rater. Lorsque je m'engageai dans la rue, la vitrine me renvoya un reflet déformé de ma voiture. Je décidai de ne pas me garer devant et optai pour un emplacement libre près du bâtiment, à l'endroit où une grille interdisait l'accès par l'arrière. J'escaladai cette dernière, me laissai retomber de l'autre côté et traversai une petite cour pavée, jonchée d'ordures, invisible depuis la rue. La porte en acier, entrebâillée d'à peine trente centimètre, était calée par un morceau de parpaing. Je sentis une odeur de lessive et de quelque chose qui ressemblait à des fruits pourris. Les rythmes d'une basse me parvenaient à travers l'entrebâillement.

Je jetai un œil à l'intérieur. Le bureau, une pièce lambrissée, était plongé dans l'obscurité, et des papiers s'entassaient un peu partout sur des meubles de rangement. Un homme chauve était assis derrière un grand bureau bon marché, son fauteuil pivotant tourné sur le côté. Le pantalon descendu jusqu'aux chevilles, il avait la tête renversée en arrière, les yeux fermés et un visage très rouge. Une fille était agenouillée devant lui, sa tête allant et venant comme un piston – jeune, mince et noire, elle devait avoir environ seize ans. L'homme avait glissé une main dans les cheveux gras de la fille, et l'autre était agrippée au bras de son fauteuil.

Un billet de vingt humide traînait sur le coin du bureau.

Je donnai un coup de pied dans le parpaing et poussai brutalement la porte. Lorsque celle-ci claqua contre la brique, les yeux du gros s'ouvrirent aussitôt. L'espace d'une seconde, il me dévisagea tandis que la fille continuait comme si de rien n'était.

— Oh, mon Dieu, bredouilla-t-il, hébété.

La fille prit le temps de répondre.

— Tu l'as dit, chéri.

Et elle se remit au travail. J'entrai dans la pièce tandis qu'il repoussait la fille – visiblement défoncée.

— Qu'est-ce que t'as, chéri ? s'étonna-t-elle.

Le gros se leva, s'empêtra dans son pantalon en essayant de le remonter.

— Ne dites rien à ma femme, supplia-t-il.

Lentement, la fille sembla comprendre qu'ils n'étaient plus seuls. Lorsqu'elle se remit debout, je me rendis compte qu'elle n'avait rien d'une enfant. Vingt-cinq ans peut-être, pas très propre, les yeux injectés de sang. Elle s'essuya la bouche d'une main tandis que le gros se reboutonnait.

— Ça compte pour une, déclara-t-elle avant d'attraper le billet de vingt.

Elle sourit en passant devant moi : dents grises, bouche de fumeuse.

— Moi, c'est Shawnelle. Fais-moi signe si ça te tente aussi.

J'attendis que la fille soit partie pour refermer la porte. Le gros luttait avec sa ceinture, serrant fort pour parvenir à la fermer. Je lui donnai quarante ans – peut-être cinquante. Difficile à dire avec la sueur, la graisse et le front dégarni… Je surveillai ses mains et le tiroir du bureau. Si un pistolet s'y trouvait, il n'avait manifestement pas l'intention d'aller l'y chercher. Rhabillé, il reprenait à présent du poil de la bête et une colère muette mais palpable semblait le gagner.

— Qu'est-ce que vous voulez ?

— Désolé de vous déranger, ironisai-je.

— Ouais, c'est ça. Vous travaillez pour ma femme ? Expliquez-lui qu'elle ne me fait plus aucun effet.

— Je ne connais pas votre femme.

— Alors qu'est-ce que vous voulez ?

— Il paraît que vous prenez des paris, fis-je en m'approchant du bureau.

Un rire nerveux lui échappa.

— Nom de Dieu ! C'était ça ? Faut passer par-devant, c'est comme ça que ça marche !

— Je ne suis pas venu parier. Je veux que vous me parliez de Danny Faith. Vous prenez ses paris ?

— Danny est mort. Je l'ai lu dans les journaux.

— C'est exact. Est-ce que vous preniez ses paris ?

— Je n'ai pas l'intention de vous parler de mes affaires. Je ne sais même pas qui vous êtes.

— Je peux toujours appeler votre femme.

— Non ! Bon sang... La dernière audience a lieu la semaine prochaine.

— Alors, à propos de Danny ?

— Écoutez, je ne sais pas grand-chose... Danny était un gros joueur. Moi je ne joue pas dans cette catégorie. Je m'occupe d'équipes de foot, de machines illégales de vidéo poker... Danny a arrêté de venir me voir il y a deux ou trois ans. Pour lui, ça se passe à Charlotte.

Je sentis une soudaine nausée me vriller l'estomac. Jamie m'avait menti. Ce type n'était qu'un leurre.

— Et Jamie ? tentai-je.

— Pareil. Il joue dans la cour des grands.

— Qui prend leurs paris à Charlotte ?

Il eut un sourire repoussant.

— Vous avez prévu le même cirque là-bas ? ricana-t-il, et son sourire s'élargit. Vous allez vous faire descendre.

Là où le gros m'envoya, il n'y avait pas de porte à l'arrière. Il s'agissait d'un cube de béton situé au fin fond d'une zone industrielle à l'est de Charlotte, qui sentait le goudron frais. Lorsque je descendis de voiture, le soleil se reflétait sur les tours du centre-ville – à cinq kilomètres et mille milliards de dollars à l'est. Deux hommes traînaient devant la porte principale ; une collection de tuyaux de canalisation était appuyée contre le mur. Ils m'observèrent longuement : un Noir autour de la trentaine et un Blanc qui devait avoir dix ans de plus.

— Qu'est-ce que tu veux ? finit par demander le Noir.

— Il faut que je parle à quelqu'un à l'intérieur.

— Qui ?

— Celui qui dirige cet endroit.

— Je te connais pas.

— Je dois quand même lui parler.

— Tu t'appelles comment ? intervint le Blanc en levant un doigt. Ta tête me dit quelque chose.

Je lui répondis.

— Portefeuille ! ordonna-t-il.

Je m'exécutai. Mon portefeuille était encore bourré de billets de cent. L'argent du voyage. Ses yeux s'attardèrent sur la liasse de billets mais il n'y toucha pas. En revanche, il prit mon permis de conduire.

— New York. C'est pas toi, ça !

— Je suis de Salisbury, expliquai-je. Je suis parti à New York quelque temps.

Il jeta un nouveau coup d'œil à mon permis.

— Adam Chase. Tu as eu des ennuis il y a un moment.

— Exact.

— Tu es de la famille de Jamie Chase ?

— C'est mon frère.

— Laisse-le entrer, déclara-t-il en me rendant mon portefeuille.

Le bâtiment consistait en une seule pièce moderne et bien éclairée. La première moitié était conçue pour recevoir : deux canapés, deux chaises, une table basse. Un comptoir bas divisait la pièce en deux. De l'autre côté, un néon éclairait des bureaux et des ordinateurs neufs. Une étagère encombrée de brochures de voyage était posée contre un mur, où étaient accrochés à intervalles irréguliers des posters de plages tropicales. Deux jeunes hommes étaient assis devant leurs écrans. L'un d'eux avait le pied sur un tiroir ouvert.

Un homme âgé en costume se tenait debout devant le comptoir – Blanc, la soixantaine. Le garde qui me précédait s'approcha et lui murmura quelque chose à l'oreille. Il acquiesça, congédia le garde et sourit.

— Puis-je vous aider ? demanda-t-il. Un voyage aux Bahamas ? Quelque chose de plus exotique ?

Son sourire était aussi large que vénéneux. Sentant dans mon dos les regards braqués sur moi, je m'avançai jusqu'au comptoir.

— Bel endroit, fis-je.

Toujours souriant, l'homme sourit d'un air neutre et haussa les épaules avec un geste d'apaisement à l'attention des autres.

— Danny Faith et Jamie Chase. Je suis venu parler d'eux...

— Ces noms devraient m'être familiers ?

— Nous savons tous les deux que c'est le cas.

Le sourire s'évanouit.

— Jamie est votre frère ?

— Exact.

Il me jaugea de son regard de prédateur. Un morceau de viande sur une balance. Quelque chose me disait qu'il percevait des choses que les autres ne voyaient pas. Les forces et les faiblesses, les opportunités et les risques.

— Danny Faith... j'ai dû sortir ce rat de son trou une ou deux fois. Mais il ne m'intéresse pas. Il a réglé ses dettes il y a trois mois environ et je ne l'ai plus revu depuis.

— Réglé ses dettes ?

— Jusqu'au dernier centime, confirma-t-il en exhibant des dents trop blanches et trop droites pour être authentiques.

— Il est mort.

— Je n'étais pas au courant. Je ne m'intéresse qu'à ceux qui me doivent de l'argent, ce qui nous amène à votre frère. Êtes-vous venu payer ses dettes ?

— Il en a ?

— Bien sûr.

— Combien ?

— Trois cent mille.

— Non, répondis-je tandis qu'un frisson glacial me parcourut. Je ne suis pas venu pour ça.

— Alors, allez-vous-en !

Le garde se plaça juste derrière moi – je pouvais sentir la chaleur de son corps. L'homme se détourna.

— Attendez ! insistai-je. Vous dites que vous avez sorti Danny Faith de son trou. Quel trou ?

— De quoi est-ce que vous parlez ? reprit l'homme, me toisant à nouveau, un rictus de colère aux lèvres.

— Vous prétendez avoir sorti Danny de son trou. Je cherche son père. Peut-être qu'il se planque au même endroit.

— Sortez-le d'ici ! ordonna-t-il en secouant la tête, sourcils froncés.

— Je suis prêt à payer pour cette information.

— Très bien. C'est trois cent mille dollars. Vous avez ça sur vous ? Non ? C'est bien ce que je pensais. Alors, foutez-moi le camp !

Une main s'abattit sur mon épaule. Les deux hommes assis devant leurs ordinateurs se levèrent.

Dehors, sous le soleil brûlant, l'odeur du goudron était persistante. Le Noir n'avait pas bougé. Son collègue me poussa jusqu'à ma voiture.

— Continue de marcher ! commanda-t-il.

Puis, à moins de deux mètres de la voiture, il ajouta dans un souffle :

— Cinq cents dollars.

Je me retournai et m'appuyai contre la carrosserie brûlante. Les sourcils froncés, le garde tourna légèrement la tête pour jeter un coup d'œil au Noir adossé au mur.

— Oui ou non ?

— Cinq cents pour quoi ?

Il se plaça de façon à se trouver entre moi et l'autre type.

— Ton gars, Danny, il avait du retard d'au moins trente mille. On a passé une semaine à le chercher. Quand on l'a retrouvé, on lui a foutu une raclée. Pas seulement parce qu'il nous devait de l'argent mais parce qu'on avait dû le chercher partout. On était très énervés.

Il inclina la tête sur le côté.

— Tu me mets cinq cents dollars dans la main, là tout de suite, et je te dis où on l'a trouvé. Peut-être bien que c'est la planque que tu cherches.

— Dis-moi d'abord.

— Un mot de plus et ce sera mille cinq cents.

Je sortis mon portefeuille de ma poche.

— Magne-toi, me pressa-t-il.

Je comptai cinq billets et les lui tendis. Il courba les épaules et fit disparaître l'argent dans la poche de son jean. Puis il me donna l'adresse que j'attendais.

— Un putain de trou à rats au milieu de nulle part. C'est le bon endroit mais c'est dur à trouver.

Il fit demi-tour.

— Comment s'est-il débrouillé pour rembourser trente mille dollars ? demandai-je encore.

— Qu'est ce que ça peut te foutre ?

— Cent dollars, offris-je en lui tendant un autre billet.

Il fit marche arrière, saisit la coupure et se pencha vers moi.

— On l'a cherché partout, puis on l'a secoué un peu. Huit jours plus tard, il revenait avec trente mille dollars en cash. Des billets tout frais sortis de la machine. Il nous a dit que c'était terminé, qu'il arrêtait de jouer. Et voilà : on n'a plus jamais entendu parler de lui. Rien, pas un mot. Blanc comme neige, à ce que j'ai entendu.

Quitter Charlotte sous le soleil cuisant me fut un véritable calvaire. Je baissai les vitres pour laisser l'air rafraîchir mon visage. Je pus ainsi garder les idées claires alors que des mirages aux formes démoniaques gesticulaient à l'horizon et que la découverte subite du mensonge de mon frère me tordait les tripes. Jamie était un joueur complètement accro, un alcoolique et un foutu menteur. Trois cent mille dollars, c'était une fortune. Je ne voyais qu'un seul moyen pour lui d'espérer mettre la main sur une telle somme... C'était que mon père vende. La part de Jamie s'élevait à dix pour cent, autant dire un million cinq cent mille. De quoi faire...

Il devait être prêt à tout – non seulement pour s'éviter un passage à tabac comme celui de Danny mais aussi pour cacher la vérité à mon père qui l'avait déjà couvert une fois. Mais prêt à tout jusqu'à quel point ? Quelle était sa part obscure à lui ?

304 La rivière rouge

Je m'efforçai de rester calme. Cependant, il y avait une autre chose à laquelle je ne pouvais m'empêcher de penser. Quelqu'un avait agressé Grace, quelqu'un l'avait pratiquement battue à mort pour arriver à ses fins. *Dites au vieux de vendre* – c'est ce que disait le message. L'auteur ne pouvait être que Jamie ou Zebulon Faith. Impossible qu'il en soit autrement.

S'il vous plaît, faites que ce ne soit pas Jamie.

La famille n'y survivrait pas.

27.

Le « putain de trou à rats » de Zeb Faith était situé à deux comtés de là, dans un secteur complètement paralysé par deux décennies d'une politique industrielle vouée à l'échec. Un siècle plus tôt, c'était l'une des zones agricoles les plus productives de l'État. Aujourd'hui, les terres étaient à l'abandon, envahies de mauvaises herbes, encombrées d'usines désaffectées, de moulins en ruine et de mobile homes perdus sur des chemins de terre. Les champs restaient en jachère et les broussailles débordaient de la forêt. D'anciennes cheminées se dressaient au milieu des décombres et des lianes pendaient des câbles de téléphone, comme si elles voulaient les tirer vers le bas.

C'est là, tout au fond de ces ruines vertes, que se cachait Faith.

Il me fallut deux heures pour dénicher sa planque. Je m'arrêtai trois fois pour demander mon chemin et, plus je me rapprochais, plus la campagne respirait la pauvreté et le désespoir. Puis la route bifurqua pour se réduire à une seule voie qui serpentait entre de basses collines et des marais à l'odeur pénétrante. Elle se terminait par une boucle de trois kilomètres qui s'enroulait sur les bords d'une cuvette sans issue plus ombragée que les autres.

Salisbury, l'une des villes les plus riches de l'État, n'était qu'à soixante kilomètres, les tours d'argent de Charlotte à moins de cent kilomètres, et pourtant, j'aurais tout aussi bien pu me trouver dans un autre pays. Des chèvres pataugeaient dans des enclos, s'enfonçant dans la merde jusqu'aux jarrets. Des poulaillers avaient été aménagés dans des cours en terre battue devant des baraques en contreplaqué, aux fenêtres obstruées par des sacs plastique. Les voitures suintaient la rouille. Des chiens efflanqués somnolaient à l'ombre tandis que des enfants jouaient pieds nus indifférents, au milieu des puces et des vers. De toute ma vie, je n'avais rien vu de tel – Noir ou Blanc, ici, la misère n'avait pas de couleur.

C'était là que se déversaient les égouts.

La cuvette se trouvait à deux kilomètres à peine. Environ une douzaine de cabanes, certaines au bord de la route, d'autres, cachées derrière des buissons de ronces et d'arbres tordus qui bataillaient pour accéder à un peu de précieuse lumière. La boucle que formait la route constituait une véritable plongée en enfer. Je la suivis jusqu'à ce qu'elle me recrache à l'endroit d'où j'étais venu. Puis je recommençai, plus lentement, conscient des yeux qui me surveillaient derrière les moustiquaires déchirées. J'entendis claquer une porte, aperçus une femme aux yeux laiteux tenant un lapin mort et continuai, à la recherche du numéro 79.

Un virage plus loin, je croisai un petit garçon à la peau si noire qu'elle paraissait violette. Il était torse nu et jouait avec un bâton pointu. À côté de lui, une petite fille brune et poussiéreuse, vêtue d'une robe jaune passé, poussait une poupée calée sur un morceau de pneu monté en balançoire. Tous deux fixèrent ma voiture, bouche bée. Lorsque je m'arrêtai, une femme géante débitula d'une cabane. Ses chevilles étaient épaisses et grasses, et manifestement, elle était nue sous sa robe informe et sans couleur. Elle tenait à la main une cuillère en bois dégoulinante d'une sauce aussi rouge que de la viande crue. Elle souleva le petit garçon, le maintint sous son bras et brandit la cuillère comme si elle s'apprêtait à m'envoyer de la sauce à la figure.

— Allez-vous-en ! menaça-t-elle. Ne vous approchez pas de ces enfants.

— Madame, je n'ai pas l'intention de causer des ennuis à qui que ce soit, la rassurai-je. Je cherche le numéro 79. Vous pouvez peut-être m'aider ?

Elle réfléchit, une expression d'intense concentration sur le visage. Le petit garçon était toujours coincé sous son bras, plié en deux au niveau de la taille, les jambes et ses bras pendouillant de chaque côté.

— On se fiche pas mal des numéros, par ici, finit-elle par répondre. Vous cherchez qui ?

— Zebulon Faith.

— Ça ne me dit rien.

— Un Blanc, la soixantaine. Plutôt maigre.

— Sais pas, répéta-t-elle en faisant mine de partir.

— Son fils a les cheveux roux. Environ vingt-cinq ans. Assez grand.

Elle pivota légèrement et relâcha un peu sa prise sur le petit garçon. Celui-ci en profita pour ramasser son bâton et chiper la poupée de la fillette, qui se mit à pleurer.

— Ah, lui ? Une vraie calamité !

— Une calamité ?

— Il boit, il hurle à la lune... Il y a un tas de bouteilles vides d'au moins trois mètres de haut là-bas derrière ! Pourquoi vous le cherchez ?

— Il est mort. C'est son père que je cherche.

Cela ne répondait pas à sa question mais elle sembla néanmoins s'en satisfaire. Elle fit claquer sa langue et indiqua le haut de la route.

— Derrière ce virage, vous verrez un chemin sur votre droite. Il y a un moule à tarte cloué à un arbre. C'est là.

— Merci.

— Ne vous approchez pas de ces enfants, c'est tout ce que je demande.

Elle arracha la poupée de la main du garçon et la tendit à la petite fille, qui sécha ses larmes avec son avant-bras, embrassa le visage de plastique et caressa de sa petite main les touffes clairsemées de cheveux en Nylon.

Le moule à tarte portait la trace de sept impacts de balle. Protégé par l'énorme arbre sur lequel le moule était cloué et l'herbe haute qui poussait entre les sillons laissés par les voitures, le chemin était pratiquement invisible. Quoi qu'il y eût au bout, je doutais que quiconque l'emprunte très souvent. Je garai ma voiture de l'autre côté de la route. Une fois dehors, la puanteur insoutenable de l'eau croupie, de l'air stagnant et de la terre humide s'intensifia. Le chemin bifurquait à gauche et disparaissait derrière un affleurement **de** granit envahi de végétation. Subitement, je me demandai si j'avais été prudent de venir jusqu'ici – avec le silence oppressant et cette sensation d'une imminence muette. Un rapace poussa un cri au loin et je m'efforçai de chasser cette désagréable impression.

Il y avait des traces de pneus récentes sur le sol spongieux. J'estimai qu'elles remontaient à deux ou trois jours.

Je pris soin de rester du côté gauche du chemin jusqu'à l'affleurement de granit, et je me plaquai contre la roche. À partir de là, le chemin tournait radicalement sur la gauche, plongeant à travers les arbres. Je risquai un coup d'œil, reculai puis me penchai à nouveau pour observer le « putain de trou à rats » de Zebulon Faith. Le mobile home était vieux – une trentaine d'années probablement, ce qui équivalait à environ six cents ans pour une telle habitation. Perché sur des blocs de parpaings, il penchait légèrement sur la droite. Pas de ligne de téléphone, pas de câbles électriques : une coquille vide.

Il n'y avait pas de voiture non plus, ce qui rendait le fait que quelqu'un se trouvât à l'intérieur peu probable. Néanmoins, j'approchai avec prudence. Le mobile home avait visiblement beaucoup servi. Il devait être là depuis très longtemps, à moins qu'il n'ait été récupéré dans un dépotoir plus récemment. Quoi qu'il en soit, il resterait là jusqu'à ce que la terre finisse par l'engloutir. Il se dressait au milieu des arbres. De la vigne avait commencé à grimper sur un des angles et le tas de bouteilles vides ne s'élevait qu'à une cinquantaine de centimètres – au lieu des trois mètres annoncés par la femme à la cuillère.

Dans l'herbe, j'aperçus un endroit où une voiture avait dû être garée.

Des marches glissantes menaient à un carré de bois affaissé devant la porte d'entrée. Il y avait aussi une chaise en plastique. D'autres bouteilles vides traînaient dans l'herbe. Lorsque je montai l'escalier, je sentis les marches gémir sous mes pas. En regardant par la fenêtre, je devinai des restes de lino sur le sol et des meubles récupérés aux ordures. Des bouteilles de bière étaient alignées sur la table, à côté d'emballages de fast-food et de tickets de Loto.

J'essayai d'ouvrir la porte – fermée –, puis contournai le mobile home en enjambant des meubles et autres détritus abandonnés. L'arrière ressemblait à s'y méprendre à l'avant, excepté la présence d'un générateur sous une bâche souple maintenue par des briques. Je jetai un œil à toutes les fenêtres. Deux chambres – une vide, l'autre avec un matelas à ressorts posé à même le sol –, une salle de bains. Je repérai un tube de dentifrice sur la tablette et une pile de magazines porno sur un tabouret. Dans la pièce principale, j'aperçus une télévision, un magnétoscope, une pile de cassettes vidéo, des cendriers par terre et deux bouteilles de vodka.

Un véritable asile de nuit. Ce repaire n'avait de sens que pour un homme comme Zebulon Faith. J'eus envie de défoncer la porte et de tout détruire. De mettre le feu. Mais, sachant que je reviendrais, je laissai tout en l'état.

Inutile de le faire fuir.

Je repris la direction de la ferme sous un soleil bas qui réchauffait mon visage. J'appelai Robin, parlai de tout et de rien et lui promis de passer la voir le lendemain. Pas un mot sur Zebulon Faith. Il valait mieux faire certaines choses discrètement... Je ne voulais pas impliquer Robin. Je coupai mon téléphone et accélérai sous le ciel orangé. Le jour était en train de s'éteindre et je me demandais ce qu'il emporterait avec lui.

De loin, j'aperçus le pick-up de mon père, garé devant la maison de Dolf. Je me rangeai derrière lui et descendis de voiture. Miriam, assise près de mon père, paraissait épuisée.

— Tout va bien ? demandai-je.

— Elle refuse de nous parler, répondit-il.

Je suivis son regard et remarquai la présence de Grace dans la cour. Elle était pieds nus et portait un jean délavé et un tee-shirt blanc. Dans la lumière douce, elle semblait particulièrement mince et musclée. Elle avait accroché une cible à trente mètres. L'arc à poulies avait l'air gigantesque entre ses mains. Je la regardai armer et tirer : la flèche fusa et alla se ficher au cœur de la cible. Il y en avait déjà six autres – un épais bouquet de fibres de verre, acier et plumes aux couleurs vives. Elle encocha une autre flèche. La pointe en acier, captant la lumière du soleil, brillait par intermittence. Lorsqu'elle partit, je crus l'entendre fendre l'air.

— Elle est douée, observai-je.

— Elle a une main infaillible, corrigea mon père. Ça fait une heure qu'elle tire et elle n'en a pas raté une seule.

— Vous êtes restés là tout ce temps ?

— On a essayé de lui parler à deux reprises. Elle refuse de nous répondre.

— Quel est le problème ?

— Dolf a comparu pour la première fois aujourd'hui.

— Elle était là ?

— Ils l'ont fait entrer complètement enchaîné. Taille, chevilles, poignets. Il arrivait à peine à marcher. Il y avait des journalistes partout, cette tête de nœud de shérif, le procureur, une demi-douzaine d'agents en armes... Comme s'il était dangereux ! Nom de Dieu... c'était tout bonnement intolérable. Il évitait de nous regarder... Même quand Grace a essayé d'attirer son attention. Elle piaffait.

Il fit une pause. Miriam s'agita sur son siège, visiblement embarrassée.

— Ils lui ont proposé de faire appel à un avocat mais Dolf s'y est encore opposé. Grace a fondu en larmes. Nous sommes venus ici pour voir comment elle allait et... voilà ce que nous avons trouvé.

Je me tournai à nouveau vers Grace. Armer et tirer. La flèche qui fendait l'air, le choc de l'acier sur la cible...

— Grantham te cherchait, repris-je. Manifestement, il pense qu'il y a encore des choses à éclaircir.

J'étudiai mon père avec attention. Il continuait d'observer Grace, impavide.

— Je n'ai rien à lui dire. Il a essayé de me parler après l'audience mais j'ai refusé.

— Pourquoi ?

— Regarde ce qu'il nous a fait.

— Tu sais de quoi il veut te parler ?

— Quelle importance ?

— Que va-t-il se passer avec Dolf ? Quelle est la prochaine étape ?

— J'en ai parlé avec Parks. Le procureur va procéder à la mise en accusation. Malheureusement pour Dolf, le grand jury siège cette semaine. Le procureur ne perdra pas de temps. Il obtiendra ce qu'il demande – cet imbécile a avoué. Une fois que le grand jury aura approuvé, il sera traduit en justice. Ensuite ils décideront si la peine de mort est à envisager ou non.

Je sentis un frisson familier me parcourir l'échine.

— Article vingt-quatre, énonçai-je platement. Audience pour déterminer si la peine capitale est appropriée ou pas.

— Tu t'en souviens, à ce que je vois.

Il ne put soutenir mon regard. Les étapes, je les connaissais toutes. Ç'avait été l'une des pires journées de ma vie – ces longues heures passées à écouter les avocats débattre de mon éventuelle injection mortelle si j'étais condamné. Je chassai ce souvenir de ma mémoire, baissai les yeux et vis la main de mon père se poser sur un paquet de feuilles à côté de lui.

— Qu'est-ce que c'est ?

— C'est une pétition, expliqua-t-il en me les tendant. Initiée par la Chambre de commerce. Ils me l'ont donnée aujourd'hui – ils sont venus à quatre. Des « représentants », c'est comme ça qu'ils se sont présentés. Comme si je ne les connaissais pas tous depuis plus de trente ans !

Je feuilletai les pages et y lus des centaines de noms, familiers pour la plupart.

— Des gens qui veulent que tu vendes ?

— Six cent soixante-sept noms. Des amis, des voisins...

— Qu'est-ce que tu en penses ? l'interrogeai-je en lui rendant la liasse de papier.

— Les gens ont le droit d'avoir leur propre opinion. Ce n'est pas pour autant que je changerai d'avis.

Il n'avait pas l'intention d'en discuter davantage. Je songeai à la dette qu'il devait rembourser dans quelques jours seulement. J'aurais aimé lui en parler mais c'était impossible devant Miriam.

— Comment ça va ? demandai-je à ma sœur.

Elle se força à sourire.

— Prête à rentrer à la maison.

— Vas-y, dis-je à mon père. Je vais rester.

— Sois patient avec elle. Elle est trop fière pour supporter tout ce poids.

Je demeurai debout dans la poussière à les regarder partir, puis je m'assis sur le coffre de ma voiture en attendant Grace. Elle armait avec une calme détermination, le geste souple et sûr. Après quelques minutes, j'entrai dans la maison et en ressortis avec une bière. Je traînai un fauteuil à bascule à une extrémité de la véranda et m'installai pour l'observer.

Le soleil disparut.

Grace ne perdit jamais son rythme. Lorsque enfin elle grimpa les marches de l'entrée, je crus qu'elle allait passer devant moi sans m'adresser la parole mais elle s'arrêta devant la porte. Ses bleus paraissaient encore plus sombres dans l'obscurité.

— Je suis contente de te voir, fit-elle simplement.

— Je pensais préparer le dîner, proposai-je sans me lever.

— Ce que j'ai dit tout à l'heure... Je ne le pensais pas.

Elle parlait de Dolf.

— Je vais prendre une douche, conclut-elle.

Je trouvai une pièce de bœuf au réfrigérateur et, le temps qu'elle revienne, j'avais préparé le dîner et mis la table. Elle sentait le savon. Ses cheveux mouillés retombaient sur son peignoir et je ressentis une vive douleur à l'estomac en voyant son visage. L'état de ses yeux s'était amélioré mais ses lèvres paraissaient encore à vif et je ne parvenais pas à détacher mes yeux des points de suture. Les contusions étaient d'une couleur aubergine au centre et s'éclaircissaient sur les bords jusqu'à devenir verdâtres.

— Ce n'est pas trop douloureux ? m'inquiétai-je.

— Ça ? Aucune importance.

Avisant l'eau que je lui avais servie, elle alla chercher une bière dans le frigo. Elle l'ouvrit, but une gorgée et s'assit. Elle remonta ses manches, dévoilant de nouvelles blessures sur son avant-bras gauche : la corde de l'arc avait laissé de longues zébrures sur vingt-cinq centimètres **de peau. Grace** surprit mon regard.

— Bon sang, Grace, tu es censée porter des protections aux bras !

Elle prit **un**e bouchée sans broncher et me désigna mon assiette.

— Tu vas manger ou non ?

Nous avalâmes notre dîner et nos bières en silence. Nous étions incapables de parler ; aussi le silence se révélait-il confortable. Être ensemble, c'était ce qui comptait. Cela nous suffisait. Quand je lui souhaitai bonne nuit, ses paupières étaient lourdes. Je m'allongeai sur le lit de la chambre d'amis en songeant au mensonge de Jamie, à notre conversation à venir et à tout ce qui existait avec tant d'intensité ici. J'en eus le vertige. Il me sembla que la vie et son cortège de complications me tombaient dessus comme une gigantesque tornade, si bien que lorsque Grace ouvrit la porte, tout parut s'apaiser.

Elle avait troqué son peignoir contre une nuisette si légère qu'elle aurait aussi bien pu ne rien porter. Elle se déplaça dans l'obscurité sans faire plus de bruit qu'un souffle.

Je me redressai.

— Grace...

— Ne t'inquiète pas, Adam. Je veux seulement être près de toi.

La rivière rouge

Elle grimpa à mes côtés, en prenant soin de maintenir le drap entre nous.

— Tu vois ? Je ne suis pas venue t'enlever à d'autres femmes.

Elle se rapprocha et je sentis la chaleur de son corps à travers le drap. Douce et ferme, elle se colla à moi et demeura quasi immobile. Et c'est alors que, dans l'obscurité et la chaleur, je compris... Son odeur, sa façon de presser sa poitrine contre moi, la courbe de ses cuisses... Les morceaux du puzzle s'emboîtaient parfaitement. Le coup de téléphone de Danny trois semaines plus tôt, l'urgence dans sa voix... Et l'amie de Grace, Charlotte Preston, qui travaillait au drugstore et qui avait parlé à Robin d'un petit ami mystérieux. Elle avait raconté qu'il y avait un problème, que quelque chose rendait Grace malheureuse. D'autres éléments se mirent en place. La nuit où Grace avait volé la moto de Danny. La cicatrice rose et la réponse amère de Candace Kane quand je lui avais demandé pourquoi Danny avait rompu.

Il était amoureux. Il voulait changer de vie.

Ce qui n'avait été qu'un gouffre d'incompréhension quelques minutes plus tôt m'apparaissait maintenant clair comme de l'eau de roche. Grace n'était pas la petite fille de mes souvenirs. Elle était une adulte, sensuelle et complexe.

La fille la plus sexy des trois comtés réunis, avait plaisanté Jamie.

Il restait encore des zones d'ombre mais le principal était là. Danny travaillait à la ferme, il la voyait probablement tous les jours. Il savait donc certainement qu'elle m'aimait. Je roulai sur le côté et allumai la lampe de chevet. Il fallait que je voie son visage.

— Danny était amoureux de toi.

Elle se redressa, remonta la couette jusqu'au menton. Je sus que j'avais visé juste.

— Voilà pourquoi il s'est séparé de toutes ses petites amies. C'est pour cette raison qu'il voulait régler ses dettes.

Son visage se crispa sous la méfiance.

— Il voulait faire ses preuves. Il croyait pouvoir me convaincre.

— Tu sortais avec lui ?

— On est sortis ensemble une ou deux fois. Courses de moto sur la voie rapide, fins de soirée à Charlotte, boîtes de nuit... Il n'avait peur de rien et, d'une certaine manière, ça avait du charme. Mais lui, il voulait aller plus loin.

Elle leva le menton. Ses yeux brillaient, fiers et durs.

— Tu ne voulais pas coucher avec lui ?

— Entre autres. Ça a commencé comme ça. Et puis il a perdu la tête. Il espérait faire sa vie avec moi. Il s'est mis à parler d'enfants..., soupira-t-elle en levant les yeux au ciel. D'enfants et d'amour avec un grand A.

— Ce n'était pas réciproque ?

Elle planta ses yeux dans les miens. Le message était limpide.

— J'attendais quelqu'un.

— C'est pour ça qu'il m'a appelé.

— Il voulait que je sache que tu ne reviendrais pas. Il pensait que, si tu me le disais toi-même, je le croirais peut-être. Il disait que je gâchais ma vie à attendre quelque chose qui n'arriverait jamais.

— Bon sang...

— Même si tu avais fait ce qu'il voulait, ça n'aurait rien changé.

— La nuit où tu as pris la moto de Danny... ?

— Parfois, ça fait du bien de voir les pointillés se transformer en ligne continue. Danny n'aimait pas que je le fasse sans lui. Je prenais tout le temps cette moto, je ne m'étais jamais fait prendre.

— Qu'est-ce qui te pousse à penser que Dolf aurait pu le tuer ?

— Je ne veux pas parler de ça, se raidit-elle.

— Il le faut.

Elle se détourna.

— Il t'a frappée, c'est ça ? Danny a perdu la tête quand tu l'as repoussé.

Elle resta silencieuse une minute.

— Je lui ai ri au nez. Je n'aurais pas dû, mais je l'ai fait.

— Et il t'a frappée ?

— Une seule fois, mais assez fort.

— Nom de Dieu...

— Il ne m'a rien cassé, j'ai seulement eu un bleu. Il s'est immédiatement excusé et je lui ai rendu son coup – beaucoup plus fort. Puis je l'ai raconté à Dolf.

— Dolf était donc au courant.

— Oui, mais on a réglé ça, Danny et moi. Je crois que Dolf l'a compris. Au début, en tout cas.

— Qu'est-ce que tu veux dire ?

— Danny était têtu. Il n'aimait pas qu'on lui résiste. Une fois les choses calmées, il est allé trouver Dolf pour lui demander ma main. Il pensait que Dolf pourrait me convaincre.

Elle éclata de rire.

— Quel culot...

— Qu'est-ce qui s'est passé ?

— Dolf a dit à Danny que c'était la pire idée qu'il ait jamais entendue. Il a ajouté que jamais il ne me laisserait épouser un type capable de frapper une femme, même si ça ne s'était produit qu'une seule fois. Point final. Danny avait trop bu à ce moment-là – sans doute pour se donner du courage. Il n'a pas aimé sa réponse. Ils se sont disputés et ça a mal tourné. Dolf l'a foutu dehors. Il est plus costaud qu'il en a l'air. Un ou deux jours plus tard, Danny avait disparu.

Je réfléchis à ce que Grace venait de me raconter. Grace était la fierté de Dolf. Il avait dû être furieux que quelqu'un lève la main sur elle. Et Danny qui l'avait priée de venir vivre avec lui... S'il avait continué à la harceler...

Grace attendit que je la regarde.

— Je ne crois pas vraiment que Dolf l'ait tué, reprit-elle en se recouchant. Je redoute seulement qu'on puisse penser qu'il avait un mobile.

— Tu ne l'aimais pas du tout ? lui demandai-je, parlant de Danny.

— Peut-être un peu, avoua-t-elle en fermant les yeux et en s'enfonçant sous la couette. Mais pas assez pour que ça compte.

Je la contemplai un moment. Elle ne parlerait plus, et moi non plus.

— Bonne nuit, Grace.

— Bonne nuit, Adam.

J'éteignis la lumière et m'allongeai. Nous étions tous les deux tendus, conscients non seulement de la proximité de l'autre mais aussi de tous les non-dits. Il me fallut des heures avant de m'endormir.

Ce fut l'odeur du feu qui me réveilla.

28.

Je me redressai brusquement. Une nuit d'encre au relent de fumée entrait dans la chambre à travers la fenêtre. Je secouai Grace.

— Lève-toi.

— Qu'est-ce qu'il y a ?

— Tu sens cette odeur ?

Elle tendit la main pour allumer une lampe mais je la retins.

— Ne fais pas ça !

Je sautai du lit, enfilai un pantalon et attrapai mes chaussures. Grace se leva à son tour.

— Habille-toi !

Elle courut chercher ses vêtements tandis que je traversais le couloir à tâtons et sortais sous la véranda. Le grincement de la moustiquaire résonna comme le cri d'un oiseau de nuit. Le ciel était d'un noir profond, sans lune ni étoiles. Le vent venait de derrière la colline et l'odeur de brûlé était si faible que j'aurais pu ne pas m'en apercevoir. Tout à coup, une bourrasque répandit une fumée si épaisse que je pus en sentir le goût sur ma langue. Quelques secondes plus tard, Grace était habillée et prête à partir.

— Qu'est-ce qu'on fait ? demanda-t-elle.

J'indiquai le nord, là où des lueurs orange coloraient les nuages bas et lourds.

— Monte dans la voiture !

Lorsque j'écrasai brutalement l'accélérateur, les pneus projetèrent une volée de gravier. Nous filâmes à toute vitesse dans le tunnel sombre de la route, Grace agrippant mon épaule. Du haut de la colline, les lueurs s'intensifiaient. Elles étaient encore loin, deux kilomètres ou plus. Un instant plus tard, nous étions pratiquement à la maison de mon père.

— Je te dépose ici. Réveille tout le monde et préviens les pompiers.

— Qu'est-ce que tu vas faire ?

— Trouver d'où vient le feu. J'ai mon portable, j'appellerai la maison dès que j'en serai sûr. Tu pourras orienter les camions une fois qu'ils seront arrivés.

Je ralentis à peine au niveau de la maison. Grace monta les arches quatre à quatre. J'atteignis l'orée de la forêt en quelques secondes et le moteur s'emballa alors que je passais en surrégime sur le gravier. Après avoir maîtrisé la voiture, je pris la direction de la colline dont la crête sinuait à travers la forêt. Les lueurs augmentaient à mesure que j'approchais du sommet.

Je déboulai en trombe sur la crête et freinai brutalement ; ma voiture partit aussitôt dans un long dérapage mal assuré. Quand elle s'arrêta, je bondis hors de la voiture. L'air était brûlant et la fumée aussi épaisse qu'un rideau. Au-dessous de moi, la vallée était en flammes. Il s'agissait des vignes, de ces dizaines d'hectares que Dolf m'avait montrés. Des langues de feu orange léchaient le ciel ; des ombres noires dansaient tandis que la chaleur et les flammes avalaient de grandes bouffées d'air et rejetaient la fumée vers le ciel. Un tiers des vignes était en train de brûler.

Soudain, je compris.

Le pick-up de Jamie était garé en travers de la route à moins de vingt mètres de l'incendie, la portière ouverte côté conducteur. Les vitres réfléchissaient la houle mouvante du brasier. J'aperçus Jamie au loin, qui se déplaçait, telle une locomotive, entre les rangées de vignes encore intactes, non loin des premières flammes. Le feu lui barrait le passage et il courait pour tenter de regagner son pick-up, agitant les bras dans tous les sens. Je crus le voir regarder en arrière mais je n'en étais pas certain.

Je m'étais déjà lancé à sa poursuite.

Je coupai la pente avec l'intention de le rejoindre de l'autre côté de la vigne, près de la coulée d'eau sombre. Mes pieds s'enfonçaient dans la terre meuble. Je perdis l'équilibre avant de repartir de plus belle. Je voulais le rattraper – c'est à ça que je pensais même si, tout au fond de moi, quelque chose me soufflait que, si je courais assez longtemps, je pourrais échapper à la réalité de la trahison de mon frère. Cela fonctionna un court instant… Mon esprit se vida d'un coup mais une colère noire vint très vite s'en emparer. Puis je trébuchai à nouveau et basculai cul pardessus tête dans une avalanche de terre. Ma tête heurta une racine et je m'écorchai les mains. Lorsque je me remis à genoux, je vomis. Ce n'était pas à cause de la douleur : la vérité s'insinuait en moi, une boule d'amertume gonflait au fond de mon âme. Je m'étais trompé sur toute la ligne. Ce n'était pas Zebulon Faith. C'était Jamie, mon frère. Ma propre famille.

Et j'allais réparer tout ça. À n'importe quel prix.

Haletant sous l'effet de la nausée, je me forçai néanmoins à me relever. Je pris une seconde pour me remettre sur pied et partis dans une course aveugle rejoindre le bas de la colline. Je sautai par-dessus un fossé d'irrigation et atterris dans les vignes, devant le brasier. Contournant les souches, je m'engageai dans une longue rangée dans laquelle les flammes se tordaient et dansaient avec la précision d'un cauchemar. La fumée m'irritait la gorge mais il fallait que je poursuive ma course. Jamie apparut à six mètres de moi. Dans sa fuite, ses bras fouettaient la tête des vignes. Il trébucha une fois et faillit tomber, puis il disparut derrière le feuillage. J'accélérai ; l'incendie grondait derrière moi.

Sur ma gauche, je repérai un espace entre les vignes dans lequel je me faufilai. De l'autre côté, Jamie ne se trouvait plus qu'à trois mètres de moi, gesticulant tandis que ses pieds martelaient la terre. Je dus crier car il tourna brusquement la tête vers moi avant de se figer. Je parcourus alors les derniers mètres qui nous séparaient et le plaquai au sol. Mon frère était un véritable colosse, aux muscles durs comme du béton, aussi enfonçai-je mon épaule au creux de son dos. Je sentis son corps céder et il tomba à genoux. L'élan nous projeta en avant, bloquant sa nuque de mon avant-bras, j'écrasai son visage dans la terre.

Un homme ordinaire aurait été assommé après ça, mais pas Jamie. Échappant à ma prise, il roula sur le côté et se remit sur pied, une pierre à la main. L'émotion déformait ses traits. Nous nous fîmes face devant le mur de flammes. Lorsqu'il me reconnut enfin, il lâcha la pierre.

— Mais qu'est-ce que tu fous, Adam ?

Je n'étais pas d'humeur à parler.

— Enfoiré de fils de pute ! crachai-je en lui balançant mon poing sur la figure.

— Nom de Dieu, Adam !

— C'est quoi ton problème, Jamie ?

Quelque chose passa dans ses yeux lorsqu'il se redressa. Je voyais rouge.

— Attends…, fit-il.

J'étais déjà sur lui, enchaînant les coups. Jamie était immense mais je savais me battre et il ne l'ignorait pas.

Mon troisième coup de poing lui ouvrit l'arcade ; le sang l'aveugla et j'en profitai pour lui marteler les côtes. J'avais l'impression de frapper un punching-ball, sauf que je cognais plus fort.

Alors qu'il reculait, Jamie me parla, mais je ne l'entendais plus. Je revoyais Grace anéantie ; je sentais ce feu terrible qui dévorait quatre années de la vie de mon père. Et tout ça pourquoi ? Parce que Jamie était un lâche accro au jeu. Un putain d'enfoiré de trouillard qui ne pensait qu'à sa gueule. Eh bien qu'il aille se faire foutre !

Les coups pleuvaient. N'importe qui se serait écroulé mais Jamie encaissait. Soudain, il rentra la tête et chargea. Cette fois-ci je ne fus pas assez rapide. Il me neutralisa en me plaquant au sol. Nos visages se touchaient presque et son poids écrasait mes côtes. Il hurla mon nom – il ne cessait de hurler mon nom. Puis j'entendis autre chose.

— Zebulon Faith ! Nom de Dieu, Adam ! C'est Zebulon Faith ! J'ai failli l'avoir !

J'eus l'impression de sortir d'un tunnel.

— Qu'est-ce que tu as dit ?

— Tu vas encore me frapper ?

— Non, ça suffit.

Il me libéra et se releva, essuyant le sang de son œil.

— Faith était en train de s'enfuir vers la rivière, reprit-il en scrutant l'obscurité. Mais il a disparu maintenant, on n'arrivera jamais à le retrouver...

— N'essaie pas de m'embrouiller, Jamie. Je suis au courant pour tes paris.

— Tu ne sais pas de quoi tu parles.

— Trois cent mille dollars ; c'est ce que tu leur dois.

Il ouvrit la bouche pour protester mais se ravisa et baissa la tête.

— Et tu as cru que brûler ces vignes forcerait papa à vendre ! C'était ça ton plan ?

— Bien sûr que non ! s'indigna-t-il, relevant brusquement la tête. Jamais je ne ferais une telle chose. Ces vignes, c'était mon idée.

Il désigna l'incendie.

— Ce sont mes bébés qui sont en train de brûler !

— Ne me raconte pas de conneries, Jamie. Tu m'as menti à propos des paris. Tu m'as mis sur une fausse piste pour m'empêcher de découvrir la vérité. Mais maintenant, je sais ce que tu cachais. Trois cent mille dollars ! Danny a été pratiquement battu à mort par ces mêmes types pour une dette dix fois moins importante. Qui sait à quoi d'autre tu es mêlé ? Tu bois du matin au soir, tu es renfermé, tu ne fais aucun effort... Et tu es tellement pressé de voir Dolf plonger... Ton nom pourrait bien figurer sur cette foutue pétition.

— Ça suffit, Adam ! Je te le répète, je n'ai pas à te répondre.

Je me rapprochai et dus lever la tête pour rencontrer son regard.

— C'est toi qui as agressé Grace ?

— Ça suffit ! s'écria-t-il encore, furieux mais ébranlé.

— On verra. On va d'abord trouver Zebulon Faith.

— Le trouver ? On ne le retrouvera jamais.

— Si. Toi et moi, repris-je en me rapprochant davantage.

— Comment ?

Je lui assenai un direct dans le ventre. Ses yeux s'agrandirent.

— J'espère pour toi que tu dis la vérité.

Quand nous nous garâmes sous le chêne au moule troué, une aube cireuse et menaçante s'était levée au-dessus de la cuvette où se cachait Faith. Quatre heures s'étaient écoulées depuis le moment où l'odeur de fumée m'avait réveillé. Puis ç'avait été les camions de pompiers, la rage impuissante de mon père, la lutte acharnée pour sauver ce qui restait de la vigne. Ils avaient utilisé l'eau saturée de boue de la Yadkin pour éteindre l'incendie – un des avantages de la proximité d'une source d'eau inépuisable. Sans ça, tout aurait brûlé.

Jamie et moi nous éclipsâmes avant que la police n'arrive sur les lieux. Je pris mon frère par le bras et l'attirai dans l'ombre. Personne ne nous vit partir. Jamie affichait une mine sombre et renfrognée, et son teint avait pris la couleur de la cendre. Une croûte de sang s'était formée au-dessus de son œil gauche et son visage était maculé de rouge. Nous avions peu parlé car les paroles les plus graves resteraient en suspens entre nous jusqu'à ce que tout soit terminé – jusqu'à ce que nous ayons trouvé Zebulon Faith et réglé définitivement toute cette affaire.

Il monta dans la voiture sur mon invitation et ouvrit la bouche de surprise lorsque je m'arrêtai devant la maison de Dolf pour en ressortir avec un calibre .12 et une boîte de cartouches.

— Tu te trompes sur mon compte, finit-il par dire au bout de dix minutes.

— On verra, répliquai-je brusquement en lui lançant un regard en coin.

Maintenant que nous nous trouvions à la limite du monde civilisé, de l'herbe à hauteur des genoux, Jamie paraissait effrayé. Ses deux mains posées sur le toit de ma voiture, il me regarda ouvrir le canon et y glisser deux grosses cartouches rouges.

— Où on est ? demanda-t-il.

Je savais ce qu'il voyait. La lumière grise, impitoyable ; la route comme accès direct à l'échelon le plus bas de l'expérience humaine.

— Peu importe, répondis-je.

— C'est le trou du cul du monde ! s'exclama-t-il en jetant un coup d'œil alentour.

— Tout le monde ne naît pas chanceux, rétorquai-je en reniflant l'odeur d'eau croupie.

— Tu me fais la morale, maintenant ?

— Faith possède un mobile home juste derrière ce virage. Si je me suis trompé sur ton compte, je te présenterai mes plus sincères excuses. Et maintenant, finissons-en.

— C'est quoi ton plan ? questionna-t-il en contournant la voiture.

En se refermant, le fusil émit un claquement métallique.

— Je n'en ai pas.

Je me mis en marche et Jamie me suivit, maladroit, les jambes raides. Nous atteignîmes le virage et nous collâmes contre l'affleurement de granit froid et humide. Nous n'y voyions pas encore clair mais le jour se levait lentement derrière un horizon voilé. Des oiseaux lançaient leurs trilles depuis les profondeurs de la forêt et la terre retrouvait progressivement ses couleurs à mesure que le gris s'évaporait.

Je contournai l'affleurement et perçus le bourdonnement sourd du générateur. Des lumières brillaient faiblement à l'intérieur du mobile home et la télévision jetait des lueurs tremblotantes. Une Jeep boueuse était garée devant la porte principale. Jamie me suivit en titubant et me fit signe qu'il était prêt. Je me plaquai contre l'arrière de la Jeep. Des bidons d'essence étaient alignés sur le plancher derrière les sièges avant. Du menton, je les désignai à Jamie, qui leva les sourcils, comme pour me signifier : « Je te l'avais bien dit. » Mais je n'étais toujours pas convaincu. Ce pouvait être du diesel pour le générateur.

Lorsque je frôlai la carrosserie, de la boue séchée s'en détacha. Je posai la main sur le capot : le moteur était encore chaud. Jamie le sentit aussi. Je lui fis signe d'avancer jusqu'à l'entrée et nous parcourûmes les derniers mètres qui nous en séparaient. Nous nous agenouillâmes sous les fenêtres. Impatient, Jamie fit mine de grimper l'escalier. Je l'arrêtai, me rappelant le grincement du bois sous mes pas la dernière fois. À nous deux, nous dépassions les deux cents kilos et je redoutais que la structure ne s'écroule.

— Doucement ! murmurai-je.

Je montai le premier, la crosse calée contre la hanche, le double canon pointé devant moi. Le générateur faisait vibrer la structure. De l'intérieur me parvenait un martèlement sourd et régulier qui semblait anormal : trop régulier, avec un son trop creux.

La moustiquaire était fermée mais la porte était légèrement entrebâillée. Le martèlement s'amplifiait. En posant la main sur la paroi, j'aurais pu sans aucun doute ressentir les vibrations. Nous nous accroupîmes et je risquai un coup d'œil par la fenêtre.

Zebulon Faith gisait par terre, adossé à l'une des chaises à moitié défoncées. De la boue maculait son pantalon, et ses chaussures traînaient dans un coin de la pièce. Sur son avant-bras brillait une brûlure rouge vif. Dans sa main gauche, il tenait une bouteille presque vide de vodka bourrée de tranches de citron vert. Il la souleva, enroula ses lèvres autour du goulot et avala trois longues gorgées, manquant de s'étouffer. De fines larmes s'échappèrent de ses paupières serrées et il reposa brutalement la bouteille par terre. Les lueurs vacillantes de la télévision trouaient l'obscurité de la pièce.

Il tenait dans sa main droite un revolver noir à canon large – probablement le même que celui avec lequel il avait tenté de me tuer à la rivière. Le temps qu'il surmonte la brûlure de l'alcool et ouvre les yeux, ses doigts se détendirent sur la crosse. Puis ils se contractèrent à nouveau et Faith se remit à frapper le plancher avec la crosse du revolver. Encore et encore. Toutes les cinq secondes : c'était donc ça, le martèlement. Métal contre le bois du plancher.

La pièce n'avait pas changé. Jonchée d'ordures, de vieux papiers, et toujours cette même sensation étouffante de déchéance. Faith s'accordait parfaitement au tableau. Du vomi tachait le devant de sa chemise.

Il cessa de tambouriner le sol pour regarder son arme. Puis il se mit à se tapoter le crâne avec le bout du canon, le fit glisser sur sa joue tandis qu'une grimace presque sensuelle déformait sa bouche ouverte. Il commença ensuite à cogner violemment sa tempe, avec assez de force pour que sa tête bascule sur le côté. Il avala une nouvelle rasade de vodka, contempla le canon de son arme et, d'une manière très troublante, l'effleura de sa langue comme pour en tester le goût.

Je me baissai.

— Il est seul, chuchota Jamie.

— Et complètement défoncé. Reste derrière moi.

J'armai le calibre .12 et franchis le seuil, prestement et en douceur. Le vieux Faith ne se rendit compte de rien. En un quart de seconde, je me retrouvai à moins de trois mètres de lui. Mon fusil était braqué sur lui mais il ne remarquait rien. Je surveillai son revolver. Ses yeux étaient fermés, la télévision diffusait une image brouillée.

Jamie me rejoignit. Le mobile home ploya sous son poids et Faith ouvrit les yeux mais son revolver ne bougea pas. J'avançai sur le côté, tout en conservant ma ligne de tir. Le vieil homme grimaça le plus horrible sourire que j'aie jamais vu. La haine qui l'envahit soudain disparut tout aussitôt pour laisser place à un profond désespoir, presque palpable – une seule fois j'en avais vu un semblable.

Le revolver se leva.

— Ne fais pas ça, dis-je.

Faith hésita. Il prit une dernière gorgée de vodka et ses yeux s'enflammèrent comme s'il était déjà parti. Mon doigt si tendu sur la détente qu'il me sembla l'entendre grincer. Mais, au fond de moi, je savais déjà.

Il souleva le revolver, d'un geste résolu et irréversible. La bouche ronde et dure du métal vint se nicher sous son menton.

— Ne fais pas ça, répétai-je, plus doucement.

Lorsqu'il appuya sur la détente, le plafond se couvrit d'une brume rouge. L'explosion fut si violente dans l'espace confiné que Jamie tituba en arrière avant de s'écrouler sur une chaise de la cuisine. La bouche ouverte et les pupilles dilatées, il était sous le choc.

— Pourquoi tu as attendu ? finit-il par demander d'une voix tremblante. Il aurait pu nous tuer...

Je posai le fusil contre la paroi du mobile home et contemplai à mes pieds l'épave humaine que je connaissais depuis toujours.

— Non. Il n'aurait pas pu.

— Je n'ai jamais vu autant de sang, murmura Jamie, sans parvenir à détacher ses yeux de la scène.

Je lançai un regard dur à mon frère.

— Moi oui.

Une fois dehors, Jamie agrippa la frêle balustrade comme s'il allait se pencher par-dessus pour vomir.

— Tu n'as rien touché ?

— Non.

J'attendis qu'il se ressaisisse.

— Faith était couvert de suie. Il avait une vilaine brûlure sur le bras et toute la pièce empestait l'essence.

Jamie comprit où je voulais en venir. Je posai une main sur son épaule.

— Je te dois des excuses.

Il agita la main sans répondre.

— Je suis sérieux, Jamie. Je suis désolé. J'avais tort.

— Le jeu, c'est mon problème et celui de personne d'autre. Je n'en suis pas fier et je ne sais absolument pas comment je vais régler ça mais je ne ferais jamais quoi que ce soit qui puisse nuire à papa, à Grace ou à qui que ce soit d'autre.

Il marqua une pause.

— C'est mon problème et c'est à moi de le régler.

— Je t'y aiderai.

— Rien ne t'y oblige.

— Tu es mon frère et j'ai une dette envers toi. Mais, avant tout, on doit décider de ce qu'on va faire.

— Ce qu'on va faire ? On va se tirer d'ici, et plus vite que ça ! Ce n'est qu'un vieux taré qui s'est tiré une balle dans la tête. Personne n'a même besoin de savoir qu'on est là.

— Ce n'est pas une bonne idée. Je suis venu hier, j'ai posé des questions. Il y a sûrement des empreintes dans la maison. Et même si aucune fenêtre n'était éclairée quand on est passé devant, je peux t'assurer qu'on n'a pas pu aller aussi loin sans se faire remarquer. Ici, les gens savent reconnaître un étranger quand ils en voient un. On va devoir appeler la police.

— Nom de Dieu, Adam, de quoi on aura l'air ? Nous deux ici, au petit matin, avec un calibre .12 !

— Personne n'a besoin de savoir pour le calibre .12, répliquai-je en risquant un léger sourire.

Je retournai dans le mobile home et récupérai le fusil.

— Pourquoi tu n'irais pas enfermer ça dans le coffre ? Je vais jeter un coup d'œil alentour.

— Le coffre. Bonne idée.

Je l'attrapai par le bras.

— On avait des soupçons pour l'incendie. On est venu ici poser quelques questions en toute amitié. On a frappé à la porte et on est entré juste au moment où il se tirait dessus. Rien d'autre. Seulement ce qui s'est passé. Sauf le fusil.

Je retournai à l'intérieur et étudiai la scène. Le vieux gisait sur le côté, le crâne ouvert. Je m'approchai un peu plus en prenant garde de ne pas poser les pieds n'importe où. La majeure partie de son visage avait échappé aux éclaboussures. Mis à part une légère déformation, celui-ci n'avait pas bougé.

Je laissai la télé allumée. De la vodka se répandait sur le tapis élimé et un journal traînait par terre à côté de lui, avec une photo de son fils à la une. L'histoire de son meurtre.

— Vérifie les autres pièces, dis-je alors que Jamie réapparaissait dans l'entrée.

Cela ne lui prit pas longtemps.

— Rien que des ordures.

Je lui montrai le journal.

— Ça fait des jours qu'il est enfermé ici. Je suppose qu'il ne l'a acheté qu'hier.

— Je ne l'imagine pas faire ça à cause de Danny. Comme père, c'était un salaud. Égoïste et complètement insensible.

Songeant à Grace, je haussai les épaules. Je m'étais attendu à ressentir quelque chose – de la satisfaction, du soulagement. Mais là, debout devant le corps de ce vieil homme au milieu de nulle part, je me sentais seulement vidé. Rien de tout cela n'aurait dû se produire.

— Sortons d'ici, fit Jamie.

— Une minute.

Il devait y avoir un message quelque part, quelque chose qui expliquait tout ça. Je me penchai sur Faith. Il était mort grimaçant et plein d'amertume. Quelque chose se tordit dans ma poitrine... Fouillant au fond de mon cœur, je ne trouvai aucune trace de pardon. Jamie avait raison : comme père, et pour le reste aussi, Faith avait été un vrai salaud, et je doutais qu'il se soit tué simplement à cause du meurtre de son fils unique. Il devait y avoir une autre raison.

Je la trouvai dans sa main gauche.

Il la serrait dans son poing – un bout de papier imprimé, froissé et humide. Il l'avait tenu entre sa paume et la bouteille de vodka. Je le fis glisser entre ses doigts écartés et l'exposai à la lumière.

— Qu'est-ce que c'est ?

— Un avis de saisie.

— Hein ?

— Ça concerne le terrain qu'il a acheté près de la rivière.

Je feuilletai le journal qui traînait par terre et retrouvai la page d'où il l'avait arraché. Je vérifiai la date, puis roulai le papier en boule et le remis dans sa main.

— On dirait bien qu'il a fait de mauvais investissements.

— Qu'est-ce que tu veux dire ?

Je lançai un dernier regard à la silhouette brisée de Zebulon Faith.

— Il vient de tout perdre.

29.

Nous passâmes les six heures suivantes à chasser les insectes et à répondre aux questions de policiers impassibles. Les flics du coin arrivèrent les premiers, suivis de Grantham et Robin, dans des voitures séparées. La zone se trouvait en dehors de leur juridiction mais la police locale leur permit de rester en apprenant les raisons de leur intérêt : meurtre, agression, incendie criminel, méthamphétamines... De vrais crimes. Du sérieux. Néanmoins, ils leur interdirent de nous interroger. L'équipe de la police locale était déjà sur place, elle avait donc la priorité. Grantham pesta mais, hors de sa juridiction, il n'avait aucun pouvoir. Même de là où j'étais, je devinai son exaspération. C'était le deuxième corps que je découvrais. D'abord le père, puis le fils... Grantham flairait quelque chose d'important et il voulait des explications.

Sur-le-champ.

À trois reprises, il intercepta l'inspecteur responsable, éleva la voix, s'agita, menaça de passer des coups de fil... Au moment où l'équipe locale parut sur le point de céder, Robin intervint. Je n'entendis rien de leur échange, mais Grantham, dans un état de tension extrême, vira au cramoisi en écoutant Robin. Il contenait sa frustration mais son hostilité était visible. Lorsqu'elle lui tourna le dos pour s'éloigner, il lui jeta un regard noir.

L'équipe locale me questionna. Jamie et moi avions frappé, puis nous avions ouvert la porte et bang ! Fin de l'histoire. C'était aussi simple que cela.

Les types de la Brigade des stups arrivèrent juste avant midi – tirés à quatre épingles, en costume assorti. Ils expliquèrent qu'ils s'étaient perdus. Robin ne put dissimuler son mépris amusé – pas plus que ses sentiments à mon égard. Ses yeux, sa bouche, sa manière de se tenir… tout en elle trahissait une colère mêlée de tristesse. J'avais franchi une limite. Rien à voir avec la loi ou avec ce que j'avais fait, c'était plutôt ce que je n'avais *pas* fait qui la contrariait : je ne l'avais pas appelée, je ne lui avais pas fait confiance.

Elle avait fait son choix. À présent, c'était sur le mien qu'elle s'interrogeait.

Pendant que les policiers du comté dirigeaient seuls les opérations, Grantham mijotait au soleil. Des flics entraient et sortaient du mobile home. Le médecin légiste fit son apparition et la matinée se transforma en un bain de chaleur chargée d'humidité. Ils emportèrent Zebulon Faith dans un sac mortuaire noir et le chargèrent dans un long véhicule. Le jour avançait et aucun des habitants de l'impasse ne se montra : pas de curieux ni de rideaux entrouverts. Ils gardaient la tête basse et se cachaient comme des squatters. Difficile de le leur reprocher. Les flics ne jouaient pas les assistantes sociales dans des endroits comme celui-ci. Quand ils débarquaient, c'était pour une raison précise, et ça ne signifiait rien de bon.

Je n'échappai pas aux questions délicates. Ce fut Grantham qui me les posa. Son exaspération s'était transformée en un professionnalisme implacable. C'est dans cet état d'esprit qu'il vint me trouver après avoir finalement obtenu le feu vert de la police locale. Je sus immédiatement à quoi m'attendre en le voyant approcher. Il allait nous séparer et nous harceler pour repérer nos points faibles. Zebulon Faith et son fils étaient morts. Je les avais connus tous les deux et c'était moi qui avais découvert leurs corps. Grantham soupçonnait Dolf d'avoir signé de faux aveux, et il me cuisinerait aussi longtemps qu'il le faudrait. Mais il ne dévoilerait pas son jeu. J'en connaissais un rayon sur les flics et leurs questions. J'étais certain qu'il ferait de son mieux pour se montrer subtil. Pourtant, il me surprit.

— Je veux voir ce qu'il y a dans votre coffre, lança-t-il en venant directement vers moi.

Jamie eut un tic nerveux. Grantham le remarqua.

— Pourquoi ? demandai-je.

— Ça fait six heures que vous êtes assis dessus, immobile, en plein soleil. Dans l'heure qui vient de s'écouler, votre frère a regardé neuf fois dans sa direction. Je veux voir ce qu'il y a à l'intérieur.

Je fixai Grantham. Il paraissait déterminé mais ce n'était que du bluff. Moi aussi je l'avais observé. En six heures, il avait passé au moins une douzaine de coups de fil. S'il avait pu obtenir un mandat de perquisition, il l'aurait eu en main à l'instant même.

— Pas question, répondis-je.

— Ne me forcez pas à vous le demander une deuxième fois.

— C'est le bon terme, en effet. « Demander », comme dans « demander la permission ».

Ses traits se durcirent.

— Vous devez obtenir ma permission ou bien trouver un motif valable. Si vous avez un motif, vous avez un mandat. Ma permission, je ne vous la donne pas, poursuivis-je calmement tandis qu'il perdait contenance..

Il s'efforça de retrouver son sang-froid habituel pendant que Robin rôdait non loin de nous. Je lui lançai un regard et lus dans ses yeux une mise en garde. Grantham s'approcha.

— Vous mentez, monsieur Chase, dit-il d'une voix basse et vénéneuse. Vous, M. Shepherd... et d'autres, à n'en pas douter. Ça me déplaît au plus haut point et j'ai bien l'intention de tirer tout ça au clair.

— Vous avez des questions à me poser ? fis-je en me levant, toisant l'inspecteur de toute ma hauteur.

— Vous savez très bien que j'en ai.

— Alors, je vous écoute.

Luttant à nouveau pour se ressaisir, il se redressa. Puis il prit Jamie à part, de l'autre côté de la clairière. Je les observai, certain que Jamie était d'une autre trempe que ce que Grantham soupçonnait. Cela dura un moment. Jamie semblait effrayé mais maître de lui. Il raconterait les choses exactement comme elles s'étaient passées, sauf à propos du fusil. Enfin, arborant une mine pâle et contrariée, l'inspecteur vint me chercher. Il enchaîna les questions sans me laisser le temps de réfléchir, guettant les points faibles de mon récit. Que faisions-nous là ? Comment avions-nous découvert cet endroit ? Que s'était-il passé ? À quoi avions-nous touché ?

— Vous n'avez pas touché le corps ?

— Seulement le papier qu'il tenait dans sa main et le journal à côté de lui.

— Et le revolver ?

— Non plus.

— M. Faith vous a dit d'entrer ?

— La porte était ouverte, la moustiquaire cassée. Je me suis glissé à l'intérieur et je l'ai vu, le revolver sur la tempe.

— Il y a eu un incendie. Qu'est-ce qui vous a fait croire que Faith était derrière tout ça ?

Je le lui expliquai.

— Et vous étiez en colère ?

— J'étais énervé, oui.

— Vous êtes venu pour vous venger de M. Faith ?

— Non, pour l'interroger.

— Il a dit quelque chose ?

— Non.

Il continua à me bombarder de questions, revenant sur des points déjà éclaircis pour m'inciter à commettre des erreurs. À dix mètres de nous, Jamie faisait les cent pas en se rongeant les ongles. Je m'étais rassis sur le métal brûlant du coffre de ma voiture et, de temps en temps, je jetais un coup d'œil à l'étroit carré de ciel bleu au-dessus de moi. Je racontai la vérité sur presque tout. La frustration de Grantham ne fit qu'augmenter mais aucune loi ne nous interdisait de venir dans cet endroit et nous n'en avions enfreint aucune en entrant au moment où Faith appuyait sur la détente. Aucune, tout du moins, que Grantham puisse découvrir. Je me couvris donc en répondant à ses questions. Je croyais être au bout de mes peines mais je me trompais.

Il avait gardé le meilleur pour la fin.

— Vous avez quitté votre travail il y a trois semaines.

Ce n'était pas une question. Attendant ma réponse, il me fixa si durement que cela me fit presque l'effet d'un contact physique. Pourtant, je n'avais rien à dire. Je savais parfaitement où il voulait en venir.

— Vous travailliez au club de fitness McClellan de Front Street à Brooklyn. La police de New York a vérifié et j'ai moi-même parlé au directeur. Il a affirmé que vous étiez quelqu'un de fiable, très à l'aise avec les jeunes boxeurs. Tout le monde vous appréciait. Puis, il y a trois semaines, vous avez disparu de la circulation. Juste au moment où Danny Faith vous a appelé. En fait, personne ne vous a vu après ça. Ni vos voisins ni votre propriétaire. Je sais que Dolf Shepherd ment. J'ai supposé que c'était pour protéger votre père mais maintenant, je n'en suis plus si sûr. Peut-être que c'est vous qu'il essaie de couvrir.

— C'est une question ?

— Où étiez-vous il y a trois semaines ?

— À New York.

— Vous en êtes sûr ?

Je soutins son regard, conscient de ce qui se tramait. La police avaient certainement demandé mes relevés de carte bancaire, dressé la liste de mes retraits, vérifié le registre des contraventions... Tout ce qui aurait pu prouver que je me trouvais en Caroline du Nord trois semaines plus tôt.

— Vous perdez votre temps, coupai-je.

— On verra.

— Suis-je en état d'arrestation ?

— Pas encore.

— Alors cette conversation est terminée.

Je tournai les talons et m'éloignai. Jamie paraissait exténué.

— Viens, on s'en va, fis-je en posant une main sur son bras.

Nous retournâmes à ma voiture. Debout devant le capot, Grantham parcourait du bout des doigts les lettres gravées dans la peinture. *Assassin.* Il sourit en me voyant. Puis, se frottant les doigts, il retourna au mobile home et à son plancher taché de sang.

Robin s'approcha, arborant une expression neutre.

— Vous retournez en ville ? demanda-t-elle tandis que j'ouvrais la portière.

— Oui.

— Je vous suis.

Jamie grimpa à côté de moi et j'enclenchai la marche arrière.

— Quelque chose ne va pas ? m'enquis-je.

— Je m'attendais à chaque instant à ce qu'ils fouillent la voiture.

— Ils ne pouvaient pas sans ma permission ou un motif valable.

— Mais s'ils l'avaient fait quand même ?

— Aucune loi n'interdit d'avoir un fusil dans sa voiture, le rassurai-je avec un sourire.

— Quand même... un vrai petit miracle, mec, insista-t-il, visiblement secoué.

— Je suis désolé d'avoir douté de toi, Jamie.

— Faut ce qu'il faut, mec, plaisanta-t-il en faisant jouer ses muscles.

Mais sa voix faible ne trompait personne. Nous roulâmes dix minutes, chacun digérant à sa manière la matinée écoulée.

— C'était vraiment horrible, soupira-t-il après un moment de silence.

— Quoi en particulier ?

— Tout.

Il était livide, les yeux dans le vague. Je compris qu'il revoyait en pensée la dernière seconde de vie de Zebulon Faith. La violence, la haine, le désespoir... et la brume sanglante. Il avait besoin d'un remontant.

— Hé, Jamie, repris-je en attendant qu'il me regarde, que ses yeux se fixent. À propos de l'incendie et de ce qui s'est passé dans les vignes... Je suis désolé de t'avoir frappé. C'était ça le plus horrible, non ?

Il lui fallut un moment avant que la tension ne quitte son visage. Je crus un instant qu'il allait sourire.

— Va te faire foutre, lâcha-t-il en me balançant un douloureux coup de poing dans le bras.

Le reste de la route s'annonçait plus calme. C'est du moins ce que je crus.

Robin me fit un appel de phares quelques secondes seulement après que nous eûmes franchi les limites de la ville. Cela ne me surprit pas : nous venions d'entrer dans sa juridiction. Je m'engageai sur un parking et coupai le moteur. Je sentais venir l'orage mais je ne lui en voulais pas. Je m'avançai vers sa voiture. Son visage n'exprimait plus que déception et sévérité. Elle me gifla violemment.

Je ne réagis pas et elle recommença. J'aurais pu éviter la deuxième mais je n'en fis rien. Elle ouvrit la bouche mais aucun mot ne sortit de sa gorge nouée. Son expression trahissait une colère farouche et des sanglots retenus. Elle fit mine de s'éloigner et, lorsqu'elle se retourna, son émotion était de nouveau enfouie sous l'armure. J'en percevais les signes, comme de sombres remous, quoique sa voix n'en laissât rien paraître.

— Je croyais qu'on avait mis les choses au clair. Toi et moi, on forme une équipe. J'ai fait mon choix. Nous en avons parlé.

Elle se rapprocha. Sa colère se transformait en une douleur indicible.

— À quoi tu pensais, Adam ?

— Je voulais seulement te protéger, Robin. Je ne savais pas ce qui allait se passer et je ne voulais pas t'impliquer là-dedans.

— N'essaie pas de...

— Il aurait pu se passer n'importe quoi.

— Ne m'insulte pas, Adam ! Et ne prends pas Grantham pour un imbécile. Personne ne te croit quand tu dis que tu es allé là-bas pour discuter. Ils vont fouiller tout ce qui peut l'être et, s'ils trouvent quoi que ce soit qui puisse t'incriminer, Dieu lui-même ne pourra rien pour toi !

— Il a mis le feu à la ferme ! m'emportai-je. Il a agressé Grace et il a essayé de me tuer !

— Tu t'imagines peut-être qu'il a tué son propre fils ? Il y a d'autres éléments, des choses qui nous échappent !

— Je prendrai ce qu'il y a à prendre, rétorquai-je, refusant d'en démordre.

— Les choses ne sont pas si simples.

— Il le méritait ! hurlai-je, étonné par la violence de ma réaction. Ce salaud méritait de mourir pour ce qu'il a fait ! Qu'il s'en soit chargé lui-même rend la justice encore plus parfaite.

— Bon Dieu, Adam !

Elle fit quelques pas et revint. Son armure venait de se fendiller et des nuages noirs apparaissaient dans la brèche.

— Qu'est-ce qui te permet de revendiquer ton droit à la colère comme si tu étais le seul à avoir jamais souffert ? Qu'est-ce que tu crois avoir de si spécial, Adam ? Tu as vécu toute ta vie comme ça, comme si les règles ne s'appliquaient pas à toi. Tu chéris ta colère comme si elle te rendait spécial ! Eh bien, laisse-moi te dire une chose…

— Robin…

Elle leva le poing, les traits crispés.

— Tout le monde souffre.

Et ce fut tout. Elle partit, écœurée, me laissant seul avec cette rage qu'elle méprisait tant. Jamie m'interrogea du regard lorsque je remontai dans la voiture. Je bouillai intérieurement.

— Rien ! le rabrouai-je.

Devant la ferme, nous restâmes assis un long moment. Il n'était pas pressé de descendre.

— Toi et moi, ça va aller maintenant ? demanda-t-il.

— C'est à toi de me le dire : c'est moi qui avais tort…

Il ne me regarda pas. Son visage avait repris des couleurs. Il tendit le poing en guise de salut et j'y cognais le mien.

— Cool, ajouta-t-il en sortant du véhicule.

La maison de Dolf était vide. Pas de trace de Grace, ni de message. Je pris une douche pour débarrasser mon corps de la terre, de la transpiration et de l'odeur de fumée. Puis, j'enfilai un jean et un tee-shirt propres. Il y avait un million de choses à faire mais aucune n'était en mon pouvoir. Je sortis deux bières du réfrigérateur et emportai le téléphone. Sous la véranda, je bus la première bière d'une traite et appelai la maison de mon père. Miriam décrocha.

— Il n'est pas là, répondit-elle lorsque je demandai à lui parler.

— Où est-il ?

— Il est parti avec Grace.

— Quoi faire ?

— Tuer des chiens. C'est ce qu'il fait quand il se sent inutile.

— Grace est avec lui ?

— Elle est bonne tireuse, comme tu sais.

— Dis-lui que j'aimerais le voir quand il rentre.

Il y eut un silence au bout du fil.

— Miriam ?

— Je lui dirai.

Je restai à contempler le jour qui avançait autour de moi, les ombres qui s'allongeaient et la lumière changeante. Deux heures, cinq bières. Rien à faire et le cerveau qui tourne à deux cents à l'heure.

J'entendis le pick-up avant de l'apercevoir. C'était Grace qui conduisait. Ils avaient pris des couleurs. Même s'ils ne souriaient pas, ils avaient la mine paisible de personnes qui ont réussi à éviter le pire pendant quelques heures. Ils montèrent les marches de l'entrée et l'étincelle dans leur regard s'éteignit lorsqu'ils remarquèrent ma présence. Rude retour à la réalité.

— Vous en avez eu quelques-uns ?

— Aucun, fit mon père en s'asseyant près de moi.

— Tu dînes ici ? demanda Grace.

— Volontiers, répondis-je.

— Et toi ?

— Janice a préparé à dîner, s'excusa mon père.

— Je dois aller faire des courses, ajouta Grace en se tournant vers moi. Je peux prendre ta voiture ?

— On t'a retiré ton permis, fit remarquer mon père.

— Je ne me ferai pas prendre.

J'interrogeai mon père du regard et, le voyant hausser les épaules, tendis mes clés à Grace. Aussitôt que la voiture se fut éloignée, il se tourna vers moi.

— Est-ce que c'est toi qui as tué Zebulon Faith ?

— Robin t'a appelé ?

— Elle pensait que je devais être au courant. C'est toi qui l'as tué ?

— Non. Il s'est tué lui-même. Exactement comme je l'ai raconté aux flics.

— C'est lui qui a mis le feu à mes vignes ? demanda-t-il encore en se balançant sur son fauteuil.

— Oui.

— Bien.

— C'est tout ?

— Je ne l'ai jamais aimé, de toute façon.

— Grantham ne croit pas un mot des aveux de Dolf.

— Il a raison.

— Il pense que Dolf protège quelqu'un. Toi, peut-être.

Mon père me fit face et parla lentement.

— Grantham est flic. La paranoïa et les hypothèses foireuses, c'est son métier.

— Est-ce qu'il aurait une raison de faire ça ? insistai-je en allant m'accouder à la balustrade pour mieux voir son visage.

— De faire quoi ?

— De te protéger.

— Qu'est-ce que c'est que cette question ?

Mon père était quelqu'un de simple, parfois un peu confus, mais c'était aussi l'homme le plus honnête que j'aie jamais connu. S'il m'avait menti à cet instant, je l'aurais su.

— Avais-tu une raison de souhaiter la mort de Danny ?

— C'est une question absurde, mon garçon.

Il était furieux et blessé – je connaissais cette sensation. Je n'insistai pas. Mon père n'était pas un assassin. J'étais obligé de le croire car si ce n'était pas vrai, je ne valais pas mieux que lui. Je me rassis mais ma question restait en suspens entre nous. Mon père fit une mine dégoûtée avant de disparaître à l'intérieur de la maison pendant cinq longues minutes. Il revint avec deux bières et m'en tendit une avant de poursuivre comme si rien ne s'était passé

— Ils vont enterrer Danny demain, annonça-t-il.

— Qui s'est occupé des formalités ?

— Une tante de Charlotte. La messe a lieu à midi, à Graveside.

— Tu savais qu'il était amoureux de Grace ?

— Je crois qu'on devrait y aller.

— Tu le savais ? répétai-je un peu plus fort.

— Elle était trop bien pour lui, dit-il en se levant pour faire quelques pas. Elle l'a toujours été.

Puis il fit demi-tour et leva un sourcil.

— Tu ne t'intéresses pas à elle, si ?

— Pas de cette façon.

— Il ne lui reste pas grand-chose en ce monde, acquiesça-t-il. Perdre Dolf risque de la tuer.

— Elle est forte.

— Elle est sur le point de craquer.

Il avait raison mais aucun de nous deux ne savait comment empêcher ça. Nous nous contentâmes donc de contempler les ombres et d'attendre que le coucher de soleil embrase le ciel derrière les arbres. Finalement, il n'avait pas répondu à ma question. Le téléphone sonna et je décrochai.

— Il est là, répondis-je en tendant le combiné à mon père. C'est Miriam.

En écoutant, sa bouche se crispa.

— Merci, dit-il. Non, tu ne peux rien faire... Miriam... Je te répète que non ! Personne ne peut m'aider... Oui, d'accord. À tout à l'heure.

Il me rendit le combiné et termina sa bière.

— Parks a appelé, commença-t-il avant de marquer une pause. Ils ont inculpé Dolf cet après-midi.

30.

Le dîner fut une torture. Je luttai pour trouver des mots sensés et Grace pour se comporter comme si l'inculpation ne lui donnait pas l'impression que le sol se dérobait sous ses pieds. Nous mangeâmes en silence, incapables de discuter de la prochaine étape : l'audience selon l'article vingt-quatre. Après débat, une décision serait prise : la vie ou la mort. La nuit s'annonçait pesante – impossible de nous soûler suffisamment pour oublier. Je sommai Grace de ne pas baisser les bras tandis qu'elle faisait les cent pas sur la terrasse. Nous allâmes nous coucher dans une maison qui paraissait voilée de noir. Je savais que l'espoir nous avait désormais abandonnés.

J'étais allongé dans la chambre d'ami, la main contre le mur. Grace n'arrivait manifestement pas à fermer l'œil. C'était sans doute aussi le cas de Dolf, de mon père, de Robin... Combien d'entre nous parvenaient à dormir ? Comment le pourraient-ils ? Je finis par sombrer dans un sommeil agité pour me réveiller à 2 heures puis à 4 heures, sans aucun souvenir de mes rêves et rongé d'inquiétude. À 5 heures, je me levai, la tête prise dans un étau, incapable de me rendormir. Je m'habillai et sortis. Tout était sombre mais je connaissais bien les chemins et les sentiers alentour. Je marchai jusqu'au lever du soleil, cherchant des réponses et, à défaut, quelque espoir. Si rien ne se passait dans les moments à venir, il faudrait que je réussisse à convaincre Dolf de se rétracter. Dans ce cas, c'est moi qui devrais rencontrer les avocats et mettre en place une stratégie de défense.

Et je redoutais d'endurer tout cela une nouvelle fois.

En traversant la dernière parcelle qui me séparait de la maison, j'élaborai mon plan d'attaque pour la journée. Les frères de Candy étaient encore dans la nature – quelqu'un devait leur parler. J'essaierai de voir Dolf, aussi. Peut-être me laisseraient-ils entrer cette fois. Peut-être Dolf reviendrait-il à la raison... Je n'avais pas les noms des bookmakers de Charlotte mais, avec leur adresse et leur description, je pourrais sans doute identifier les deux types qui s'en étaient pris à Danny quatre mois plus tôt. Robin pourrait peut-être obtenir des informations auprès d'un collègue de Charlotte. Et puis je devais parler à Jamie. Et voir comment allait Grace.

L'enterrement avait lieu à midi.

À mon retour, la maison était vide. Pas de message. Le téléphone sonna au moment où je partais. C'était Margaret Yates, la mère de Sarah.

— J'ai appelé chez votre père, expliqua-t-elle. Une jeune femme m'a dit que je pourrais vous trouver à ce numéro. J'espère que je ne vous dérange pas.

Je me représentai la vieille dame dans son élégante demeure, la peau ridée de ses petites mains, les mots pleins de haine qu'elle avait proférés avec tant de conviction.

— Vous ne me dérangez pas, répondis-je. Que puis-je faire pour vous ?

— Avez-vous trouvé ma fille ? s'enquit-elle d'une voix douce et hésitante.

— Oui.

— Pourrais-je vous convaincre de venir me voir aujourd'hui ? Je sais que c'est une demande un peu inopinée...

— Pour quelle raison ?

— Je n'ai pas dormi la nuit dernière, avoua-t-elle en soupirant bruyamment. Je n'ai plus fermé l'œil depuis votre visite.

— Je ne comprends pas.

— J'ai essayé de ne plus penser à elle mais quand j'ai vu votre photo dans les journaux, je n'ai pu m'empêcher de me demander si vous l'aviez vue, ce dont vous aviez parlé... Je voudrais savoir ce qu'il y a de bon dans la vie de mon unique fille.

— Madame...

— Je crois que vous m'avez été envoyé, monsieur Chase, que vous êtes un signe de Dieu.

J'hésitai à répondre.

— S'il vous plaît, ne m'obligez pas à vous supplier.

— Quelle heure vous conviendrait ?

— Maintenant, ce serait parfait.

— Je suis très fatigué, madame Yates, et j'ai beaucoup de choses à faire.

— Je prépare du café.

— Je peux vous accorder cinq minutes, concédai-je en jetant un coup d'œil à ma montre. Mais après ça, il faudra vraiment que je parte.

La maison n'avait pas changé depuis la dernière fois, un grand bijou blanc sur un lit de velours vert. Je m'arrêtai sous le porche et les portes s'ouvrirent, laissant apparaître une Mme Yates voûtée, toute grise dans sa robe de flanelle au col de dentelle. L'odeur d'écorce d'orange séchée flottait dans l'air. Peut-être que, dans cette maison, rien ne changeait jamais. Elle me tendit une main sèche et osseuse.

— Merci beaucoup d'être venu. Entrez, je vous en prie, dit-elle en s'écartant pour me laisser pénétrer dans la maison baignée d'obscurité. Je peux vous proposer de la crème et du sucre pour votre café, ou bien quelque chose de plus fort si vous préférez. Je prends moi-même du sherry.

— Du café, s'il vous plaît. Noir.

Je la suivis le long d'un couloir encombré de meubles luxueux et de commodes en bois précieux. De longues tentures protégeaient l'intérieur d'un excès de lumière du jour mais des lampes ouvragées brillaient dans chaque pièce. Les portes ouvertes laissaient entrevoir du cuir lustré et d'autres reflets mats. Quelque part, une horloge de parquet sonna.

— Votre maison est magnifique, la complimentai-je.

— C'est vrai.

Elle alla dans la cuisine chercher un plateau qu'elle porta jusqu'au petit salon.

— Asseyez-vous, m'invita-t-elle tout en me versant du café d'une cafetière en argent.

Je m'installai sur une chaise étroite aux larges accoudoirs. La tasse en porcelaine de Chine me parut aussi légère que du sucre glace.

— Vous me trouvez insensible au sujet de ma fille, n'est-ce pas ? déclara-t-elle en guise de préambule.

— Je m'y connais un peu en dysfonctionnements familiaux, la rassurai-je en reposant ma tasse sur sa soucoupe.

— Je me suis montrée assez dure lorsque nous avons parlé d'elle la dernière fois. Je détesterais penser que vous me croyez sénile ou sans cœur.

— Rien n'est jamais simple. Je ne me permettrais pas de vous juger.

Elle but une gorgée de son sherry et le cristal tinta légèrement lorsqu'elle le déposa sur le plateau en argent.

— Je ne suis pas une zélatrice, monsieur Chase. Je ne blâme pas ma fille parce qu'elle vénère les arbres et la terre, et Dieu sait quoi d'autre. Je serais réellement sans cœur, en effet, si je chassais mon unique enfant pour une raison aussi insaisissable qu'une divergence de foi.

— Puis-je vous demander pourquoi, alors ?

— Certainement pas !

— Avec tout le respect que je vous dois, madame Yates, c'est vous qui avez abordé le sujet, m'étonnai-je en m'enfonçant dans mon siège.

— Certainement, vous avez raison…, bredouilla-t-elle en souriant faiblement. L'esprit s'égare et la parole s'empresse de le suivre, dirait-on…

Sa voix s'éteignit presque et elle parut soudain indécise.

— Madame, de quoi donc vouliez-vous discuter avec moi ? repris-je en me penchant en avant pour me rapprocher d'elle.

— Vous l'avez trouvée ?

— Oui.

Elle baissa les yeux laissant voir des lignes de poudre bleue sur ses paupières translucides. Ses lèvres se contractèrent, fines et blanches sous le rouge à lèvres couleur de soleil couchant.

— Cela fait vingt ans. Deux décennies se sont écoulées depuis que j'ai vu ma fille et lui ai parlé pour la dernière fois.

Elle leva son verre et but une gorgée de sherry avant de poser une main légère sur mon poignet.

— Comment va-t-elle ? demanda-t-elle.

Je reculai devant sa silencieuse avidité et son masque de désespoir. C'était une vieille femme seule et, après deux décennies, le mur de colère avait fini par s'écrouler. Sa fille lui manquait. Aussi lui en racontai-je le plus possible. Elle resta parfaitement droite, buvant mes paroles. Je n'enjolivai aucun détail. Elle finit par baisser les yeux et se mit à jouer avec un gros diamant à son doigt.

— J'avais trente-cinq ans quand Sarah est née. Ce n'était pas... prévu. La dernière fois que je l'ai vue, elle était plus enfant que femme. Cela fait vingt ans – la moitié de sa vie...

— Quel âge a-t-elle ?

— Quarante et un ans.

— Je la croyais bien plus âgée.

— C'est à cause de ses cheveux, expliqua Mme Yates en désignant les siens, fins, blancs et couverts de laque. Un malheureux héritage familial. Les miens ont blanchi avant même mes vingt-cinq ans. Sarah était encore plus jeune quand ça lui est arrivé.

Elle se leva péniblement et traversa la pièce, les chevilles raides. Sur une étagère près de la cheminée, elle attrapa un petit cadre en argent poli. Un sourire adoucit ses traits lorsque, d'un doigt tremblant, elle effleura le verre, suivant le tracé d'une courbe invisible. Retournant s'asseoir, elle me tendit le cadre.

— C'est la dernière photo que j'aie prise. Sarah avait dix-neuf ans.

J'examinai l'image : le sourire de prédateur, les yeux verts, austères, les cheveux blonds striés de blanc. Elle montait à cru un cheval couleur de mer arctique. Cramponnée à la crinière et une main posée sur le collier du cheval, elle se penchait comme pour lui parler à l'oreille.

Ce que je dis ensuite m'échappa ; il me sembla qu'un autre parlait à ma place.

— Madame Yates, tout à l'heure je vous ai demandé pourquoi vous et votre fille aviez cessé de vous adresser la parole.

— Oui.

— J'aimerais vous reposer la question.

Elle se déroba et son regard retourna à la photo.

— S'il vous plaît, insistai-je.

— J'essaie de ne pas y penser, murmura-t-elle en pressant ses mains jointes entre ses cuisses.

— Madame Yates ?

— Peut-être que ça m'aidera..., se résigna-t-elle, mais une minute passa avant qu'elle ne se remette à parler. Sarah et moi nous disputions beaucoup. Cela peut paraître normal mais on ne se disputait pas comme le font la plupart des filles avec leur mère. Elle a su très tôt comment me blesser, quels étaient mes points faibles et comment retourner le couteau dans la plaie. Pour être honnête, je suppose que, moi aussi, je la blessais. Mais elle refusait d'obéir aux règles. Pourtant, c'étaient des règles justes, nécessaires... (Elle secoua la tête.) Je savais qu'elle était vouée à un grand échec mais je ne pensais pas que la chute viendrait si vite.

— Quel échec ?

— Sarah était déjà une jeune fille perturbée : elle sillonnait le comté en se prenant pour un druide, elle se disputait avec moi sur l'existence de Dieu, elle fumait de l'herbe et Dieu sait quoi d'autre... Je vous jure que cela suffit pour qu'une mère pleure sur le sort de sa fille.

Elle remplit son verre et avala une gorgée de sherry.

— Elle avait vingt et un ans quand elle est tombée enceinte. Célibataire et sans aucun remords. Elle vivait dans une tente en forêt. Avec son bébé ! Je ne pouvais pas m'y faire – j'en étais incapable, murmura-t-elle, le regard dans le vague. Je n'ai fait que mon devoir.

J'attendis, sachant plus ou moins comment l'histoire se terminerait. Elle se redressa sur son siège.

— Je lui ai parlé, bien sûr. J'ai essayé de la remettre dans le droit chemin. Je l'ai invitée à rentrer à la maison en promettant que je l'aiderais à élever correctement cet enfant. Elle n'a rien voulu entendre. Elle a décrété qu'elle allait construire un chalet, mais elle se berçait d'illusions : elle n'avait pas un sou, elle était complètement démunie...

La vielle dame prit une nouvelle gorgée de sherry et renifla.

— Quand j'ai fait appel aux autorités, elle s'est enfuie avec le bébé. En Californie, d'après ce que j'ai entendu, à la recherche de gens qui partageaient ses convictions. Des déséquilibrés, si vous voulez mon avis – sorcières, impies, drogués et compagnie ! Eh bien, laissez-moi vous dire... Laissez-moi vous dire...

Elle perdit le fil, secouant inlassablement la tête.

— En Californie ?

— Sarah était sous l'emprise de la drogue quand elle a pris la route. Elle avait fumé de l'herbe et elle planait, avec le bébé dans sa voiture. Sarah n'a plus jamais remarché, et je n'ai plus jamais vu le bébé non plus. Son bébé – mon petit enfant – est mort en Californie, monsieur Chase. Ma fille en est revenue handicapée. Je ne lui ai jamais pardonné et nous ne nous sommes plus jamais adressé la parole.

Elle se leva brusquement, séchant ses larmes.

— Et maintenant, que diriez-vous de manger quelque chose ?

Elle se rendit à la cuisine en traînant les pieds et, arrivée là-bas, elle s'adossa au mur et baissa la tête. Elle ne bougeait pas mais ses yeux restaient ouverts. Elle ne préparerait rien à manger. Je me levai et replaçai le cadre sur l'étagère, l'orientant de façon à ce que la photo capte le peu de lumière qui filtrait dans la pièce.

J'y voyais clair maintenant.

Du bout du doigt, je suivis sur le verre le tracé du sourire éclatant de Sarah, comprenant enfin pourquoi son visage me semblait familier : elle ressemblait à Grace.

Quittant la route déserte, je franchis la rangée d'arbres et passai sans ralentir devant le bus de Ken Miller. Lorsque je coupai le moteur devant le chalet de Sarah Yates, un

nuage de poussière rouge flotta dans l'air derrière ma voiture. Je frappai énergiquement à la porte. Pas de réponse.
Pourtant, le fourgon était bien là. Je frappai à nouveau et
entendis un bruit à l'intérieur, un grognement étouffé suivi
de pas se rapprochant.

Ken Miller ouvrit la porte.

Il portait une serviette enroulée autour du bassin. Les
poils de son torse étaient trempés de sueur et il avait le
teint cramoisi.

— Qu'est-ce que vous voulez encore ?

Derrière lui, des ombres envahissaient la pièce principale. La porte de la chambre était entrouverte.

— Je voudrais parler à Sarah.

— Elle n'est pas disponible.

— Qui est-ce, Ken ? cria Sarah de l'intérieur.

— C'est Adam Chase, tout impatient et émoustillé par
Dieu sait quoi !

— Dis-lui d'attendre une minute et viens m'aider.

— Sarah…, protesta-t-il, contrarié.

— Ne m'oblige pas à me répéter.

Ken me lança un regard assassin.

— Vraiment, vous me pompez l'air ! lâcha-t-il en m'indiquant la rangée de chaises devant la maison. Attendez là.

Cinq minutes plus tard, la porte s'ouvrit à nouveau. Ken
passa devant moi sans même lever les yeux. Son jean était
déboutonné, ses lacets défaits. Il partit sans se retourner.
Quelques instants plus tard, Sarah fit rouler son fauteuil
jusqu'à moi.

— Aucun homme n'aime être interrompu, expliqua-t-elle
en me rejoignant, le plus naturellement du monde.

Elle portait une robe de chambre en flanelle et des
chaussons. Ses cheveux étaient encore trempés de sueur.

— C'est son côté animal, ajouta-t-elle en enclenchant le
frein.

— Vous et Ken…

— Ça nous arrive, fit-elle en haussant les épaules.

Je scrutai son visage à la recherche de ressemblances
avec Grace, surpris qu'elles aient pu m'échapper. Sarah et
Grace avaient le même visage en forme de cœur, la même

bouche. Leurs yeux étaient d'une couleur différente mais de la même forme. Sarah était plus âgée, le visage plus rond, les cheveux blancs...

— Eh bien, crache le morceau, m'encouragea-t-elle. Tu n'es pas venu pour rien !

— J'ai vu votre mère, aujourd'hui.

— Tant mieux pour toi.

— Elle m'a montré une photo de vous quand vous étiez jeune.

— Et alors ?

— Vous étiez le portrait craché de Grace Shepherd. Vous l'êtes encore aujourd'hui, d'ailleurs.

— Ah bon.

— Qu'est-ce que ça signifie ?

— Ça fait vingt ans que j'attends que quelqu'un le remarque. Tu es le premier. J'imagine que ce n'est pas surprenant – je ne vois pas grand monde...

— Vous êtes sa mère.

— Ça fait vingt ans que je ne le suis plus.

— Votre enfant n'est pas mort en Californie, n'est-ce pas ?

— Tu as parlé avec ma mère, c'est ça ? répliqua-t-elle en braquant sur moi des yeux sévères.

— Vous lui manquez.

— Foutaises ! C'est sa jeunesse qui lui manque, tout ce qu'elle a perdu... Je ne suis que le symbole de tout ça.

— Mais Grace est sa petite-fille, non ?

— Je ne lui permettrais jamais d'élever un de mes enfants ! Je la connais trop bien, cette voie : étroite, sévère et sans pitié.

— Vous lui avez donc menti au sujet de l'accident ?

— Ce n'était pas un mensonge, rétorqua-t-elle en frottant ses jambes inertes. Mais ma fille a survécu.

— Et vous l'avez abandonnée ?

— Je ne suis pas une bonne mère. J'ai cru pouvoir le devenir mais je me berçais d'illusions, ajouta-t-elle avec un sourire glacial avant de détourner les yeux. Pour plus d'une raison, je n'étais pas taillée pour cela.

— Qui est le père ?

— Un homme, soupira-t-elle. Grand, bon et fier, mais un homme, quand même.

— Dolf Shepherd.

— Pourquoi tu penses à lui ? demanda-t-elle d'un air effrayé.

— Vous lui avez confié la petite. Dans le message que vous m'avez remis, vous écrivez « Les gens bien t'aiment et ceux-là se souviendront »...

Ses traits se durcirent.

— Quelle autre raison pourrait expliquer votre geste ?

— Tu ignores tout.

— Ça colle, pourtant.

Elle me jaugea puis, pesant soigneusement ses mots, elle déclara d'un ton résolu et définitif :

— Je n'aurais jamais dû te parler.

Danny Faith fut enterré sous un ciel de plomb. Les chaises pliantes sur lesquelles nous étions assis auraient pu être faites du même métal. La chaleur était omniprésente, si bien que nos vêtements devenaient de plus en plus humides et que les fleurs fanaient à vue d'œil. Des femmes que je n'avais jamais vues agitaient des éventails en dentelle devant leur visage maquillé avec une perfection laborieuse. L'enterrement avait été organisé et payé par une tante de Danny. Je pus l'identifier assez facilement grâce à ses cheveux roux et classai donc les autres inconnues dans la catégorie de ses amies. Toutes étaient arrivées dans de vieilles voitures, accompagnées de leurs petits maris, et les diamants qu'elles portaient captaient péniblement la pâle lumière du jour.

Sa tante paraissait très touchée. Je l'observai avec une admiration silencieuse : le cercueil coûtait davantage que sa propre voiture et, à n'en pas douter, ses amies étaient venues de loin pour la soutenir. Une brave femme.

Dans un silence presque parfait, nous attendîmes l'heure adéquate et les mots qui accompagneraient Danny dans la tombe. J'aperçus Grantham au moment même où lui me repérait. Vêtu d'un manteau sombre à boutons, il se tenait à distance, surveillant l'assemblée, scrutant les visages. Je m'efforçai de l'ignorer. Il ne faisait que son travail mais je remarquai que mon père aussi le regardait.

Le prêtre était celui qui avait enterré ma mère et les années ne l'avaient pas épargné. Il avait des yeux tristes, un visage allongé et les traits tirés à force de soucis. Pourtant, ses mots parvinrent une fois de plus à me réconforter. Certains acquiesçaient en l'écoutant ; une femme se signa.

Pour moi, l'ironie était frappante : j'avais sorti Danny d'un trou pour qu'on puisse le plonger dans un autre. Cela ne m'empêcha pas de hocher la tête de temps à autre aux paroles du prêtre tandis que des prières s'échappaient de mes lèvres. C'était mon ami et je l'avais trahi. Ainsi priai-je pour le salut de son âme comme de la mienne.

Pendant que le prêtre achevait son discours sur la rédemption et l'amour éternel, je me mis à observer Grace. Son expression ne laissait rien paraître mais ses yeux brillaient du même éclat que ceux de Dolf dans la prison. Elle se tenait bien droite dans sa robe noire et serrait contre elle un petit sac. L'amour de Danny pour elle n'avait rien de surprenant – comment ne pas aimer Grace ? Jusque dans ce lieu, tous les regards semblaient converger vers elle – même les femmes la remarquaient.

Lorsque le prêtre eut terminé, il fit signe à la tante de Danny qui avança lentement vers la tombe et déposa une fleur blanche sur le cercueil. Puis elle fit demi-tour et se dirigea vers la rangée de sièges. Elle serra des mains, remercia mon père, Janice et Miriam. Son visage s'adoucit lorsqu'elle s'arrêta devant Grace. Elle prit sa main entre les siennes et marqua une pause, si bien que tout le monde assista à cet instant.

Pendant ce bref intervalle, elle glissa :

— J'ai cru comprendre qu'il vous aimait beaucoup.

Elle lâcha la main de Grace et des larmes coulèrent sur la peau ridée de son visage.

— Vous auriez fait un couple magnifique.

Puis elle partit en sanglotant, silhouette brisée sous le ciel gris.

À sa suite, ses amies grimpèrent dans les vieilles voitures aux côtés de leurs maris silencieux. Ma famille prit aussi le chemin du retour mais je décidai de traîner un peu. Personne n'ignorait pourquoi – ni mon père ni le prêtre.

Je restai assis sur ma petite chaise métallique jusqu'à me retrouver seul avec les fossoyeurs, qui se tenaient à distance respectueuse. Des hommes rudes aux vêtements usés. Ils attendraient aussi longtemps que nécessaire, c'était leur métier. Quand tout le monde serait parti, ils feraient descendre Danny dans la tombe.

Je cherchai Grantham des yeux mais il avait disparu. Je caressai le bois lisse du cercueil de mon ami avant de m'éloigner. J'empruntai le long sentier en pente qui menait à la tombe de ma mère. M'agenouillant dans l'herbe, je tendis l'oreille pour entendre le bruit distant du cercueil de Danny qu'on recouvrait de terre. Je murmurai une dernière prière et, pendant un long moment, je restai immobile, revivant en pensée les instants passés avec ma mère. Je ressassai longtemps ce souvenir du jour où nous nous étions retrouvés, elle et moi, sous le ponton. Un rayon de lumière filtrant à travers les planches avait embrasé ses pupilles. Elle avait dit qu'il y avait de la magie dans le monde, mais c'était faux. La magie avait presque totalement disparu avec elle.

En me relevant, j'aperçus le prêtre.

— Je suis désolé de te déranger, s'excusa-t-il.

— Bonjour, mon père. Vous ne me dérangez pas. C'était une belle cérémonie.

Il me rejoignit près de la tombe de ma mère.

— Je pense encore à elle, tu sais. Quelle tristesse... Si jeune, si pleine de vie...

Je savais ce qu'il pensait – *si pleine de vie jusqu'à ce qu'elle décide de reprendre la sienne.* Ma nouvelle sérénité s'évanouit aussitôt, laissant place à une colère familière. Où était-il ce prêtre, quand les ténèbres avaient commencé à ronger ma mère ?

— Ce ne sont que des mots, mon père. Ils ne comptent pas.

— Personne n'est coupable, Adam. Avec les souvenirs, les mots sont tout ce que nous possédons. Je ne voulais pas te blesser...

Ses remords me touchèrent. En contemplant l'herbe luxuriante qui poussait sur la tombe, je me sentis plus vide que jamais. Même ma colère s'évanouit.

— Vous ne pouvez pas m'aider, mon père.

— Une perte comme celle-là peut causer bien des dégâts invisibles, reprit-il en joignant les mains devant son habit. Tu devrais te tourner vers la famille qui te reste. Soutenez-vous les uns les autres.

— Voilà une sage recommandation, reconnus-je en faisant mine de partir.

— Adam...

Je m'arrêtai en voyant son regard inquiet.

— En général, je ne me mêle pas des affaires des autres – à moins, bien sûr, qu'on ne me sollicite. Pourtant... il y a quelque chose qui m'intrigue. Puis-je te poser une question ?

— Bien sûr.

— Est-ce vrai que Danny était amoureux de Grace ?

— C'est vrai.

Il secoua la tête tristement, et sa perplexité s'accentua.

— Mon père ?

— Après l'office, j'ai trouvé Miriam agenouillée devant l'autel, en larmes, reprit-il avec un geste en direction de l'église. Elle bredouillait des paroles incohérentes et maudissait Dieu. Je suis inquiet, et je ne comprends toujours pas...

— Quoi donc ?

— Elle pleurait pour Danny.

Le prêtre écarta les bras dans un geste d'incompréhension.

— Elle a dit qu'ils devaient se marier.

31.

En démarrant, je me représentai la scène. Miriam dans sa longue robe noire, le visage marqué par la haine et une douleur secrète. Je l'imaginai recroquevillée au pied de la croix, les mains crispées, maudissant Dieu dans sa propre maison et rejetant l'aide d'un honnête prêtre. Enfin, j'y voyais clair ! La situation m'apparut dans toute sa laideur. Grace, la tête rejetée en arrière, parfaitement immobile devant la tante de Danny qui lui disait : « J'ai cru comprendre qu'il vous aimait beaucoup. » Et derrière elle, le visage de Miriam, son abattement soudain, l'ombre glacée dans ses yeux tandis que l'écho de ces paroles rejoignait le cercueil de Danny et que des étrangers en deuil courbaient la tête en signe de condoléances silencieuses pour ce grand amour perdu...

Miriam avait confié au prêtre qu'elle devait épouser Danny. Elle m'avait dit la même chose, mais à propos de Gray Wilson.

Nous allions nous marier.

Danny Faith, Gray Wilson... Morts tous les deux.

Tout prenait un sens nouveau. Tout en n'étant sûr de rien, l'angoisse me submergea. Je songeai aux derniers mots du prêtre – ceux de Miriam avant qu'elle ne fuie l'église et son ministre.

Dieu n'existe pas !

Qui dirait une telle chose à un homme de foi ? Elle était perdue, et j'avais tout fait pour ne pas le voir.

J'appelai Grace mais n'obtins pas de réponse. Chez mon père, Janice m'apprit qu'il était parti chasser les chiens à nouveau. Non, Miriam n'était pas là. Grace non plus.

— Tu savais qu'elle était amoureuse de Danny ?

— Qui ?

— Miriam.

— C'est absurde !

Je raccrochai. Elle n'en savait absolument rien. J'accélérai jusqu'à ce que la voiture me paraisse légère. Je pouvais encore me tromper.

Seigneur, faites que je me trompe...

Je m'engageai sur la route de la ferme, espérant y trouver Grace. Mon cœur cognait dans ma poitrine. Je franchis la grille à bétail et coupai le moteur, mais je ne descendis pas : devant la porte se tenait un chien au poil noir, sale, et aux oreilles en pointe. Il leva la tête et m'observa. Du sang maculait sa truffe et ses crocs.

Deux autres chiens apparurent au coin de la maison, l'un noir, l'autre brun. Leur poil était infesté de parasites, leur museau couvert de morve séchée, et l'un d'eux avait même des excréments collés aux pattes arrière. Ils avançaient en bondissant le long du mur, truffe basse, montrant les dents. L'un d'eux leva la tête et haleta dans ma direction, langue pendante, les yeux aussi vifs que des oiseaux-mouches.

Je me tournai vers le chien devant l'entrée – une bête énorme, aussi noire que l'enfer. De petits sillons de sang s'étaient formés sur la première marche. À l'intérieur de la maison, rien ne semblait bouger. Les autres chiens rejoignirent le premier sur l'escalier, puis sous la véranda. Lorsque l'un d'eux passa trop près du plus grand, en un clin d'œil, ce dernier se jeta sur lui, toutes griffes dehors. Tout fut fini en quelques secondes à peine. L'intrus émit un jappement proche d'un cri humain et s'enfuit précipitamment, la queue entre les jambes et une oreille en lambeaux. Il disparut derrière la maison.

Il restait donc deux chiens devant l'entrée, en train de lécher le sol. J'appelai Robin.

— Je suis chez Dolf. Il faut absolument que tu viennes.

— Qu'est-ce qui se passe ?

— Quelque chose de terrible. Je ne sais pas quoi.

— Dis-m'en un peu plus.

— Je suis dans la voiture. Il y a du sang devant la porte.

— Attends-moi, Adam.

— Impossible, dis-je après un coup d'œil au sang qui coulait sur les marches.

Je raccrochai et ouvris lentement la portière tout en surveillant les chiens. Un pied, puis l'autre. Je déverrouillai le coffre depuis le tableau de bord – le calibre .12 chargé s'y trouvait encore. Les chiens levèrent la tête en entendant le déclic mais ils retournèrent aussitôt à leurs occupations. Cinq pas jusqu'au fusil et encore quatre mètres me séparant des chiens.

Je laissai la portière ouverte et reculai en longeant la voiture. En tâtonnant, je parvins à soulever la porte du coffre, qui s'ouvrit sans un bruit, et je risquai un œil à l'intérieur. Le fusil se trouvait en travers, canon dirigé vers moi. Sans quitter les chiens des yeux, je saisis la crosse et ouvris le canon pour vérifier les cartouches : vide. Nom de Dieu ! Jamie avait dû le décharger.

À présent, le grand chien me fixait sans bouger. J'inspectai rapidement l'intérieur du coffre : la boîte de cartouches était à l'opposé, fermée. Je tendis le bras pour l'attraper, perdant de vue l'entrée de la maison. La crosse heurta la carrosserie au moment où ma main se refermait sur la boîte. Je me redressai, prêt à affronter l'attaque féroce et silencieuse, mais le chien n'avait pas bougé. Il cligna des yeux et sa langue jaillit de sa gueule.

J'attrapai deux cartouches, sentant sous mes doigts le plastique rouge et lisse, les bouchons en laiton. Je les glissai dans le canon, refermai le fusil et fis sauter la sécurité.

En un instant, la dynamique changea – les fusils produisent toujours cet effet-là.

Je calai la crosse contre mon épaule et avançai vers les marches, gardant un œil sur les angles les plus éloignés au cas où d'autres chiens apparaîtraient. Il y en avait bien plus que trois dans cette meute, ce qui signifiait que les autres se cachaient quelque part.

Trois mètres, deux mètres...

Le chef de meute retroussa ses babines, dévoilant des gencives noires et brillantes, et des mâchoires écartées de deux centimètres. Un grognement remonta de sa gorge et s'amplifia jusqu'à ce que les autres chiens lèvent la tête et se joignent à lui. Le grand se rapprocha. Je sentis les poils se dresser sur ma nuque. Ce cri primal... Les paroles de mon père me revinrent : *Ce n'est plus qu'une question de temps avant qu'ils ne s'enhardissent davantage.*

Encore un pas. J'étais tout près, maintenant, suffisamment pour voir le sol. La mare de sang s'étalait, large et profonde, aussi noire que de l'encre. Ils l'avaient piétinée et léchée mais, par endroits, la surface restait lisse comme de la peinture, à peine sillonnée de fines lignes là où les interstices du plancher avaient absorbé une partie du liquide. Entre la flaque et la porte d'entrée, je remarquai de longues traînées et des traces de doigts ensanglantées.

Sur la porte aussi.

Ce n'était pas le sang d'un combat de chiens. Un simple coup d'œil suffisait pour s'en apercevoir, à la mare que le sang formait, à sa texture gluante comme de la colle.

Des charognards, me dis-je. Rien d'autre.

Je repris ma progression. À chacun de mes pas, les chiens réagissaient, courbant un peu plus l'échine. Je leur laissai largement la place de s'enfuir mais ils ne bougèrent pas. Nous restâmes figés un moment – moi le fusil en l'air, eux montrant les crocs.

Enfin, le chef de meute décampa. Après avoir dévalé l'escalier et traversé la cour, il s'arrêta une fois et esquissa une sorte de grimace. Les autres bondirent à sa suite avant de disparaître à travers les arbres.

Je grimpai les marches, guettant toujours un chien hypothétique, et gagnai l'entrée aussi silencieusement que possible. Une odeur de cuivre me remplit les narines. Des traces sanglantes laissées par les chiens maculaient le sol. Je tournai lentement la poignée et poussai la porte du bout du doigt.

Grace était recroquevillée par terre au milieu d'une mare de sang, sa robe noire trempée par le liquide sombre. Elle se tenait l'estomac. Ses pieds s'agitaient faiblement et ses souliers de messe dérapaient sur la fine pellicule rouge. Du sang s'écoulait entre ses doigts. Je suivis son regard.

De l'autre côté de la pièce, face à Grace, Miriam était assise au bord d'une chaise blanche, penchée en avant, les coudes sur ses genoux, les cheveux devant les yeux. Un pistolet se balançait dans sa main droite, un petit automatique, bleu et bien huilé. En entrant, je braquai mon fusil sur Miriam. Elle se redressa, repoussa les cheveux de son visage et leva son pistolet en direction de Grace.

— Elle me l'a volé ! cracha Miriam.

— Pose cette arme.

— Nous allions nous marier…, commença-t-elle. C'était *moi* qu'il aimait, pas elle. Cette salope de tante mentait.

— Je suis prêt à t'écouter, Miriam. Je suis prêt à entendre n'importe quoi mais pose d'abord ce pistolet.

— Non.

— Miriam…

— Non ! hurla-t-elle. Toi, tu poses ton fusil !

— Il s'est servi de toi, Miriam.

— Pose-le !

— Je ne peux pas, dis-je en faisant un pas vers elle.

— Le prochain coup, je lui tire en plein cœur !

Je regardai Grace, ses doigts rougis, l'agonie sur son visage terrorisé. Elle secouait la tête mais aucun son ne sortait de sa bouche. Baissant mon fusil, je le posai sur la table et levai les bras.

— Je vais l'aider, avertis-je en m'agenouillant près de Grace.

Ôtant ma veste, je la pliai sur son estomac blessé, murmurant à Grace d'appuyer le plus fort possible. Elle gémit en pressant sur la plaie – la douleur la mettait au supplice. Je gardai mes mains sur les siennes.

— Elle n'a rien de spécial, reprit Miriam.

— Elle a besoin d'un médecin.

— Laisse-la mourir, lâcha Miriam en se levant.

— Tu n'es pas une meurtrière, répliquai-je, comprenant aussitôt mon erreur.

Je remarquai l'étincelle de folie dans son regard. Mon Dieu… tout était clair à présent.

— Danny a rompu avec toi.

— Ferme-la !

— Il quittait toutes ses petites amies. Il voulait épouser Grace...

— Ferme-la ! hurla Miriam en s'approchant de nous.

— Il s'est servi de toi, Miriam.

— Ferme-la, Adam !

— Et Gray Wilson...

— Ferme-la ! Ferme-la ! Ferme-la !

Ses paroles devinrent incohérentes et sa voix se mua en un cri. En un instant elle leva son pistolet. Un coup partit et la balle se ficha dans le sol, projetant des éclats de peinture blanche. Le suivant me toucha à la jambe et la douleur explosa dans tout mon corps. Je m'écroulai à côté de Grace, les mains serrées sur la plaie. Miriam se précipita vers moi, les traits déformés par l'inquiétude et le remords.

— Pardon ! s'excusa-t-elle aussitôt. Je suis désolée, je ne voulais pas ! C'était un accident...

Lorsque je parvins à retirer ma ceinture, du sang gicla par terre avant que j'aie eu le temps de m'en faire un garrot.

— Est-ce que ça va ? demanda Miriam.

— Nom de Dieu...

L'hémorragie avait faibli mais la douleur était insupportable – des spasmes brûlants et acides. Miriam se mit à faire les cent pas en agitant le pistolet. Elle me regardait de ses yeux noirs puis se détournait aussitôt, je la surveillai anxieusement, guettant sa prochaine flambée de colère.

Elle ralentit le pas et son visage blêmit.

— Ce que Danny me faisait, ce que je ressentais quand j'étais avec lui... Il m'aimait, ce n'est pas possible autrement.

— Il aimait beaucoup de femmes. Il était comme ça, ne pus-je m'empêcher de répondre.

— Non ! cria-t-elle rageusement. Il m'a acheté une bague ! Il a expliqué qu'il avait besoin d'argent, de beaucoup d'argent. Il ne voulait pas dire pourquoi mais je le savais, une femme sent ces choses-là. Alors je le lui ai prêté – pour quelle autre raison pouvait-il en avoir besoin ? Il a acheté une jolie bague de promesse. Je savais qu'il comptait m'en faire la surprise.

— Laisse-moi deviner : trente mille dollars ?

— Comment es-tu au courant ? bredouilla-t-elle en se figeant sur place. Il t'en a parlé ?

— Il a utilisé cette somme pour rembourser une dette de jeu. Il ne t'aimait pas, Miriam. Grace n'a rien fait de mal. Elle ne voulait même pas de Danny...

— Ah oui ? Pour qui elle se prend, cette petite pouffiasse ?

Soudain, Miriam parut se souvenir de quelque chose.

— Tu crois tout savoir..., reprit-elle. Tu te crois malin, sans doute ? Tu ne sais rien ! Rien du tout !

Elle fondit en larmes puis, en pleine confusion, elle se mit à se balancer d'un pied sur l'autre.

— Papa l'aime plus.

— Quoi... ?

— Il l'aime plus que toi ! cracha-t-elle. (Sa voix se brisa.) Plus que moi...

Elle se balança à nouveau, se frappant la tête avec le canon du pistolet – le même geste que Zebulon Faith. Une voix retentit dans l'entrée :

— Ce n'est pas vrai, Miriam.

C'était mon père. Je ne l'avais pas entendu approcher. Il se tenait devant la porte ouverte, le fusil baissé dirigé vers Miriam. Son pantalon et ses bottes étaient couverts de boue. Il avait le teint gris et un doigt crispé sur la détente. Les larmes de Miriam s'intensifièrent.

— Papa..., gémit-elle.

— Ce n'est pas vrai ! répéta mon père. Je t'ai toujours aimée.

— Mais pas comme elle. Jamais...

Mon père fit un pas dans la pièce. Son regard alla de Grace à Miriam... Il ne nia pas une troisième fois.

— Je vous entends quand vous parlez, la nuit, toi et Dolf. Vous ne remarquez jamais ma présence. Même lorsque je suis assise à côté de toi, tu ne me vois pas ! Grace, par contre... La petite chérie, la si jolie Grace ! Elle est parfaite ! On dirait qu'elle rayonne... C'est ce que tu dis souvent, n'est-ce pas ? Elle est si pure, si différente des autres... Si différente de moi… (Elle se frappa à nouveau la tempe avec le pistolet.) Meilleure que moi !

Miriam se tut et, lorsqu'elle leva les yeux, son expression rappelait celle des chiens sauvages que j'avais trouvés devant la porte.

— Je connais ton secret, ajouta-t-elle.

— Miriam…

— Ta saloperie de petit secret !

Mon père se rapprocha sans bouger le fusil.

— Regarde ce que tu as fait de moi ! Je suis foutue !

Elle arracha le devant de sa robe, envoyant valser les boutons. Maintenant ouverts les pans déchirés, elle nous dévoila son corps pâle et strié de blessures. Chaque centimètre, chaque courbe… Les cicatrices brillaient, portant en elles toute la douleur du monde. Son estomac, ses cuisses, ses bras… Chaque parcelle de peau susceptible d'être dissimulée sous un vêtement avait subi de multiples coups de lame. Sur son cœur s'étalaient les lettres du mot *douleur*, tandis que *déni* était gravé sur son estomac. Mon père s'étrangla.

— Seigneur…

Je compris que ces mutilations ne dataient pas de la mort de Gray Wilson – c'était impossible. Cela durait depuis bien plus longtemps. Le visage de Miriam n'était plus qu'un masque de souffrance.

— C'est sa fille, dit-elle en s'adressant à moi.

— Arrête, Miriam ! supplia mon père, en vain.

— Toutes ces années…, poursuivit-elle en lançant à Grace un regard plein de jalousie et de haine. Elle a toujours été sa préférée.

Sa voix se brisa, et elle leva son pistolet.

— Ne fais pas ça, implora mon père.

Sa main trembla. Miriam se tourna vers Grace, puis vers mon père, et parut se décomposer. Tandis que l'étincelle de folie réapparaissait dans ses yeux, vibrant de colère à travers ses larmes, elle orienta lentement le canon en direction de Grace.

— Pour l'amour de Dieu, Miriam, ne me force pas à choisir ! s'écria mon père d'une voix désespérée.

Elle l'ignora et me fit face :

— Réfléchis, reprit-elle. Toi aussi, il t'a foutu en l'air.

Puis elle leva son arme et mon père appuya sur la détente. Le canon sursauta et le coup partit dans un vacarme de fin du monde. La balle toucha Miriam en plein cœur. Elle recula sous l'impact, oscillant comme un pantin avant de s'écrouler, sans vie. Je sus en un clin d'œil qu'elle ne se relèverait plus.

De la fumée flottait dans la pièce. Grace hurla, tandis que mon père pleurait pour la quatrième fois de sa vie.

32.

Grace vivait encore à l'arrivée des secours. Ils s'occupè-
rent d'elle comme si elle pouvait mourir à chaque instant.
Pendant quelques secondes, ses yeux se révulsèrent et ses
doigts rougis se crispèrent, comme si elle allait partir. Sans
m'en rendre compte, d'angoisse, je me tapais la tête contre
le mur. Ce fut Robin qui m'arrêta en posant une main sur
mon épaule pour m'apaiser. Ses yeux étaient très calmes.
Je regardai Grace : l'une de ses jambes se contracta et son
talon cogna légèrement le plancher tandis que les secours
s'efforçaient de la faire respirer en appliquant de violentes
pressions saccadées sur sa poitrine. Lorsqu'ils parvinrent
à la ranimer, j'entendis à peine son souffle mais quelqu'un
s'écria :
— On la tient !
Puis ils l'enveloppèrent pour l'emporter dans l'ambulance.
Je croisais le regard de mon père. Il était assis contre un
mur, et moi contre un autre. La douleur me submergeait,
Grace était à deux doigts de mourir et, pourtant, je crois que
c'était mon père qui souffrait le plus. Je l'observai tandis
qu'un ambulancier examinait ma jambe. Mon père avait touché le corps de Miriam, puis s'était cramponné à Grace
comme si la force de son étreinte pouvait la maintenir en
vie. Les ambulanciers avaient dû le forcer à s'écarter pour
pouvoir s'occuper d'elle. Il était trempé de son sang, terrassé

par un profond désespoir à la fois dû à l'acte qu'il venait de
commettre et aux dernières paroles de Miriam. Il savait ce
que cela signifiait, et moi aussi.

Grace était sa fille. Soit. Ce sont des choses qui arrivent.
Au fond, ce n'était pas si étonnant – il n'avait jamais cherché
à cacher son amour pour elle. Pourtant, elle n'était venue
vivre à la ferme que deux ans après la mort de ma mère.
Je n'avais jamais fait le lien. Même si je connaissais la date
d'anniversaire de Grace, cela ne m'était jamais venu à
l'esprit. À présent, grâce à Miriam, j'y voyais clair.

La vérité sortie des ténèbres d'un placard.

Grace était née deux jours avant le suicide de ma mère.
Impossible que ce ne soit qu'une coïncidence. Miriam avait
raison : il m'avait foutu en l'air, moi aussi.

Mon père ouvrit la bouche pour parler mais je ne voulus
rien entendre.

— Est-ce que vous pouvez me sortir d'ici ? demandai-je
à l'ambulancier en lui agrippant l'épaule.

Je jetai un dernier regard à mon père et, voyant mon
expression, il referma la bouche.

Je me réveillai dans des draps d'hôpital : lumières
tamisées, brouillard médicamenteux, aucun souvenir de ce
qu'on avait fait à ma jambe. Par contre, je me souvenais
avoir rêvé de la jeune Sarah Yates. J'avais déjà fait ce même
rêve – ou presque – à plusieurs reprises. Sarah marchait
dans la cour, au clair de lune, sa robe flottant autour de
ses jambes. Elle se retournait et tendait la main, paume
ouverte. Jusqu'à présent, c'était là que le rêve se terminait.
Cette fois-ci, j'allai jusqu'au bout.

Sarah tendait la main, puis la portait à ses lèvres en
souriant et lançait un baiser – mais ce n'est pas à moi qu'il
était destiné. En réalité, ce n'était pas un rêve mais un
souvenir. Debout derrière une fenêtre, le petit garçon que
j'étais avait tout vu – le baiser lancé, le sourire secret... Puis
mon père, pieds nus dans l'herbe humide, sa façon de l'enlacer, de l'embrasser... Et cette passion farouche que je sus
reconnaître, même à l'époque.

J'avais été témoin de cette scène et j'en avais enfoui le souvenir tout au fond de mon corps de petit garçon. À présent, il me brûlait comme une larme arrachée à mon âme. C'est parce que je la connaissais que le visage de Sarah Yates m'était familier, pas parce que Grace lui ressemblait.

Je songeai aux paroles du prêtre à propos du suicide de ma mère. *Personne n'est coupable*. Et dans la pénombre de l'église, j'avais toujours su. Si ces paroles possédaient un sens à l'époque, ce n'était plus le cas.

Vingt années de colère passées à me torturer, incapable de trouver le repos. C'était comme si un éclat de verre était resté fiché dans mon esprit, une lame rougie au fer rouge fouillant les recoins les plus fragiles de mon âme et me blessant au passage. J'en avais toujours voulu à ma mère mais, à présent, je comprenais. Elle avait pressé la détente, oui – elle l'avait fait sous les yeux de son unique enfant. Néanmoins, ce que j'avais dit à mon père était vrai : ma mère avait voulu que *lui* la voie. Huit années de fausses-couches jusqu'à ce qu'elle finisse épuisée – l'ombre d'elle-même.

Et puis, d'une manière ou d'une autre, elle avait découvert la vérité et appuyé sur la détente.

Soudain, je pris conscience que ma colère n'était pas destinée à ma mère, dont l'âme s'était perdue jusqu'au point de non-retour. Lui en vouloir était injuste et, dans ce sens, je l'avais trahie. Elle méritait beaucoup mieux que ça. J'aurais voulu pleurer pour elle mais je n'y parvins pas : il n'y avait pas de place en moi pour les émotions modérées.

J'appelai l'infirmière, une femme corpulente et bronzée, au regard indifférent.

— Des gens vont vouloir me rendre visite, expliquai-je. Je ne veux parler à personne avant 9 h 30. Vous pouvez arranger ça ?

— Pourquoi 9 h 30 ? s'étonna-t-elle avec un sourire en coin.

— J'ai des coups de fil à passer.

— Je vais voir ce que je peux faire, conclut-elle en se dirigeant vers la porte.

— S'il vous plaît…, ajoutai-je. Si l'inspecteur Alexander se présente, je veux bien lui parler, à elle.

Je jetai un œil à l'horloge : 5 h 45. J'appelai et trouvai Robin chez elle déjà debout.

— Est-ce que tu pensais ce que tu disais à propos de ton choix ?

— Je crois que j'ai été assez claire.

— En parler, c'est facile, Robin. Le vivre, c'est plus dur. J'ai besoin de savoir si tu le pensais vraiment – tout ce que tu as dit, le bon et le mauvais, les conséquences…

— C'est la dernière fois que je me répète, Adam, alors ne me le demande plus. Moi, j'ai choisi – c'est toi qui hésites. C'est plutôt de toi qu'on devrait parler. Ce n'est pas à sens unique. À quoi tu joues ?

Je me donnai une seconde avant de me lancer, pour le meilleur ou pour le pire.

— J'ai besoin que tu me rendes un service. Cela implique que tu fasses passer ce qui est important pour moi avant ce qui l'est pour les flics.

— Tu es en train de me tester ? demanda-t-elle, furieuse.

— Non.

— Ça a l'air sérieux.

— Tu n'imagines pas à quel point.

Une heure plus tard, elle était dans ma chambre, tenant à la main la carte postale récupérée dans ma boîte à gants.

— Ça va, toi ? s'enquit-elle.

— Je suis un peu perdu, mais surtout en colère.

Elle m'embrassa et déposa la carte sur le lit. Je contemplai l'eau bleue, le sable blanc de la photo.

— Où as-tu trouvé ça ?

— Au motel de Faith.

— Le cachet de la poste date d'après la mort de Danny. La personne qui l'a envoyée est au minimum complice de meurtre, du moins si j'en crois ce que je vois.

— Je sais.

— Tu comptes me la confier ?

— Je ne sais pas.

— Sérieusement ?

— On devrait le savoir dans quelques heures, répliquai-je après un nouveau coup d'œil à l'horloge.

— Qu'est-ce que tu comptes faire ?

— Parle-moi de Grace.

— Tu ne me facilites pas la tâche.

— Je ne peux pas parler de ce que je vais faire, il faut juste que je le fasse. Il ne s'agit pas de toi mais de moi. Tu comprends ?

— D'accord, Adam.

— Tu allais me donner des nouvelles de Grace.

— Il était moins une. Quelques minutes de plus et elle y passait. Tu as probablement eu raison de ne pas m'attendre.

— Comment ça s'est passé ?

— De retour de l'enterrement, elle est entrée chez elle. Une demi-heure plus tard, quelqu'un a frappé à la porte. Elle a ouvert et Miriam lui a tiré dessus. Elle n'a pas prononcé un mot, elle s'est contentée d'appuyer sur la détente et de regarder Grace se traîner à l'intérieur.

— Où a-t-elle trouvé le pistolet ?

— Il est enregistré au nom de Danny Faith. Un tout petit calibre. Il le gardait probablement dans sa boîte à gants.

— Qu'est-ce qui te fait penser ça ?

— La police de Charlotte a fouillé son véhicule, qui était garé sur le parking longue durée de l'aéroport Charlotte-Douglas. J'ai vu l'inventaire hier : la boîte à gants contenait un paquet de balles de calibre .25, mais pas de pistolet.

— Miriam l'a tué, dis-je. Elle a utilisé le pistolet de Dolf et l'a remis dans le meuble. Elle a dû trouver le calibre .25 en fouillant sa voiture.

En réfléchissant, elle plissait légèrement les yeux.

— Il reste de nombreuses lacunes dans cette hypothèse, Adam. Comment arrives-tu à cette conclusion ?

Je lui répétai les paroles de Miriam à propos de ses projets de mariage avec Danny. Je fis une pause, puis lui racontai le reste : Grace, ma mère... Je ne cillai pas, même en évoquant le mensonge de mon père pendant toutes ces années. Robin aussi demeura impassible, acquiesçant seulement quand j'eus terminé mon récit.

— Ça correspond au témoignage de ton père.

— Il t'a tout raconté ? Vraiment tout ?

— Il a parlé à Grantham. Ça n'a pas été facile pour lui mais il voulait que Grantham comprenne pourquoi Miriam avait perdu la tête. Il a affirmé que c'était lui, le coupable, expliqua-t-elle avant de se pencher vers moi. Cette histoire risque de le tuer, Adam. Ça le ronge, comme si tout était sa faute.

— *C'est* sa faute.

— Je ne sais pas... Le père de Miriam l'a abandonnée alors qu'elle était très jeune. C'est une dure épreuve pour une petite fille. Quand ton père est intervenu, elle l'a mis sur un piédestal. Il est tombé de très haut.

Je n'étais pas prêt à entendre ça.

— Le meurtre de Danny n'est qu'une partie de la vérité. C'est Miriam qui a attaqué Grace. Elle l'a battue à mort parce que Danny l'aimait, et parce qu'elle est la fille de mon père..., ajoutai-je en détournant les yeux.

— Comment peux-tu le savoir ?

— Je le soupçonne. Et je peux le prouver.

Son regard scrutateur ne laissait rien paraître de ses pensées.

— Ça va, toi ? demanda-t-elle.

— C'est vrai, ce qu'a dit Miriam, repris-je. Mon père a toujours préféré Grace.

— Tu es en train de rater le seul point positif dans tout ça.

— Quoi donc ?

— Tu as une sœur.

Une lumière fragile apparut dans les ténèbres de mon esprit. Par la fenêtre, je contemplai le ciel d'un bleu azur.

— Miriam a tué Gray Wilson, conclus-je finalement.

— Quoi ? fit Robin, stupéfaite.

— Elle était tombée amoureuse de lui.

Je lui racontai comment j'avais trouvé Miriam sur la tombe de Gray Wilson, comment j'avais appris qu'elle s'y rendait tous les mois avec un bouquet de fleurs fraîchement cueillies, qu'elle m'avait affirmé qu'ils allaient se marier.

Ces mêmes mots qu'elle avait employés pour Danny. C'était trop pour une coïncidence.

— Il était beau et populaire... tout ce qu'elle n'était pas. Il lui a sans doute fallu des mois pour rassembler assez de courage pour lui avouer ses sentiments, des mois à fantasmer sur sa réaction et à se faire des idées... Puis le jour de la fête est arrivé. Je pense qu'elle a essayé de le séduire. En vain. Peut-être a-t-il eu des paroles blessantes ou même ri. Je pense qu'elle lui a fracassé le crâne alors qu'il s'était retourné pour partir.

— Qu'est-ce qui te fait croire ça ?

— C'est plus ou moins ce qui est arrivé à Danny.

— Dis-m'en un peu plus.

— Redemande-moi ça dans trois heures.

— Tu es sérieux ?

— Pour l'instant, ce n'est qu'une hypothèse.

Robin regarda la carte postale : c'était une preuve matérielle dans une affaire très importante. Elle pouvait se faire renvoyer, être assignée en justice... Elle la souleva.

— S'il y a des empreintes, cela pourrait disculper Dolf. Tu y as pensé ?

— Il sera disculpé de toute façon.

— Tu es prêt à courir le risque ?

— Je sais reconnaître un doute raisonnable quand j'en vois un – et toi aussi. Miriam a tiré sur deux personnes dans un accès de jalousie à cause de Danny. Elle a utilisé le pistolet de sa voiture abandonnée, lui a donné trente mille dollars, croyait qu'ils allaient se marier... L'affaire n'ira jamais jusqu'au tribunal.

— Tu vas me dire, au moins, ce que tu as derrière la tête ?

— Tu as fait ton choix. J'ai fait le mien. Il est grand temps pour mon père de faire le sien.

— S'agit-il de pardon ?

— De pardon ? Je ne sais même pas ce que ce mot signifie...

Robin se leva et je lui pris la main.

— Je ne peux pas rester ici, soupirai-je. Pas après tout ça et avec ce que je sais. Quand les choses se seront apaisées, je retournerai à New York. J'aimerais que tu viennes avec moi, cette fois.

— J'ignore ce que tu t'apprêtes à faire, soupira-t-elle en se penchant pour m'embrasser, mais ne fiche pas tout en l'air.

Dans ses grands yeux noirs, il n'y avait aucune réponse, et nous le savions tous les deux.

33.

J'appelai George Tallman chez lui. Le téléphone sonna neuf fois et il fit tomber le combiné en décrochant.

— George ?

— Adam ? bredouilla-t-il d'une voix pâteuse. Attends une seconde.

Je l'entendis se cogner et presque une minute s'écoula avant qu'il ne le reprenne.

— Excuse-moi, mais j'ai beaucoup de mal à encaisser tout ça.

— Tu veux en parler ?

Il était au courant de presque tout ce qui s'était passé et paraissait sous le choc. Il ne cessait d'employer le présent pour parler de Miriam, puis il s'excusait, gêné. Après quelques minutes, je compris qu'il était ivre – sans doute un peu perdu, aussi. Il ne voulait pas salir la mémoire de Miriam. Ces mots lui arrachèrent un sanglot – sa « mémoire »...

— Tu sais depuis combien de temps j'étais amoureux d'elle ? demanda-t-il finalement.

— Non.

En hoquetant, il m'avoua que cela remontait au lycée, sauf qu'à l'époque elle ne voulait pas de lui.

— C'est ce qui rendait notre histoire si particulière, expliqua-t-il. Je l'ai attendue, je suis resté fidèle... Puis, à son tour, elle a fini par se rendre à l'évidence. Comme si c'était notre destin.

Je comptai une douzaine de secondes et repris :

— Je peux te poser une question ?

— Vas-y, renifla George.

— Quand Miriam et Janice sont rentrées du Colorado, elles ont passé la nuit à Charlotte et y sont restées le lendemain.

— Pour faire du shopping.

— Mais Miriam ne se sentait pas bien.

C'était une simple hypothèse mais je voulais en avoir le cœur net.

— Elle était... Comment le sais-tu ?

— Tu as emmené Janice faire des courses et laissé Miriam à l'hôtel.

— Pourquoi me poses-tu ces questions ? fit-il, soudain méfiant.

— Juste une autre question, George.

— Je t'écoute.

— Dans quel hôtel sont-elles descendues ?

— Dis-moi d'abord pourquoi tu veux savoir tout ça.

Retrouvant peu à peu sa sobriété, George devenait soupçonneux. Je fis alors le nécessaire : je mentis.

— C'est une question inoffensive, George.

Une minute plus tard, je raccrochai et fermai un instant les yeux, me laissant pénétrer de toutes ces informations. À mesure que l'effet des médicaments s'amenuisait, la douleur s'intensifiait. L'idée d'une injection de morphine me traversa l'esprit mais je la chassai aussitôt. Lorsque je m'en sentis capable, j'appelai l'hôtel de Charlotte.

— Passez-moi l'accueil, s'il vous plaît.

— Un instant.

J'entendis deux clics successifs avant qu'une autre voix d'homme ne prenne le relais.

— Ici, l'accueil.

— Bonjour. Je voudrais savoir si vous mettez des voitures à disposition de vos clients.

— Nous avons notre propre service de limousines.

— Est-ce que vous louez ou prêtez des voitures à vos clients ?

— Non, monsieur.

— Quelle compagnie de location est la plus proche de votre hôtel ?

Il me répondit – il s'agissait d'une grande chaîne.

— Nous avons une navette qui peut vous y emmener, ajouta-t-il.

— Pouvez-vous m'indiquer leur numéro de téléphone ?

La femme qui décrocha avait une voix standard de réceptionniste. Monotone, flegmatique et peu avenante.

— Nous ne pouvons pas vous donner cette information, monsieur.

— C'est très important, insistai-je en m'efforçant de garder mon calme.

— Je suis désolée, monsieur. Nous ne pouvons pas vous donner cette information.

Je raccrochai et appelai Robin sur son portable. Elle était au poste de police.

— Qu'est-ce qui se passe, Adam ? Tout va bien ?

— J'ai besoin d'une information.

Je lui dis ce que je voulais savoir et lui laissai le numéro de la compagnie de location de véhicules.

— Ils doivent avoir des registres, au moins pour les paiements par carte de crédit. Si elle se débine, tu peux toujours essayer l'administration.

— Je sais comment faire, Adam.

— C'est vrai, excuse-moi.

— Inutile de t'excuser. Je te tiens au courant. Reste près du téléphone.

— C'est une blague ? ironisai-je.

— Réjouis-toi, Adam, le pire est derrière toi.

— Non, pas encore, fis-je en songeant à mon père.

— Je t'appelle.

M'enfonçant dans mon oreiller, je fixai la grosse horloge sur le mur. Huit minutes plus tard, Robin avait obtenu l'information que je cherchais.

— Tu avais raison, annonça-t-elle. Miriam a loué une Taurus verte, immatriculée ZXF-839. Payée avec sa carte de crédit – une visa, pour être précise. Elle l'a louée le matin et rendue dans l'après-midi. Cent quatre-vingt-huit kilomètres au compteur.

— Ça fait pile un aller-retour à la ferme.

— Au kilomètre près, ou presque – j'ai vérifié.

— Merci, conclus-je simplement en me frottant les yeux.

— Bonne chance, Adam. Je viendrai te voir cet après-midi.

Je devais patienter jusqu'à l'ouverture des bureaux avant de passer mon prochain coup de fil. J'attendis 9 heures. La femme qui décrocha était d'une bonne humeur inquiétante.

— Bonjour ! claironna-t-elle. Worldwide Travels, à votre service !

Je la saluai et allai droit au but.

— Si je voulais prendre un avion pour Denver depuis Charlotte, me serait-il possible de faire escale en Floride ?

— Où, en Floride ?

— N'importe où, répondis-je après un instant de réflexion.

Je surveillai l'horloge pendant qu'elle pianotait sur son clavier. La réponse arriva en soixante-treize secondes.

Je fermai à nouveau les yeux, tremblant et haletant. Dans ma jambe, la douleur ne cessait de s'intensifier, lancinante, culminant en brûlures insupportables. J'appelai l'infirmière, qui prit son temps pour arriver.

— Ça va empirer à quel point ?

J'étais blême et trempé de sueur mais ses yeux ne trahissaient pas la moindre compassion.

— Cette pompe à morphine n'est pas là pour décorer, fit-elle remarquer en pointant un doigt sans sa direction. Appuyez sur le bouton quand la douleur devient insupportable. C'est conçu pour empêcher les overdoses. (S'apprêtant à libérer un peu de liquide, elle ajouta :) Vous n'avez pas besoin de moi pour vous tenir la main.

— Je ne veux pas de morphine.

Elle se retourna, un sourcil levé, l'air dubitatif.

— Dans ce cas, ça va devenir bien pire, dit-elle en pinçant les lèvres.

Puis elle quitta la pièce en balançant ses larges hanches. Je m'enfonçai dans les oreillers, serrant le drap de toutes mes forces tandis que la douleur rugissait en moi. Je la voulais, cette morphine, mais je devais absolument garder tous mes esprits. Je tournai la carte postale entre mes doigts.

IL Y A DES JOURS OÙ TOUT EST PARFAIT. Et d'autres où rien ne va plus.

Mon père arriva à 10 heures. Il avait une mine affreuse. Avec ses yeux cernés et son dos voûté, il avait l'air d'une âme perdue attendant que le sol se dérobe sous ses pieds.

— Comment vas-tu ? me demanda-t-il en entrant.

Les mots me manquèrent. Fouillant au fond de moi, je ne trouvai pas une once de haine. Je revis au contraire mes premières années, celles que nous avions passées tous les trois. Nous étions heureux... L'émotion me submergea et je faillis craquer.

— C'est vrai, n'est-ce pas ?

Il n'ouvrit pas la bouche.

— Maman était au courant pour Sarah et pour le bébé. C'est à cause de ça qu'elle s'est tuée, à cause de cette trahison...

Il ferma les yeux et baissa la tête. Je n'attendais pas de réponse.

— Comment l'a-t-elle découvert ?

— C'est moi qui lui ai appris. Elle méritait de le savoir.

Je me détournai. Quelque part en moi, j'avais espéré que tout cela n'était qu'une grossière erreur, que je pourrais encore rentrer à la maison.

— Tu lui as tout raconté et elle s'est suicidée...

— Je pensais que c'était plus juste de lui dire la vérité.

— C'était un peu tard pour se soucier de justice.

— Je n'ai jamais cessé d'aimer ta mère...

— Comment Miriam l'a-t-elle découvert ? l'interrompis-je, refusant de l'écouter. Je parie que tu ne le lui en as jamais parlé, à elle.

— Elle a toujours été si discrète... Elle traînait dans les coins. Elle a dû nous entendre en parler, Dolf et moi. Ça nous arrivait parfois, généralement la nuit. Elle l'a sans doute appris il y a des années – ça fait au moins dix ans que je n'en ai plus parlé à voix haute...

— Dix ans...

J'avais du mal à imaginer la souffrance de Miriam, ce qu'elle avait dû ressentir en voyant le visage de mon père s'illuminer chaque fois que Grace entrait dans la pièce.

— Tu as blessé tellement de gens... Tout ça pour quoi ?

— J'aimerais que tu me laisses une chance de m'expliquer, soupira-t-il.

À cet instant, l'éclat de verre fiché dans mon esprit parut se détacher.

— Non ! m'écriai-je. Ne te justifie pas ! Si tu le fais, je sors de ce lit et je t'en colle une ! Tu n'as rien à dire. D'ailleurs, je n'aurais jamais dû te poser cette question. Ma mère avait une santé fragile, elle était épuisée par toutes ces déceptions. Sa vie ne tenait déjà qu'à un fil et la découverte que tu avais une fille a été la goutte d'eau. C'est à cause de toi qu'elle s'est suicidée, pas à cause de moi !

Mon père semblait terrassé par une force invisible.

— J'ai dû vivre avec ça moi aussi, murmura-t-il, broyé.

— Sors d'ici ! ordonnai-je, incapable d'en entendre davantage.

Il tourna les talons. Je me sentis à nouveau envahi par un froid glacial.

— Attends ! Ne compte pas t'en tirer aussi facilement. Raconte-moi ce qui s'est passé. Je veux l'entendre de ta bouche.

— Sarah et moi...

— Pas ça ! Tout le reste. Comment Grace est venue vivre à la ferme avec Dolf, comment lui et toi avez pu nous mentir pendant vingt ans.

— Grace était un accident, commença-t-il en se rasseyant, désespéré. Tout ça n'était qu'un accident...

— Nom de Dieu !

— Sarah voulait la garder, expliqua-t-il en s'efforçant de se redresser sur son siège. Elle pensait que l'enfant était un signe du destin. Elle l'a emmenée en Californie pour commencer une nouvelle vie. Quand elle est revenue deux ans plus tard, elle était handicapée et complètement désillusionnée. L'envie d'être mère lui avait passé et elle voulait que je prenne l'enfant.

— Pourquoi dis-tu « l'enfant » en parlant de Grace ?

— Grace n'est pas son vrai nom. C'est moi qui le lui ai donné.

— Son vrai nom... ?

— C'est Sky.

— Mon Dieu...

— Elle voulait que je la prenne chez moi, mais j'avais une nouvelle famille. J'avais déjà perdu ma femme, je ne voulais pas que cela se reproduise. Mais Grace était ma fille...

— Alors tu as payé Dolf pour qu'il s'en occupe. Tu lui as donné quatre-vingts hectares pour qu'il t'aide à garder ton petit secret.

— Ça ne s'est pas passé comme ça.

— N'essaie pas de...

— Grace devait hériter de la terre ! C'était normal qu'elle lui revienne – rien de tout ça n'était sa faute... Quant à Dolf, il se sentait seul. C'est lui qui a proposé de la prendre avec lui.

— Foutaises !

— C'est la vérité. Sa femme l'a quitté il y a des années et il ne voit jamais sa propre fille. Grace a changé sa vie.

— Grace est au courant ?

— Pas encore.

— Où est Janice ?

— Je lui ai tout raconté, Adam. Inutile de la mêler à ça.

— Je veux la voir.

— Tu veux me faire mal... Je comprends.

— Non, tout ça c'est terminé, il ne s'agit pas de toi.

— Que veux-tu dire ?

— Va chercher Janice. Ensuite, nous parlerons.

Le visage de mon père trahissait une souffrance extrême.

— J'ai tué sa fille hier soir, reprit-il. Elle est sous sédatifs et, de toute façon, je doute qu'elle soit disposée à nous parler. Elle est sous le choc.

— Il faut qu'elle vienne.

— Pourquoi ? Pour l'amour de Dieu, Adam, rien de tout ça n'est de sa faute !

— Dis-lui que j'aimerais lui parler de la Floride.

— Qu'est-ce que ça signifie ?

— Fais-le, c'est tout.

34.

Grantham arriva une heure plus tard et enregistra ma déposition. Comme il insistait pour que je lui donne des détails sur les coups de feu, j'affirmai que mon père n'avait pas eu le choix. Ce n'était pas une faveur, c'était la pure vérité.

Grace ou Miriam… Un choix cruel.

Il voulait aussi en savoir plus au sujet de la mort de Zebulon Faith et du fusil dans le coffre de ma voiture. Mais, cette affaire relevant d'un autre comté, je le priai de me laisser tranquille et il fut forcé d'obéir. Il savait à présent que je n'avais pas assassiné Danny, ni Zebulon Faith.

Après son départ, je songeai à m'accorder un peu de morphine. La douleur était si forte que, par moments, je tremblais de tout mon corps. Je faillis céder mais Robin appela et le son de sa voix me soulagea un peu.

— Les trois heures sont passées, annonça-t-elle.

— Patience, rétorquai-je, tout en m'efforçant d'appliquer mon conseil.

Ils arrivèrent deux heures plus tard : mon père et ma belle-mère.

Les paupières à demi fermées, elle paraissait plus mal en point encore que la dernière fois, pour autant que ce fût possible. Ses mains se contractaient dans le vide, comme si elles cherchaient à agripper quelque chose d'invisible. Avec son rouge à lèvres de travers et ses cheveux mal peignés, elle semblait tout juste sortie du lit. Pourtant, lorsqu'elle s'assit en face de moi, je reconnus la peur dans son regard et compris immédiatement que j'avais raison.

— Ferme la porte, fis-je à mon père.

Il s'exécuta et s'assit. Plein de colère, je me tournai vers Janice. Malgré moi, je me sentis triste pour elle. Janice avait avant tout agi comme une mère.

— Parlons de la nuit où Gray Wilson a été tué.

Janice fit mine de se lever mais, à bout de forces, elle se laissa retomber dans son fauteuil.

— Je ne comprends pas...

— Quand elle est rentrée à la maison, Miriam était couverte de sang. C'est elle qui a tué Gray Wilson. C'est pour ça que tu as décidé de m'accuser à sa place et de témoigner contre moi – c'était pour protéger Miriam.

— Quoi ?

Les yeux de Janice s'agrandirent. Elle blêmit et serra le tissu de sa jupe.

— Si tu choisissais un étranger et si la police trouvait des traces de sang chez nous, ta version ne tiendrait plus debout. Le coupable devait être quelqu'un qui ait accès à la maison – à l'étage, en particulier. Jamie et mon père étant exclus, il ne restait que moi – j'étais le seul dont tu n'étais pas proche.

Mon père remua sur son siège mais je levai la main avant qu'il n'ouvre la bouche.

— J'ai toujours cru que tu étais sincère, que tu avais vraiment vu quelqu'un que tu avais pris pour moi, mais j'avais tort. Il *fallait* que tu témoignes contre moi, juste au cas où.

— Tu as perdu la tête ? interrompit mon père.

— Non.

— Je refuse d'écouter ça ! protesta Janice en s'aidant des accoudoirs pour se lever. Jacob, je voudrais rentrer à la maison.

Je pris la carte postale sous le drap et la lui montrai. Portant une main à sa gorge, elle agrippa le dossier de son siège.

— Assieds-toi ! ordonnai-je, et elle s'exécuta.

— Qu'est-ce que c'est que ça ? intervint mon père.

— Malheureusement, Gray Wilson est de l'histoire ancienne. Il est mort et enterré et je ne peux plus rien prouver. Mais ça, dis-je en agitant la carte, c'est une autre histoire.

— Jacob..., gémit Janice en saisissant le bras de mon père.

— Qu'est-ce que c'est que ça ? répéta mon père.

— C'est un choix, répondis-je. *Ton* choix.

— Je ne comprends pas.

— Les démons de Miriam la hantaient depuis très long-temps, et Janice était parfaitement au courant. Je ne pré-tends pas comprendre pourquoi elle te l'a caché, mais Miriam était malade. Elle a tué Gray Wilson parce qu'elle croyait l'aimer et que lui ne voulait pas d'elle. C'est aussi ce qui s'est produit avec Danny Faith.

Je me tus un instant.

— Pas si facile d'accéder au rocher. Il fallait un fourgon, surtout que Danny était un homme plutôt costaud...

— De quoi tu parles ? articula mon père.

— Miriam n'a pas pu jeter Danny dans ce trou toute seule.

— C'est impossible..., protesta-t-il mais je voyais bien à ses yeux qu'il pensait le contraire.

— Je ne crois pas non plus que ce soit Miriam qui ait posté cette carte.

Je la retournai afin qu'il puisse lire ce qui figurait à l'arrière : *C'est le pied.*

— Elle a été postée *après* la mort de Danny.

— C'est ridicule, anticipa Janice.

— Janice a emmené Miriam dans le Colorado à peine un jour ou deux après la mort de Danny. Il est tout à fait possible de faire escale en Floride... J'ai passé quelques coups de fil ce matin : une heure quarante pour changer d'avion, ça laisse largement le temps de poster une carte. La police peut facilement vérifier leur itinéraire, et les dates correspondront. Je doute qu'on trouve les empreintes de Miriam sur cette carte postale, ajoutai-je en soutenant le regard de mon père.

Il resta silencieux un moment.

— Ce n'est pas vrai, se défendit Janice. Jacob...

— Quel rapport avec le fait de choisir ? reprit mon père sans la regarder.

— La personne qui a posté cette carte essayait de dissimuler la mort de Danny. La police va vouloir l'interroger...

Il se leva et, cette fois, il parla d'une voix forte qui fit tressaillir Janice.

— Quel choix, nom de Dieu ?

Le silence dura. Je ne tirai aucun plaisir de cet instant, mais il était nécessaire d'en passer par là : trop d'erreurs jonchaient notre route – trahisons, mensonges, complicité... et toute cette souffrance.

Je posai la carte au bord du lit.

— Je te la donne. Brûle-la, remets-la à la police ou... rends-la-lui, dis-je en montrant Janice du doigt tandis qu'elle se recroquevillait. C'est ton choix.

Tous deux fixèrent l'objet sans oser le toucher.

— Quels autres coups de fil as-tu passés ? s'enquit mon père.

— Janice et Miriam sont rentrées du Colorado la veille de l'agression de Grace. Elles ont passé la nuit dans un hôtel du centre de Charlotte. George est venu les rejoindre le lendemain matin et a passé la journée avec Janice...

— Il m'a emmenée faire des courses, coupa Janice.

— Pendant que Miriam insistait pour rester à l'hôtel.

— En effet.

— Elle a loué une voiture deux heures avant l'agression de Grace. Une Taurus verte immatriculée ZXF-839. La police est au courant.

— Qu'est-ce que tu sous-entends ?

— Miriam était encore furieuse au sujet de Danny. Elle avait eu dix-huit jours pour penser à la manière dont il l'avait laissée tomber pour Grace et elle lui en voulait toujours pour ça.

— Je ne..., bredouilla mon père.

Il ne savait plus où il en était, aussi terminai-je le raisonnement à sa place.

— Deux heures après que Miriam a loué cette voiture, quelqu'un a surgi de derrière un arbre et a frappé Grace avec un club.

Janice serra le bras de mon père si fort que ses articulations blanchirent.

— Mais, et la bague de Danny ? Et le message... ? demanda-t-il.

— Miriam a probablement gardé la bague après avoir tué Danny. Peut-être l'a-t-elle laissée à côté de Grace en geste symbolique. Ou peut-être essayait-elle simplement de se couvrir en déguisant la vraie raison de l'agression. La bague signifiait non seulement que Danny était impliqué, mais aussi qu'il vivait toujours. Si les gens en doutaient ou si on découvrait le corps de Danny, le message les orienterait alors vers des personnes possédant un intérêt dans la vente des terres. Je crois qu'il s'agissait simplement de semer des fausses pistes, une stratégie qu'elle a apprise en observant sa mère...

Mon père dévisagea sa femme.

— Je suis désolé, terminai-je.

Il prit la carte postale tandis que nos regards se croisaient. Voulant parler, il se ravisa – les mots lui manquaient. Janice parvint à se mettre debout. La fixant une dernière fois, mon père partit sans se retourner, voûté comme un vieillard, tandis que Janice, baissant la tête, se traînait à sa suite.

J'attendis que le bruit de leurs pas s'éteigne dans le couloir. Puis je tendis la main vers la pompe à morphine. Une chaleur m'envahit alors que je pressai sur le bouton, et je le maintins enfoncé longtemps après que le liquide eut cessé de couler. Mes yeux prirent un éclat vitreux tandis que la pompe émettait un léger clic dans la chambre désormais vide.

Le soleil se couchait quand Robin revint. Elle m'embrassa, me demandant comment ça s'était passé. Je lui racontai tout et elle resta un moment silencieuse. Puis, prenant son téléphone, elle passa une série de coups de fil.

— Il n'a pas appelé, annonça-t-elle. Rien au poste de police de Salisbury ; rien non plus au bureau du shérif.

— Il se peut qu'il n'appelle pas.

— Ça ne te rend pas furieux ?

— Je ne sais plus. Je hais Janice pour ce qu'elle m'a fait mais Miriam était sa fille... Elle a fait ce qu'elle estimait être son devoir.

— Tu plaisantes ?

— Je n'ai jamais eu d'enfant, je peux seulement imaginer... Mais, moi, je mentirais pour Grace, s'il le fallait. Je donnerais ma vie pour toi – pire, si nécessaire.

— Beau parleur...

Elle s'allongea près de moi et posa sa tête sur l'oreiller.

— À propos de New York..., repris-je.

— Ne me le demande pas tout de suite.

— Je croyais que tu avais fait ton choix ?

— En effet, mais ça ne signifie pas que tu auras toujours le droit de prendre toutes les décisions..., rétorqua-t-elle, s'efforçant de garder un ton léger.

— Je suis vraiment incapable de rester ici.

— Demande-moi des nouvelles de Dolf, interrompit-elle.

— Je t'écoute.

— Le procureur est à deux doigts d'annuler les chefs d'accusation. La plupart pensent qu'il n'a pas le choix – ce n'est qu'une question de temps.

— C'est pour bientôt ?

— Demain, peut-être.

J'imaginai la façon dont Dolf lèverait les yeux vers le soleil en sortant de prison.

— Tu as vu Grace ? demanda-t-elle.

— Elle est encore aux soins intensifs et les visites sont limitées. Mais ça ne fait rien. Je ne suis pas encore prêt.

— Tu as confronté Janice et ton père mais tu hésites pour Grace ? Je ne te suis pas.

— Il lui faudra du temps pour encaisser tout ça. Et puis ce n'est pas facile.

— Pourquoi ?

— Je n'avais rien à perdre avec mon père mais ce n'est pas le cas avec Grace.

Robin se raidit.

— Qu'est-ce qu'il y a ? l'interrogeai-je.

— Il n'y a pas si longtemps, j'aurais tenu le même discours à ton sujet...

— C'est différent.

— La vie est courte, Adam. Les gens qui comptent réellement ne sont pas si nombreux. On devrait faire tout ce qu'on peut pour ne pas les perdre.

— Qu'est-ce que tu veux dire ?

— Simplement qu'on commet tous des erreurs.

Nous restâmes allongés dans l'obscurité de la pièce. Ce fut Robin qui brisa le silence.

— Pourquoi Miriam a-t-elle accepté d'épouser George Tallman ?

— Je lui ai parlé ce matin. Il était dans un sale état. Je lui ai demandé comment ça s'était passé. Il aimait Miriam depuis des années et ils étaient déjà sortis ensemble mais elle refusait toujours de l'épouser. Elle lui a téléphoné la veille de son départ pour le Colorado et lui a dit oui. Juste comme ça. Il avait déjà acheté la bague de fiançailles. Je pense que c'était l'idée de Janice : si on découvrait le corps, peu de gens iraient soupçonner la fiancée d'un flic. À mon avis, elle n'a jamais eu l'intention d'aller jusqu'au bout.

— Pourquoi penses-tu ça ?

— À son retour, la première chose qu'elle a faite a été d'envoyer George faire des courses avec sa mère pour pouvoir venir jusqu'ici, ni vu ni connu, et tabasser Grace. Il n'était qu'une couverture.

— C'est triste..., soupira Robin.

— Je sais.

Fermant les yeux, Robin se rapprocha de moi et glissa une main sous ma chemise. Sa paume était fraîche sur mon torse.

— Parle-moi de New York, murmura-t-elle.

35.

Je quittai l'hôpital le jour même où Dolf sortait de prison. Il passa me chercher et me conduisit jusqu'à la carrière, non loin de la ville. Dans l'ombre, le granit prenait des teintes grises, et roses aux endroits où le soleil l'éclairait. Mes béquilles me faisaient un peu mal. Je contemplai l'eau claire au fond de la carrière tandis que Dolf fermait les yeux et levait son visage vers le soleil.

— C'est à cet endroit que je pensais quand j'étais en prison – pas à la ferme ni à la rivière. Ça fait au moins dix ans que je ne suis plus venu ici...

— Pas de mauvais souvenir, ici. Pas de fantômes...

— C'est beau.

— Je ne veux pas parler de mon père, annonçai-je en lui faisant face. C'est pour ça que tu m'as amené ici, n'est-ce pas ? Pour pouvoir faire le sale boulot à sa place...

Dolf s'appuya contre le pick-up.

— Je ferais n'importe quoi pour ton père. Tu veux savoir pourquoi ?

— Je n'ai pas l'intention de t'écouter, protestai-je en commençant à dévaler la pente en sautillant sur mes béquilles.

— Ça fait une trotte jusqu'en ville !

— Je me débrouillerai.

— Bon Dieu, Adam ! s'emporta Dolf, me retenant par le bras. C'est un être humain ! Il a mal agi, mais ça fait longtemps maintenant...

Je me dégageai mais il poursuivit :

— Sarah Yates était jeune, belle et consentante. Il a commis une erreur.

— Certaines erreurs méritent qu'on en paie le prix.

— Je t'ai demandé si tu voulais savoir pourquoi... Eh bien, je vais te le dire : c'est parce que c'est le meilleur homme que j'aie jamais connu. Son amitié est un privilège, un véritable honneur. Il faut être aveugle pour ne pas s'en rendre compte.

— Tu as le droit de penser ce que tu veux.

— Tu sais ce qu'il voit quand il regarde Grace ? Il voit une femme adulte, une vie entière de souvenirs et, surtout, un être humain extraordinaire qui ne serait pas là s'il n'avait pas commis cette erreur pour laquelle tu veux à tout prix le condamner ! Il y voit la main de Dieu...

— Et moi, je vois la mort de la meilleure femme que j'aie jamais connue.

— Rien n'arrive sans raison, Adam. La main de Dieu est partout. Tu ne le sais pas encore ?

Je tournai les talons. Il avait raison : ça faisait une trotte jusqu'en ville.

Je passai les quatre jours suivants chez Robin. Nous nous faisions livrer nos repas et sirotions du vin en évitant soigneusement d'évoquer la mort, la pardon ou l'avenir. Je lui parlais le plus possible de New York.

Nous lisions le journal, aussi.

L'événement faisait les gros titres. On trouvait des articles dans les journaux de tous les comtés de l'État. La ferme Red Water était décrite comme l'une des curiosités de Caroline du Nord : trois cadavres en cinq ans, une usine à six cheminées, des milliards de dollars en jeu... Il ne fallut pas longtemps aux agences de presse pour faire le lien. Un journaliste audacieux emballa l'histoire dans un savant mélange d'énergie nucléaire, de dégradation des zones rurales et des conséquences de l'industrialisation débridée ; d'autres parlaient d'obstructionnisme. Dans tous les grands journaux, les éditoriaux ne se privaient pas. Certains clamaient que mon père devait vendre, des environnementalistes protestaient... La situation prenait des proportions exagérées.

Le quatrième jour, la compagnie d'électricité annonça que son choix se portait sur un autre site en Caroline du Sud, pourvu d'un meilleur approvisionnement en eau – un site prétendument aussi pratique. Naturellement, je soupçonnais plutôt l'excès de controverse.

Après l'annonce de la compagnie, un silence effaré s'installa sur le comté, laissant un grand vide, tandis que tous les rêves de richesse s'évanouissaient. Ce fut ce jour-là que je décidai d'appeler Parks – le jour où je choisis de mettre de côté mes problèmes et de faire ce que je pouvais pour aider. Nous nous retrouvâmes dans un restaurant à quinze kilomètres de Salisbury, près de l'autoroute. Après un échange prudent, il me demanda d'en venir au fait.

— À combien s'élèvent les dettes de mon père ?

Il me dévisagea un long moment, essayant de deviner où je voulais en venir. Je savais par mon père qu'il lui en avait parlé.

— En quoi ça vous intéresse ?

— La ferme a appartenu à ma famille pendant deux siècles. La majeure partie des vignes a brûlé. Si Red Water est menacée de faillite, je veux l'aider.

— C'est à votre père que vous devriez parler. Pas à un intermédiaire, fit remarquer Parks.

— Je ne suis pas encore prêt à le faire.

— Qu'est-ce que vous proposez ?

— Il m'a racheté ma part pour trois millions. Je peux la racheter pour la même somme. Ça devrait suffire à le tirer d'affaire.

— Il vous reste assez d'argent ?

— J'ai fait de bons investissements. S'il a besoin de plus, c'est possible aussi.

L'avocat réfléchit, puis jeta un œil à sa montre.

— Vous êtes pressé ? demanda-t-il.

— Non.

— Attendez-moi ici.

Je l'observai par la fenêtre. Arpentant le parking il parlait à mon père au téléphone. Son visage était encore rouge lorsqu'il se rassit devant moi.

— Il refuse.

— Pourquoi ?

— Je ne peux pas en parler.

— Mais il vous a donné une raison ?

— Une assez bonne raison.

— Et vous ne voulez pas me dire de quoi il s'agit ?

Il leva les mains et secoua la tête.

Finalement, ce fut Dolf qui me l'expliqua. Il frappa chez Robin le lendemain matin. Nous discutâmes à l'ombre du bâtiment, sur le parking.

— Ton père voudrait arranger les choses. Il voudrait que tu rentres à la ferme, mais pas parce que tu y as un intérêt financier – pas pour protéger ton investissement.

— Et ses dettes ?

— Il fera ce qu'il faut. Il hypothéquera plus de terres.

— C'est possible ?

— Je lui fais confiance, m'assura-t-il.

L'affirmation de Dolf était lourde de sens. Je le raccompagnai jusqu'à sa voiture.

— Personne ne sait où est Jamie, ajouta-t-il en se penchant par la vitre ouverte. Il n'est pas rentré depuis l'autre jour.

Nous savions tous les deux pourquoi. Miriam était sa sœur jumelle et mon père l'avait tuée. Dolf paraissait très inquiet.

— Tu veux bien essayer de le retrouver ?

J'appelai mon courtier à New York et lui demandai de transférer des fonds dans une succursale locale. En partant à la recherche de Jamie, j'avais en poche un chèque de trois cent mille dollars. Je le retrouvai dans l'un des bars sportifs du coin. Il était assis tout au fond d'un box. Des bouteilles et des verres vides étaient alignés sur sa table. À vue de nez, cela faisait des jours qu'il ne s'était ni lavé ni rasé. Je sautillai jusqu'à sa table, me glissai sur la banquette devant lui et posai mes béquilles contre le mur. Il paraissait effondré.

— Ça va ? demandai-je.

Il ne répondit rien.

— Tout le monde te cherche.

Lorsqu'il se mit à parler, il articula avec peine, et je reconnus en lui cette même colère qui avait failli me détruire.

— C'était ma sœur... Tu comprends ça ?

Je comprenais. Jamie et Miriam étaient jumeaux, en dépit de leurs différences.

— J'étais là. Miriam ne lui a pas laissé le choix.

Jamie cogna sa bouteille sur la table. De la bière gicla, éclaboussant ma manche, et tous les visages se tournèrent vers nous, mais Jamie s'en fichait.

— On a toujours le choix !

— Non, Jamie, pas toujours.

Il se renversa en arrière et, lorsqu'il me regarda, j'eus l'impression de voir mon reflet dans un miroir.

— Va-t'en, Adam ! Fous le camp !

Je glissai le chèque devant lui sur la table.

— Comme tu veux, dis-je.

Je partis en sautillant, ne me retournant qu'une fois arrivé à la porte. Il tenait le chèque dans ses mains et le reposa. Me cherchant des yeux, il leva la main. Jamais je n'oublierai son expression.

Puis il baissa la tête et décapsula une nouvelle bière.

Rendre visite à Grace fut moins difficile que ce à quoi je m'attendais. Le visage de ma mère ne me hanta pas. À ce sujet, au moins, mon père avait raison : ce n'était pas sa faute, et je ne l'en aimais pas moins. Elle paraissait vieillie. Pourtant, la vérité ne semblait pas lui peser autant qu'à moi.

— J'ai toujours cru que mes parents étaient morts, expliqua-t-elle. Maintenant, j'ai un père, une mère et un frère en prime.

— Mais Dolf n'est pas ton grand-père. Tu as perdu ça.

— Comment pourrais-je l'aimer moins que maintenant ? Rien ne va changer pour nous deux.

— Et pour toi et moi ? C'est bizarre, non ?

Il lui fallut une minute pour répondre. Elle était troublée.

— Difficile d'abandonner mes espoirs, Adam. Ça fait mal... Je m'y ferai parce que je n'ai pas le choix. Et je suis soulagée que tu n'aies pas voulu coucher avec moi.

— Ah ! De l'humour...

— Ça aide.

— Et Sarah Yates ?

— Je l'aime bien, mais elle m'a abandonnée.

— Ça fait presque vingt ans, Grace. Elle aurait pu vivre n'importe où mais elle a choisi d'habiter à cinq kilomètres. Ce n'est pas par hasard – elle voulait être près de toi.

— « Près de moi », ce n'est pas la même chose.

— Non, en effet.

— On verra bien.

— Et notre père ?

— J'ai hâte de prendre cette nouvelle route, dit-elle, et elle me regarda si intensément que je dus détourner les yeux. Ne pars pas, Adam. Suis-le avec moi, ce chemin.

Je retirai ma main et contemplai le paysage par la fenêtre. Une voûte d'arbres s'élevait au-dessus des maisons voisines, derrière l'hôpital. Je distinguai au moins cent nuances différentes de vert.

— Je retourne à New York. Robin vient aussi. Nous voulons que tu nous accompagnes.

— Je te l'ai déjà dit. Ce n'est pas mon genre de m'enfuir.

— Il ne s'agit pas de s'enfuir, répliquai-je.

— Ah non ?

36.

L'enterrement de Miriam eut lieu un jour exceptionnelle-
ment froid. J'y assistai au côté de Robin. Mon père était là,
avec Janice. Tous deux paraissaient vieillis, pâles, et manquaient visiblement de sommeil. Dolf se tenait entre les
deux, comme un roc... ou comme un mur. Ils ne se regardaient pas et je compris que la douleur et la rancune étaient
en train de les ronger. Jamie traînait en marge de l'assemblée. Le dos voûté, les joues marquées de taches rouges, ivre
et furieux, il observait mon père avec rancune.

J'écoutai le prêtre qui avait déjà enterré ma mère et
Danny. Dans son habit immaculé, il répétait les mêmes
paroles, mais elles ne m'apportèrent aucun réconfort.
Miriam n'avait pas souvent connu la paix et je craignais que
son âme ne connût le même sort. Elle était morte en assassin, sans se repentir.

Fixant sa tombe, je priai pour le repos de son âme et
pour sa rédemption.

Quand le prêtre eut terminé, ma belle-mère enlaça le cercueil, secouée de sanglots comme une feuille ballottée par
le vent. George Tallman avait les yeux dans le vague. Des
larmes coulaient sur son menton, laissant des traces
sombres sur son costume bleu marine.

Comme je m'éloignais de l'assemblée, mon père me rejoignit. Nous étions seuls sous un soleil discret.

— Dis-moi ce que je dois faire, demanda-t-il.

Je contemplai ce qui restait de nous et songeai aux paroles prophétiques de Miriam. La famille s'était écroulée.

Il y a des fissures partout.

— Tu n'as pas appelé la police, remarquai-je en pensant à la carte postale.

— Je l'ai brûlée..., avoua-t-il en baissant la tête.

Puis, il se mit à trembler lui aussi. Et je partis.

37.

J'appris quelque chose au cours de l'année suivante : quand on est avec quelqu'un qu'on aime, New York est bien plus agréable. Mille fois plus, même. Mais ce n'était pas chez moi, aucun doute là-dessus. J'essayai de m'y faire. En vain. Dès que je fermais les yeux, je rêvais de grands espaces.

Robin et moi n'avions aucune idée de ce que nous ferions du restant de nos jours. Nous savions seulement que nous voulions les passer ensemble. Ni l'argent ni le temps ne manquaient. Nous parlâmes de nous marier.

— Un jour..., dit Robin.

— Bientôt, précisai-je.

— Des enfants ?

Je songeai à mon père et elle sentit que cela me rendait triste.

— Tu devrais le rappeler, suggéra-t-elle.

Il téléphonait toutes les semaines, le dimanche soir à 20 heures. Son numéro s'affichait sur le combiné. Chaque semaine, je laissai sonner. Parfois, il laissait un message, parfois rien. Il m'écrivit, un jour. La lettre contenait une copie de l'acte de divorce à son nom et une copie de son nouveau testament. Jamie conservait dix pour cent mais mon père nous laissait la gestion de la ferme, à Grace et moi. Il voulait que nous prenions soin de son avenir.

Nous, ses enfants.

Grace et moi parlions régulièrement et les choses s'améliorèrent avec le temps. Notre relation finit par devenir un peu plus naturelle. Robin et moi insistions pour qu'elle nous rende visite mais elle refusait systématiquement.

— Un jour…, répondait-elle.

Je la comprenais. Elle marchait à l'aveugle sur une route inconnue. Elle devait rester concentrée. Une seule fois, elle mentionna notre père :

— Il souffre, Adam.

— Je ne veux pas en parler, l'interrompis-je et elle n'aborda plus jamais le sujet.

Dolf vint nous rendre visite à deux reprises, sans vraiment s'intéresser à la ville. Nous sortions dîner, allions parfois prendre un verre. Il refusait de nous répéter ce que disaient les médecins mais paraissait plutôt en forme.

— Les médecins…, soupirait-il avant de changer de sujet.

Je lui demandai un jour pourquoi il avait avoué le meurtre de Danny. Sa réponse ne me surprit pas.

— Ton père était furieux quand je lui ai raconté que Danny avait frappé Grace. De toute ma vie, je ne l'avais jamais vu si en colère. Danny a disparu peu de temps après. J'ai cru qu'il l'avait tué.

Il haussa les épaules et regarda passer une jolie fille sur le trottoir.

— J'étais en train de mourir, de toute façon.

Je repensai souvent à la force de leur amitié. Plus de cinquante ans – une vie entière.

Sa mort faillit me briser complètement.

Je n'y étais pas préparé et je n'étais pas là quand cela arriva. Je retournai dans le comté de Rowan pour un nouvel enterrement. Mon père m'apprit que Dolf était mort le visage au soleil. Puis il leva le bras et me demanda de lui pardonner, mais j'étais sans voix. Je pleurais comme un bébé.

De retour à New York, je n'étais plus le même. Cela dura des jours – des semaines. Je rêvai à trois reprises du cerf blanc, chaque fois de façon plus précise. Ses bois étaient aussi lisses que de l'ivoire et une lumière dorée brillait au-dessus de sa tête. Il se tenait en lisière de forêt et attendait que je le suive, mais je ne le faisais jamais. Je me méfiais de ce qu'il voulait me montrer, de ce qu'il y avait derrière les grands arbres sombres.

Je racontai mon rêve à Robin – la force qui s'en dégageait, la sensation de respect mêlé de crainte, la peur qui m'étouffait lorsque je m'éveillai au milieu de la nuit... Je lui expliquai que Dolf voulait me dire quelque chose, ou ma mère peut-être. Robin se contentait de hausser les épaules. Elle m'enlaçait et me murmurait à l'oreille que cela signifiait que le bien vivait encore dans ce monde, tout simplement. Je m'efforçais de la croire mais je sentais un vide à l'intérieur de moi. Elle me chuchotait alors les mêmes mots, de sa voix douce, *le bien vit encore*.

Pourtant, ce n'était pas le sens de mon rêve.

Il y avait quelque chose derrière ces arbres, un endroit secret, et je croyais savoir ce que j'y trouverais.

Quand ma mère s'était tuée, mon enfance était morte avec elle. Et la magie, aussi. Je n'avais pas réussi à lui pardonner et cela m'avait détruit. Vingt années de colère et ce n'était que maintenant que je commençais à y voir clair. Elle s'était suicidée, certes, mais elle n'avait commis qu'un acte de faiblesse – tout comme mon père. Si, dans le cas de mon père, les conséquences avaient été très graves, son péché en soi n'était que celui d'un être humain. Voilà ce que Dolf essayait de me dire. Je comprenais à présent que ses paroles n'avaient pas été uniquement dans l'intérêt de mon père, mais aussi dans le mien. La faiblesse de mon père était bel et bien la source de ma colère mais, chaque jour, ce détail me paraissait moins important.

Serrant ma femme contre moi, je décidai que, la prochaine fois, je suivrais le cerf blanc. J'emprunterais la route sombre et affronterais enfin ce que je craignais de voir.

Peut-être était-ce la magie ou le pardon. Ou rien du tout.

À la tombée du jour, le dimanche suivant, Robin déclara qu'elle partait se promener. Elle m'embrassa et posa le téléphone dans ma main.

Me postant à la fenêtre, je contemplai la rivière. Ce n'était pas celle que j'aimais – la couleur et les berges étaient différentes. Pourtant, l'eau bougeait. L'eau glissait sur les choses et allait se jeter dans l'immensité de la mer pour se renouveler.

Je songeai à mes erreurs et à mon père, puis à Grace et aux paroles de Dolf, à l'humanité des hommes et à la main de Dieu qui est en toute chose.

Le téléphone sonnerait dans dix minutes.

Ce soir, je répondrais peut-être.

Remerciements

Je décrirais volontiers mes livres comme des thrillers ou des romans à énigmes mais ils tournent aussi autour de la famille. Ce n'est pas un hasard. Nous avons tous une famille, bonne ou mauvaise, absente ou indifférente. Pour l'usage que j'en fais, cela n'a quasiment pas d'importance. Il n'est pas difficile de faire preuve d'imagination et, quel qu'en soit le résultat, les lecteurs sauront faire le lien. J'ai souvent dit que les dysfonctionnements familiaux constituaient une matière littéraire très riche, et c'est vraiment le cas. C'est un terreau fertile, idéal pour cultiver les secrets et les coups bas, et en faire des histoires explosives. Les trahisons y blessent plus profondément, la souffrance y dure plus longtemps et la mémoire y devient intemporelle. Pour un écrivain, c'est un véritable cadeau.

Avant toute chose, j'aimerais donc remercier ma propre famille de ne pas s'en offusquer. Mes parents ne sont pas des gens mauvais – ils sont merveilleux – tout comme ma belle-famille, mes frères et sœurs, ma femme et mes enfants. Ils m'ont énormément soutenu tout au long de mon travail et je n'aurais jamais pu y arriver sans eux. C'est particulièrement vrai pour Katie, ma femme, à qui je dédie ce livre. Je t'aime, ma chérie. Merci d'avoir toujours été là.

Le sympathique personnel de Thomas Dunne Books-St. Martin's Press est aussi un peu devenu ma famille. Remerciements tout particuliers à Pete Wolverton, mon responsable de publication, un collaborateur et supporter inépuisable. Toute ma gratitude également à Katie Gillian, autre responsable de publication à l'œil averti. Vous formez un duo de choc. Il y en a d'autres, aussi, que j'ai appris à connaître, et dont le soutien a été inestimable : Sally Richardson, Matthew Shear, Thomas Dunne, Andy Martin, Jennifer Enderlin, John Murphy, Lauren Manzella, Christina Harcar, Kerry Nordling, Matt Baldacci, Anne Marie Tallberg et Ed Gabrielli. Merci à tous. Je remercie également Sabrina Soares Roberts, qui a corrigé le manuscrit, et tous ceux qui ont travaillé dur pour que ce livre paraisse : Amelie Littell, Cathy Turiano, Frances Sayers et Kathie Parise. Il y a beaucoup de gens derrière la publication d'un livre, et je sais que je n'ai pas mentionné tout le monde. Quoi qu'il en soit, vous avez tous été fantastiques.

J'aimerais aussi saluer le travail de l'équipe de VHPS, des professionnels dévoués qui font bien plus que la plupart des lecteurs ne se l'imaginent pour assurer le succès des livres. Merci pour votre énergie et votre soutien.

Mon agent, Mickey Choate, mérite une place particulière sur cette page. Merci à toi, Mickey, pour tes conseils et ton amitié. Merci également à Jeff Sanford, mon agent pour les droits cinématographiques, si expérimenté et digne de confiance, qui a toujours une bonne blague sous la main.

Une mention spéciale pour la ville de Salisbury. Tout comme ma famille, Salisbury ne mérite pas l'atmosphère macabre que je lui ai prêtée. C'est une ville formidable et je suis fier d'y avoir été élevé. J'encourage les lecteurs à se rappeler que, si la ville existe bel et bien, les personnages que j'ai créés font partie de la fiction : juge et officiers de police de même que shérif et adjoints. J'ai néanmoins emprunté trois noms à la réalité : Gray Wilson, mon beau-frère, Ken Miller, avec qui j'ai travaillé, et Dolf Shepherd, que j'ai connu petit garçon. Je remercie Gray et Ken de m'avoir prêté leur nom, et la famille de Dolf de m'avoir permis d'utiliser le sien.

Merci à tous ceux et celles grâce à qui la magie a pu se produire : Brett et Angela Zion, Neal et Tessa Sansovich, Alex Patterson, et Barbara Sieg. Vous avez tous fait bien davantage que ce que j'espérais et je ne vous oublierai pas.

Écrire un livre exige de passer beaucoup de temps isolé. Merci à mes amis qui se sont donné du mal pour m'aider à rester sain d'esprit : Skipper Hunt, John Yoakum, Mark Witte, Jay Kirkpatrick, Sanders Cockman, Robert Ketner, Erick Ellsweig, James Dewey, Andy Ambro, Clint Robins et aussi James Randolph, qui a veillé aux questions de droit.

J'aimerais également remercier Peter Hairston et feu monsieur le juge Hairston pour m'avoir permis de passer quelque temps avec eux à la Cooleemee Plantation House, un endroit vraiment remarquable.

Enfin, une reconnaissance particulière à mes filles, Saylor et Sophie.

*Ce volume a été composé
par PCA*

*Impression réalisée par
CPI BRODARD ET TAUPIN
La Flèche
en avril 2009*

N° d'édition : 01 – N° d'impression : 52691
Dépôt légal : mai 2009
Imprimé en France